Cuarto oscuro

Andrea Kane

Cuarto oscuro

Titania Editores

ARGENTINA - CHILE - COLOMBIA - ESPAÑA
ESTADOS UNIDOS - MÉXICO - URUGUAY - VENEZUELA

Título original: *Dark Room*
Editor original: HarperCollins, Nueva York
Traducción: Armando Puertas Solano

© Copyright 2007 *by* Rainbow Connection Enterprises, Inc.
   All Rights Reserved
© de la traducción: 2009 *by* Armando Puertas Solano
© 2009 *by* Ediciones Urano, S.A.
   Aribau, 142, pral. - 08036 Barcelona
   www.titania.org
   atencion@titania.org

ISBN: 978-84-96711- 58-7
Depósito legal: B - 8.147 - 2009

Fotocomposición: Ediciones Urano, S.A.
Impreso por Romanyà Valls, S.A. - Verdaguer, 1 - 08786 Capellades
(Barcelona)

Impreso en España - *Printed in Spain*

A ANDREA CIRILLO, imbatible como referencia profesional. Su intuición, su energía y su integridad no tienen comparación. Andrea está siempre dispuesta a darlo todo, y más, si hace falta. Nada la puede perturbar ni frustrar, ni siquiera los huevos con mayonesa. Gracias, AC, por tu orientación, por tu compañía y por tu asombrosa capacidad de orientarme siempre en la dirección correcta.

Agradecimientos

Quiero expresar mi profunda gratitud hacia quienes compartieron generosamente conmigo su tiempo y sus conocimientos, y cuyos esfuerzos ayudaron a hacer posible la creación de *Cuarto oscuro*.

A Maureen Chatfield, fundadora de M. Chatfield Ltd., que me permitió amablemente adquirir una visión general del funcionamiento interno de una agencia de parejas. Agradezco especialmente a Karen Cooper por nuestros simulacros de consultas. Entiendo por qué M. Chatfield Ltd. se ha ganado su bien merecida reputación.

A Amanda Stevenson, por situarme al otro lado de la cámara y por introducirme al arte, la ciencia y la tecnología de la fotografía moderna y al tratamiento de las imágenes.

Al inspector Mike Oliver, que nunca deja de asombrarme con sus historias de «Un día en la vida de un inspector del Departamento de Policía de Nueva York». No hay muchas personas que consigan mantenerme clavada, me hagan temblar de miedo y reír a la vez. Es precisamente esa combinación de virtudes lo que hace de él un gran poli, y que me ha ayudado a hacer lo mismo con Monty.

Al doctor Hillel Ben-Asher, que no sólo me proporcionó toda la información médica que necesitaba para escribir este libro (y los ejemplos aumentaban a medida que la trama se volvía más compleja), sino que también me ayudó a entretejerla con los hilos del relato de la manera y en el momento precisos. Después de la formación médica que tuve a su lado, puede que no me haya convertido en médico, pero estoy segura de que podría interpretar el papel en una serie de televisión.

A Caroline Tolley, presente en cuanto la necesitaba y que hizo de *Cuarto oscuro* su prioridad número uno. Carol invirtió todo el tiempo, el cuidado y las habilidades para hacer de este libro —y de mí misma— lo mejor que podíamos ser.

A Metamorphosis Image Consulting, por haberme educado en el lenguaje corporal, el estilo y la alta costura.

A Lucia Macro, por haberse metido de cabeza en este caos conmigo, por su capacidad de anudar el relato sin comprometer la trama ni los personajes, y por convertirse en mi animadora incondicional.

Y a mi familia, para quienes no bastarían las palabras. Por suerte, no las necesito.

Capítulo 1

La pesadilla se apoderaba de ella como si fuera una toxina de acción lenta; la paralizaba cuando se introducía subrepticiamente en los pliegues más oscuros de sus recuerdos. No había cómo escapar al final devastador, ni cómo apartar la mirada del horror.

No soportaba verlos. Ni sus cuerpos descoyuntados ni sus miradas vacías. No soportaba la visión de la sangre color carmesí que no paraba de brotar por debajo mientras sus vidas se desvanecían.

Con un gemido ronco, Morgan se obligó a despertar y se sentó bruscamente sobre la cama. Tenía los músculos agarrotados. Se apoyó con fuerza en la cabecera de roble macizo y dejó que la madera le refrescara la piel sudorosa. El corazón le golpeaba contra el pecho y su respiración era rápida y vacía.

Aquella era una de las temibles.

Cerró los ojos con fuerza y se concentró en los ruidos apagados de Manhattan antes del amanecer. El *tum-tum* intermitente de los coches que transitaban por calles llenas de baches. Una sirena en la distancia. El zumbido justo al exterior de la ventana de su casa, veinticuatro horas al día, los siete días de la semana. Aquello la conectaba a la vida, al consuelo de lo real y lo familiar. Se empapó de ello, procurando sepultar las imágenes de su pesadilla antes de que las imágenes la tragaran a ella.

Era un ejercicio inútil. Puede que las pesadillas fueran esporádicas, pero los vívidos recuerdos habían quedado grabados en su cabeza hacía diecisiete años.

Echó a un lado las mantas y alzó las piernas por un lado de la cama. Tenía la camisa de dormir húmeda y pegada al cuerpo, y el pelo mojado se le había pegado a la nuca. Se lo recogió, hizo girar los largos bucles que le llegaban a los hombros y se lo fijó como un moño en lo alto con una horquilla que guardaba en su mesita de noche. Sopló una racha de aire frío, y ella tuvo un estremecimiento.

Había intuido el episodio de esa noche. Era la época del año. Las pesadillas siempre llegaban, rápidas, furiosas, en aquellos días de fiestas. Sin embargo, era ella quien tenía la maldita culpa de haber exacerbado la situación.

Miró el reloj despertador en su mesita de noche. Las 05:10. No tenía sentido intentar volver a dormirse. Tampoco se dormiría con sólo proponérselo, y el esfuerzo no merecía la pena. Faltaban sólo cincuenta minutos para que sonara la alarma del reloj.

Se puso una bata y salió dando pequeños pasos hacia el pasillo, apenas iluminado, hasta llegar a la habitación vacía. Los contenidos de la caja que había estado revisando estaban sobre el escabel donde los había dejado, los objetos por un lado, las fotos por otro, y los diarios de trabajo que había descubierto hacía poco tiempo, apartados a un lado.

Todavía obsesionada por su sueño, encendió la luz y fue directamente hacia las fotos. Se arrodilló junto al escabel para quitar de encima un estrato del tiempo.

La foto al comienzo del montón era la más significativa y la que más daño hacía. Era la última foto de los tres juntos. Morgan se la quedó mirando con semblante triste. Su madre, bella y elegante. Su padre, un hombre intenso y dinámico, con un brazo protector sobre el hombro de su mujer, la otra mano sobre el hombro de la niña pequeña y delgada, una niña que había heredado los enormes ojos verdes y los rasgos finos de su madre y la expresión aguda y penetrante del padre.

Giró la foto. La letra en la parte baja era de su madre. Había escrito: *Jack, Lara y Morgan, 16 de noviembre, 1989.*

Había escrito esas palabras un mes antes de los asesinatos.

Morgan tragó saliva, dejó la foto y siguió mirando las demás. Su madre en la universidad, posando con su compañera de habitación y mejor amiga, Elyse Shore, en aquel entonces Elyse Kellerman. La graduación de la Facultad de Derecho de su padre, su padre y su madre delante de la fachada de la Universidad de Columbia, enseñando el diploma de Jack. El día de la boda. El día de su nacimiento. Fotos de familia de ocasiones felices, desde su primer cumpleaños; hasta los veranos en la playa con los Shore: Elyse, Arthur y Jill. Al final, las fotos que Elyse había revelado para ella meses después del funeral, fotos tomadas en el lujoso *penthouse* de Daniel y Rita Kellerman en Park Avenue, la noche de Navidad. Sus padres habían venido invitados a la fiesta de Navidad de los padres de Elyse en honor a Arthur y a todos los que habían contribuido generosamente a su campaña electoral.

Eran las últimas fotos de Lara y Jack Winter vivos. Las que seguían eran fotos tomadas en un sótano de Brooklyn, más tarde esa noche, por los forenses en la escena del crimen.

Morgan se estremeció ligeramente, dejó el montón de fotos, se incorporó y se ajustó el cinturón de la bata. Basta, se dijo. Estaba permitiendo que ese cúmulo de emociones volviera a engullirla. Su salud mental no lo soportaría. El doctor Bloom le había prevenido precisamente acerca de eso.

Era el momento de hacerle caso. Volverse activa. Centrarse en el presente.

Empezaría el día temprano. Preparar café, ducharse y vestirse. Y luego bajaría e iría al despacho. Tenía un montón de llamadas que hacer con la esperanza de encontrar a sus clientes antes de que salieran al trabajo, y una montaña de papeles que revisar. A las ocho y media tendría que acudir a su terapia, lo cual le iba bien porque la consulta del doctor Bloom quedaba a sólo una manzana del Hotel Waldorf Astoria, donde tenía una entrevista con un nuevo cliente a las once en punto. Después, tendría que volver al despacho para asistir a una reunión de seguimiento con Charlie Denton, un tipo atractivo, cuarenta y cuatro años, casado con su trabajo en la Oficina del Fiscal del Distrito, de Manhattan. Con criterios muy específicos y una vida desquiciadamente ajetreada, Denton todavía buscaba a la señora Ideal. Y el trabajo de Morgan era encontrarla.

Apagó la luz y salió de la habitación, y de su pasado, que quedó desparramado sobre el escabel a sus espaldas.

El trato estaba sellado.

A nadie de la Oficina del Fiscal del Distrito le parecía bien. Otro cabronazo que delataba a un compañero preso para salvar su propio pellejo. Otro caso en que el imperio de la ley convergía con la idea de Darwin sobre la supervivencia de los más fuertes.

Tener que tratar con guante blanco a ese miserable traficante de drogas, Kirk Lando, era un amargo consuelo. Pero no tenían alternativa. A cambio de un recorte de su pena, Lando les había entregado al asesino de un policía. El Departamento de Policía de Nueva York estaba satisfecho. Nate Schiller pagaría por haberse cargado a uno de los suyos.

A Schiller probablemente le cortarían el cuello cuando en Sing Sing se supiera por qué había mentido acerca del asesinato del sargento Goddfrey. Normalmente, matar a un poli lo habría convertido en un héroe. Esta vez, no. Schiller se había jodido, y de muy mala manera. Cuando había encontrado a Godfrey en Harlem y se lo había cargado, también se había cargado al hombre que Goddfrey protegía por aquel entonces, pensando que así eliminaba al único testigo de su crimen.

Error. Ese hombre era el conocido jefe de una banda mafiosa, y se llamaba Pablo Hernández. Una vez que sus hombres en Sing Sing se enteraran de esa noticia, Schiller ya podía ir despidiéndose de su culo.

Toda esa negociación era una mierda, y por razones más graves que la indulgencia para con Lando o la venganza de los presos con Schiller. La historia de Lando era verdad. La habían confirmado unos cuantos adolescentes del barrio, ahora adultos, que vieron al asesino de Goddfrey huyendo de la escena del crimen. Al comienzo, dieron una descripción. Después, todos señalaron a Schiller en una rueda de reconocimiento. De modo que no había duda de que Schiller había matado a Goddfrey y a Hernández. Lo cual demostraba que no podía haber cometido el doble homicidio en Brooklyn, por el que había sido condenado, como parte de aquella serie de asesinatos.

Las consecuencias se harían sentir, y mucho. La hija. El congresista. El personal de la Oficina del Fiscal del Distrito de Manhattan.

Y un poli jubilado y muy, pero que muy mosqueado.

Capítulo 2

Pete Montgomery hizo virar bruscamente el coche en la entrada y lanzó una dura mirada hacia la casa semiadosada que le servía de despacho como si se tratara del enemigo en persona. Estaba de un humor de perros. Había salido del condado de Dutchess a las ocho y cuarenta y cinco para evitar los atascos. Aún así, había tardado tres horas en llegar a Little Neck. Debería haber tardado la mitad. Pero había empezado a nevar, sólo un polvillo que no debía pasar de los cuatro o cinco centímetros, pero suficiente para convertir a los conductores en unos seres vacilantes y muertos de miedo que conducían con la nariz pegada a la ventanilla y se arrastraban a velocidad de caracol.

Bajó rápidamente de su Toyota Corolla marrón deslavado del año 96, un coche que marcaba más de ciento sesenta mil kilómetros recorridos y que había sido desmontado y vuelto a montar más veces que Humpty Dumpty. Aún así, Monty —como todo el mundo lo llamaba— insistía en que a su coche todavía le quedaban unos buenos diez años de vida. Además, era el coche perfecto para un investigador privado, un coche normal y corriente y modesto, el tipo de vehículo que podría pasar desapercibido en cualquier sitio.

Su teléfono estaba sonando cuando abrió la puerta de su despacho, y él dio un par de zancadas hasta la mesa y respondió.

—Montgomery.

—Hola, Monty. —Era Rich Gabelli, un viejo colega de la Comisaría Setenta y Cinco de Brooklyn. Habían trabajado juntos doce años, hasta la jubilación de Monty a los cincuenta años. Gabelli era más joven (y más tolerante), así que para él la jubilación todavía era una cuestión lejana.

—Hola, Rich, ¿qué hay? —Monty ya había empezado a revisar sus carpetas y a ordenar los casos según su prioridad.

—¿Qué pasa? ¿Ahora sólo trabajas media jornada? Te he llamado tres veces a tu móvil y no respondías. Supongo que eso de estar recién casado te consume mucho tiempo. Además de mucha energía.

Monty gruñó. Desde que había vuelto a casarse con su ex mujer, hacía seis meses, era objeto de los incesantes comentarios sarcásticos de sus amigos.

—No estaba en casa con Sally. Estaba en la autopista para cruzar a la isla, maldiciendo a los demás conductores. Además, vi tu número en la pantalla, pero no le hice caso. Ya es hora de que tengas tu propia vida sexual y dejes de vivir vicariamente la mía.

—Eso es fácil de decir para ti —replicó Gabelli—. Sally todavía es una muñeca. ¿Le has echado una buena mirada a Rose últimamente? Se ha puesto casi diez kilos encima.

—Y tú quince. Esas tripas tuyas necesitan una mesa propia. Así que ya puedes agradecer que Rose no te haya dejado. Dime qué quieres, tengo mucho trabajo.

—He llamado para ponerte al corriente. —En la voz de Gabelli había un tono grave que Monty percibió enseguida.

—¿Acerca de qué?

Gabelli respiró hondo.

—El fiscal del distrito ha llegado a un acuerdo con Lando. Lando les ha dado el nombre del asesino de Goddfrey.

—Me parece bien. Lando no vale ni una mierda, pero el asesino de Goddfrey merece pudrirse en la cárcel.

—Opino lo mismo que tú. Pero hay más.

—Te escucho.

—El tipo que mató a Goddfrey… fue Nate Schiller.

—Nate Schi… Mierda —masculló Monty—. ¿Estás seguro?

—Sí. Schiller se daba aires en Sing Sing diciendo que había matado a un poli. Cometió el error de decir que era Goddfrey. Lo cual significaba que también había matado a Hernández, y supo demasiado tarde quién era éste. Hay pruebas que lo confirman, así que por eso confesó haber matado a Jack y Lara Winter. Matar a un ayudante del fiscal del distrito implicaba un trato de mierda en Sing Sing, pero matar al jefe de una banda significaba que lo iban a cortar a trocitos. Y ya que a Goddfrey lo mataron la noche de Navidad en Harlem, más o menos a la misma hora en que los Winter eran asesinados en Brooklyn, Schiller no podría haberlos matado.

—Hijo de puta —dijo Monty, y dio un carpetazo en la mesa.

—Al final, tenías razón.

—No habría querido tenerla. Y sigo sin querer. Pero no mentiré si digo que no me sorprende. El doble asesinato de los Winter no se parecía en nada al que cometió Schiller. El primero parecía una historia demasiado personal. ¿Y qué me dices de la Walther PPK? No era precisamente el estilo de Schiller.

—Ya sabes que se lo pasaba en grande dejándonos pistas falsas. En cualquier caso, el fiscal del distrito de Manhattan procurará reabrir el caso Winter.

—Qué sorpresa. Jack Winter era todo un orgullo para ellos. Ahora querrán clavar a su asesino. El problema es que el juego se detuvo cuando Schiller se confesó culpable. Ahora han pasado diecisiete años. Por mucho ruido que arme la oficina del fiscal del Distrito, ¿quién se va a asustar? Sin pistas, sin testigos y una magra lista de sospechosos potenciales, la mayoría de lo cuales han muerto o han desaparecido quién sabe dónde, más les vale aprender a sacar conejos de la chistera. Dudo que se pueda encontrar un caso igual de frío.

—Tienes razón. Ya hemos buscado el expediente. No hay nada. Pero el capitán quiere que cumplamos con el protocolo.

—Claro que sí —convino Monty, seco—. Él tiene que salvar el culo. Joder, qué contento debe estar de que me haya jubilado. Sabe que de estar todavía en el cuerpo habría armado mucho jaleo por esta historia.— De pronto, Monty hizo una pausa, y cuando volvió a hablar, su voz era más ronca, más grave—. ¿Y qué hay de la hija… Morgan? ¿Ya se lo han dicho?

—Por eso te llamo. Todo este asunto acaba de saberse. Los de la Oficina del Fiscal del Distrito están acojonados. No les hace ninguna gracia pensar en las consecuencias. Pero no pueden arriesgarse a que se sepa por una filtración. Así que se lo van a decir hoy. —Siguió una breve pausa—. En cuanto en la comisaría acabemos de poner los puntos sobre las íes para darles el visto bueno. Lo cual estoy haciendo mientras hablamos.

Monty captó el mensaje.

—Eso me da tiempo para hablar antes con ella.

—De acuerdo. Si eso es lo que quieres hacer.

—Es lo que quiero —dijo Monty, y guardó silencio. Se imaginó a aquella niña de mirada vacía que se había convertido en adulto en un abrir y cerrar de ojos, como si fuera ayer. Sintió una punzada en el vientre cuando recordó la escena de la que había sido testigo.

La mayoría de los casos no le afectaba. Éste sí le había afectado. Y todavía le afectaba.

—La pobre chica estaba muy mal —murmuró Gabelli—. Tú fuiste el único que pudo comunicarse con ella.

—Sí, claro, yo también estaba pasando por un mal momento. Por eso conectamos.

—Lo recuerdo —dijo Gabelli, y carraspeó. Amigos o no, todavía había temas que prefería no tocar. Esos altibajos en la vida de Monty era uno de aquellos temas—. Será mejor que te muevas rápido. Yo sólo puedo retener el proceso por un tiempo limitado. Y no tengo por qué decirte que yo no te he transmitido esta noticia. El capitán se serviría mi culo en bandeja.

—Ningún problema. No hemos hablado —asintió Monty con un gruñido—. Pero, entre nosotros, le hago un favor al capitán sirviendo de intermediario. Puede que incluso consiga minimizar los daños.

—Con el congresista Shore, querrás decir.

—Joder, ya lo creo. Te aseguro que montará un cisco. Cuando se falló sobre los asesinatos, el único al que no amenazó con una demanda fue a mí.

—Quería respuestas concretas. No se lo reprocho. Él y su mujer acababan de perder a sus mejores amigos y, además, les habían otorgado la custodia de la hija.

—¿Reprochárselo? El tipo estaba más controlado de lo que yo mismo hubiera estado en esas circunstancias. Ver a esa pobre niña, imaginarse lo que estaba viviendo, madre mía, yo habría recurrido a algo más que amenazas para que me dieran respuestas. —Monty apartó el montón de papeles sobre la mesa y cogió una libreta y un boli—. Dame la dirección de Morgan Winter. Quiero hablar con ella antes que nadie, y eso incluye a la prensa. Seguro que la noticia la dejará tan atontada que lo último que queremos es que los reporteros le tiendan una emboscada.

Se oyó un revoloteo de papeles.

—Vive en aquella casa de ladrillo que sus padres le dejaron arriba, en el East Side. Tiene un negocio, una especie de agencia de parejas de altos vuelos —dijo Gabelli, y le dio la dirección a Monty.

—Muchas gracias, Rich. Dame una hora. Y luego, suelta los perros. —Monty dejó escapar un bufido—. Espero que Morgan Winter sepa lidiar con esto.

—Ya no es una niña, Monty. Ahora es toda una mujer. Sabrá cómo tomárselo.

—¿Eso crees? Yo no estoy tan seguro. No sólo perdió a sus padres esa noche. Fue ella la que los encontró, ahí muertos, asesinados. La pobre niña quedó traumatizada. Lo único que le permitió no perder la cordura fue saber que habían atrapado al asesino, que lo habían encerrado de por vida y negado la libertad condicional. Ahora tendré que decirle que ese hombre no era el asesino.

Era la una de la tarde y a Morgan le rugían las tripas cuando volvió a su casa. No había probado bocado en todo el día. En realidad, no había tenido ni un respiro desde el momento en que había abierto las puertas de Winshore LLC, a las ocho de la mañana. La actividad de su agencia de parejas de alto *standing* iba viento en popa. Los teléfonos no paraban de sonar cuando se despidió de Beth Haynes, la última empleada contratada, y se dirigió a toda prisa a su terapia de las ocho y media. Y seguían sonando cuando había llamado para saber qué tal iban las cosas, hacía poco rato. La buena noticia era que Beth le informó que Charlie Denton no podía llegar a su cita y que la había aplazado hasta las tres de la tarde. Aquello le daba un respiro y la oportunidad de tragarse un bocadillo, suponiendo que se lo trajeran en el curso de la próxima hora.

Se quitó los copos de nieve adheridos al abrigo, que luego colgó. Se frotó los brazos y miró a su alrededor. La planta baja de la casa era la sede de Winshore, y estaba decorada con maderas nobles y alfombras orientales. La primera planta, también destinada a despachos, era igual de elegante, con un toque más íntimo. Se dividía en una cómoda sala destinada a las entrevistas, y un salón grande y espacioso para las sesiones de fotografía y consultas de moda y estilismo.

La primera planta era un ambiente relajado y cómodo.

La planta baja era todo negocios y ajetreo.

En realidad, no era todo negocios. También había toques personales, como las fotos de la reciente boda de un cliente sobre el mostrador, una que otra escultura moderna sobre las mesas de trabajo y, gracias a Jill Shore, su socia y su mejor amiga, un conjunto de eclécticos adornos de Navidad adquiridos a lo largo de sus viajes. Entre estos objetos, un árbol de Navidad de dos metros y medio que casi llegaba al techo, una menorah labrada a mano que Jill había traído de Israel, y una decoración de la fiesta del Kwanzaa.

Morgan sonrió cuando pasó por el estrecho hueco que dejaba el árbol para llegar a la mesa de Beth.

—Nadie nos puede acusar de ignorar las fiestas.

—Eso es una verdad como una casa —dijo Beth, y se sopló una aguja de pino caída sobre su jersey rosado de cachemira—. Y Jill todavía no ha terminado. Me parece que ha dicho algo de poner unas campanas para conmemorar el solsticio de invierno y unos libros que explican sus antiguas raíces.

Morgan dejó pasear una mirada divertida por la sala, hasta detenerse en el rincón del hogar.

—La verdad es que tenemos un espacio vacío. Supongo que está destinado al tema del solsticio de invierno. —Hizo una mueca al oír otro fuerte gruñido del estómago—. ¿Sabes si Jonah llegará pronto? —preguntó, esperanzada.

Jonah Vaughn era el chico de los recados en Lenny's, la mejor tienda de comida kosher para llevar de toda Nueva York. Estaba situado en la calle Delancey y repartía sus suculentos bocadillos en toda la parte baja del East Side y en Brooklyn. Y aunque Winshore quedaba fuera de esa zona de entrega, Morgan y Jill tenían un punto a favor con el propietario. Lenny era el abuelo de Jill. Y ya que Morgan había crecido como un miembro más de la familia Shore, también era como un abuelo para ella.

Beth le enseñó los pulgares hacia arriba.

—Estás de suerte. Jonah llamó desde la furgoneta justo antes de que llegaras. Debería llegar en diez minutos.

—Gracias a Dios. Estoy a punto de desmayarme de hambre.

—Aguanta, que ya llegan los refuerzos. —Beth hizo girar la silla para apartarse del ordenador y se estiró. Era una joven de veintidós años, con una cara saludable y una mente ágil. Tenía un excelente trato con las personas y era licenciada en psicología por la Universidad de Northwestern. Morgan la había conocido en un seminario y no había dudado en contratarla. Después de seis meses de formación, estaba a punto de convertirse en una entrevistadora de primera.

—¿Hay algo urgente que deba saber? —Morgan cogió la lista de mensajes y empezó a revisarla.

—Hay un montón de nuevos contactos —le dijo Beth, y anotó unas cuantas cosas—. Por cierto, ¿cómo ha ido tu reunión en el Waldorf? Rachel Ogden es apenas un poco mayor que yo, pero por teléfono sonaba como una mujer de armas tomar.

—Y lo es. —Morgan le entregó a Beth los formularios de información que Rachel había rellenado, junto con las notas que ella misma había tomado durante la entrevista, todo listo para ser archivado en una carpeta de nuevo cliente—. Tiene veinticinco años y ya es toda una consultora en gestión de empresas. Hay unos cuantos tíos en nuestra base de datos en los que he pensado. Empezando por Charlie Denton. Tiene más de cuarenta años, pero Rachel prefiere que sea así. Creo que engancharían perfectamente.

El teléfono volvió a sonar y Beth soltó un bufido.

—Se acabó el descanso. Seguro que se trata de otro cliente.

—En parte, el hecho de que estas llamadas no paren se debe a Elyse —dijo Morgan, sonriendo—. Aprovecha cada clase de aerobic y de baile para hacer publicidad, y habla de Winshore junto a las bicicletas estáticas y las cintas andadoras. —Había un dejo de cariño en su voz cuando hablaba de Elyse Shore, la madre de Jill. Aquella mujer era un portento. Tenía un elegante gimnasio en la Tercera Avenida con la calle Ochenta y cinco este, donde la expresión «de boca a oído» adquiría un sentido totalmente diferente.

Se abrió la puerta principal de la casa y entró Jill sacudiéndose la nieve del abrigo.

—Está cayendo con ganas. Ésa es la mala noticia. La buena noticia es que he visto el furgón de Jonah. Ha llegado la comida. Ya no aguantaba más. Tengo el estómago que ruge como en una película de terror.

Se quitó el abrigo con una sacudida de hombros y siguió hablando mientras se peinaba el pelo con los dedos para secárselo. Jill era una mujer más llamativa que bella, con su cabellera entre rubia y pelirroja, que contrastaba con sus ojos oscuros, y una boca ancha y sensual. Y cuando sonreía (algo que hacía a menudo), se le iluminaba toda la cara.

—Me alegro de que la carne de ternera marinada tenga poderes renovadores de la energía —le dijo a Morgan—. Mi tarde será más loca que mi mañana. Una reunión tras otra, con nuestro contable y luego con el diseñador de nuestro nuevo *software*. Primero ahorramos el dinero a la fuerza y luego lo gastamos a la fuerza. Hacia las seis, tendré el cerebro más que frito. —Con un gesto de la mano, descartó las preocupaciones—. No hay por qué afligirse. Pasaré a buscar la decoración del solsticio de invierno camino a casa. Acabaré de decorar el despacho mañana por la mañana. Ah, y esta noche ceno con mi madre. Revisaremos juntas los detalles de la fiesta.

Jill se frotó las manos para darse calor, con los ojos brillando mientras pensaba en la celebración de las fiestas que Winshore organizaba para sus clientes.

—Ni reconocerás el gimnasio de mamá cuando acabemos. Las luces, la música y la decoración. Y comida suficiente como para hundir un barco. Será fantástico. Antes de que se me olvide, papá me ha dejado un mensaje en el móvil. Volará esta noche desde Washington D.C. Así que resérvate un momento.

Al final, Jill calló para recuperar el aliento y Morgan volvió a preguntarse de dónde le venía a su amiga esa energía inagotable. Así era Jill, como un torbellino. Vivía la vida en toda su plenitud y, en ese vivir, siempre desplazaba las fronteras. Celebraba todo lo que el mundo le ofrecía, y si existía alguien que no la apreciara, Morgan no lo conocía. Jill era como una ráfaga de aire fresco proverbial, una hermana en todos los sentidos excepto el sanguíneo, y ella la adoraba.

—¿Morg? —Jill la miraba con un dejo de curiosidad y el ceño fruncido—. ¿Te encuentras bien?

—Bien. Sólo que tengo hambre.

Con una rápida mirada de soslayo, Jill comprobó que Beth hablaba por teléfono con un cliente. Luego se acercó y se llevó a Morgan a un lado. Bajó la voz para hablarle.

—No, no es que sólo tengas hambre. Estás agotada. No me extraña que papá esté preocupado por ti. Por lo demás, y en caso de que no te hayas dado cuenta, es por eso que viene directamente hacia aquí desde el aeropuerto. ¿Has vuelto a tener una mala noche?

—Las he tenido peores —dijo Morgan, encogiéndose de hombros—. Pero también las he tenido mejores. En estas fechas, es lo normal.

Jill frunció el ceño.

—Quizá debiera olvidarme del cuento de la decoración, al menos este año.

—Ni te atrevas. Tu espíritu de Navidad no tiene nada que ver con mis pesadillas. Si algo hace, es distraerme.

—En realidad, no. Estás hecha un trapo.

—Lo sé. —Morgan no intentó negarlo—. No sé por qué me ha venido tan fuerte este año. El doctor Bloom dice que es un círculo vicioso del subconsciente. Leer el diario de mi madre me hizo establecer una conexión más fuerte de lo normal con ella y con mi padre. Esa conexión me hizo buscar con mayor profundidad en sus diarios, lo cual trajo consigo más pesadillas.

—Sin embargo, las pesadillas ya eran más intensas de lo habitual, incluso antes de que encontraras los diarios de tu madre en esa caja con sus cosas. Hace semanas que no eres tú misma.

Morgan dejó escapar un suspiro y se masajeó las sienes.

—Tengo una sensación rara, desagradable, y no sé por qué no me la puedo quitar de encima.

Antes de que Jill respondiera, sonó el timbre, seguido de unos golpes rítmicos en la puerta y un grito.

—¡La comida!

No fue necesario decirlo dos veces. Jill se acercó deprisa a la puerta y la abrió de un tirón.

—Hola, Jonah —saludó al adolescente que entró con su pedido.

—Hola. —Jonah era un chico alto y desgarbado; estaba medio oculto por su anorak largo y sus botas. Lo único que se veía de él era un mechón de pelo rubio y las nubecillas de aire que exhalaba. Sin embargo, los olores de la carne de la tienda que salían de la bolsa de papel marrón que tenía en las manos era la única identificación que necesitaba.

—Nos has salvado la vida. —Jill le quitó la bolsa y la abrió para hacerse una idea—. Carne de ternera marinada con mostaza y un refresco de cereza del Doctor Brown. ¡Bravo!

Jonah se echó hacia atrás la capucha y respondió al comentario de Jill con un movimiento de la cabeza.

—He oído esa misma exclamación unas diez veces en la última hora.

—Ya lo creo. —Jill buscó en su cartera, sacó un billete y se lo puso a Jonah en la mano enguantada—. Aquí tienes, para una pizza.

—Gracias. —El joven aceptó agradecido la propina—. Pero ya he comido. Me he servido dos trozos del budín de fideos de tu madre. —Del *kugel*, se corrigió, utilizando la palabra en yiddish que Lenny le había enseñado—. Al fin y al cabo, tengo que hacer honor a cierta reputación. Esto va a ir para mis ahorros —murmuró, al pensar en eso.

A pesar de ser galés, Jonah devoraba el kugel de Rhoda desde que tenía edad suficiente para tomar el metro e ir solo hasta lo de Lenny. Todos le hacían bromas a propósito de eso, pero gracias a esa adicción había conseguido su empleo de repartidor. Lenny lo había contratado enseguida, le había ofrecido un salario decente y raciones ilimitadas de kugel, a la vez que le ponía el afectuoso mote de «El niño kosher».

Sin embargo, la mayor ventaja de su trabajo era que Lenny le había presentado a Lane. Trabajar para un fotógrafo con las habilidades y la fama de Lane era la oportunidad de una vida.

—Ah —adivinó Morgan—, otra donación para el fondo destinado a tu cámara.

—Sí —asintió Jonah, con un brillo de ilusión en la mirada, y su voz monótona habitual cobró nueva vida. Jonah era un chico tranquilo, y un poco torpe. Sin embargo, era un as de la informática. En cuanto a la fotografía, Morgan sabía que ésa era su pasión, así como lo era esa nueva experiencia de aprendiz. Si cualquiera de esos dos temas salía en la conversación, Jonah se encendía como ese árbol de Navidad de casi tres metros de Jill.

—He visto una cámara en eBay que no está mal —anunció—. Una Canon Digital Rebel XTi. Tiene de todo, incluso un fotómetro que se limpia solo… En fin, si todavía está en venta cuando Lenny me pague el viernes, voy a pujar por ella.

Jill abarcó los tres ordenadores con un gesto de la mano.

—Si necesitas dinero extra este mes, a nuestro sistema le iría bien ponerlo al día en cuestión de programas y hacerle una revisión de mantenimiento. ¿Qué te parece?

—Claro —dijo Jonah, y se rascó la cabeza—. Tengo quince días de vacaciones a partir de la próxima semana. Podría venir aquí un par de días.

—Estupendo.

Jill y Jonah empezaron a hablar en jerga informática y Morgan aprovechó la oportunidad para sacar su bocadillo de la bolsa marrón y dirigirse a la cocina.

Casi había llegado cuando el timbre de la puerta volvió a sonar. Miró por encima del hombro y alcanzó a ver a Jonah abriéndola. Entró un hombre alto con un abrigo de lana. Tenía la cara cubierta por el cuello del abrigo, el pelo negro y un semblante serio.

El hombre plegó el cuello del abrigo y se lo desabrochó. Había algo decididamente familiar en él, lo cual significaba que debía ser un cliente. Y eso quería decir que ya podía ir despidiéndose de su bocadillo de pastrami.

—Hola, Jonah —saludó al chico—. ¿Repartiendo comida?

—Sí. —Quien quiera que fuera aquel tipo, Jonah pareció sorprendido de verlo ahí—. Me quedan un par de bocadillos. ¿Quiere uno?

—No, ya he comido. Pero, gracias.— La mirada del hombre fue de Jonah a Jill—. Busco a Morgan Winter. ¿Está aquí?

—¿Tiene usted una cita? —le preguntó Jill, con su tono de voz amistoso pero distante con que decía que en Winshore no se entraba sin una cita previa.

—No, pero es importante que la vea. ¿Está aquí?

Su voz… Morgan lo reconoció. Y no pertenecía a un cliente ni a un tipo de la calle.

Era un doloroso recuerdo del pasado.

—Lo miraré —dijo Jill, cauta. Era evidente que se había dado cuenta de su tono de urgencia—. ¿Le importaría decirme su nombre?

Morgan ya volvía sobre sus pasos cuando él contestó.

—Sí. Dígale que soy Pete Montgomery.

Capítulo 3

Jill parecía desconcertada.

Aquel nombre no significaba nada para ella. Pero para Morgan significaba un momento que le había cambiado la vida. El final de la infancia. El comienzo de una pesadilla.

—Inspector Montgomery —dijo, acercándose como ensimismada.

—No queda gran cosa de la niña delgaducha que conocí —dijo él, y le tendió la mano—. Me siento viejo.

—No parece viejo. No ha cambiado. —La cabeza de Morgan iba a mil por hora. No quería sacar conclusiones precipitadas. Quizá la visita del inspector no tuviera nada que ver con el pasado. Quizás había venido por iniciativa propia, buscando a la pareja de su vida.

Era dudoso. Montgomery no era ese tipo de persona. Además, su manera de presentarse... aquello tenía toda la pinta de estar relacionado con la policía.

Morgan le miró la mano izquierda. Llevaba puesta una alianza. Hasta ahí llegaba la sospecha de que buscaba pareja.

Él siguió su mirada y enseguida se hizo una composición de lugar. Sabía que ella quería una confirmación... y sabía por qué.

—¿Puedo hablar con usted a solas?

—Claro. —Morgan le pidió que la siguiera arriba, a la sala de reuniones de la primera planta. A sus espaldas, sintió la mirada de curiosidad de Beth y la ansiedad de Jill. Quizá debería haberles explicado algo, al menos una presentación. Pero le costaba mantener la calma.

Cerró la puerta a sus espaldas y se giró para mirarlo.

—¿Cómo está, inspector? Ha pasado mucho tiempo.

—Tiempo suficiente para que usted haya crecido y empezado su propio negocio. —Monty se la quedó mirando un momento y luego paseó la mirada por la sala sobriamente decorada—. Bonito lugar. He mirado su sitio web. Dice que Winshore es una agencia de parejas de alto *standing*. ¿Qué es eso concretamente, un servicio de citas de alta categoría?

Morgan sentía que Montgomery intentaba que se sintiera relajada, y se obligó a sonreír.

—Es una agencia de parejas especializada. Jill y yo la creamos para profesionales muy ocupados que buscan una pareja estable, pero cuyas vidas y carreras les impiden invertir el tiempo y la energía necesarios para encontrar a la persona adecuada. Les ofrecemos una elección individualizada y métodos sofisticados de análisis de personalidad y de búsqueda de pareja. Tenemos muchas historias exitosas en nuestro haber. Matrimonios para siempre felices, y parejas para toda la vida.

—Vale, o sea, un servicio de búsqueda de parejas para ricos directores generales que quieren que ustedes hagan el trabajo desagradable en su lugar —dijo el inspector Montgomery, y la miró con una sonrisa seca—. Perdón, la estoy importunando. No tenía intención de ofenderla.

—No me ha ofendido —le aseguró Morgan—. Créame, he oído todos los comentarios que se pueden escuchar, desde la curiosidad y las bromas inofensivas como las suyas, hasta el insulto puro y duro. Puedo con todo tipo de comentarios.

—Parece que le fascina su trabajo.

—Así es. Servimos a una parte importante de la población de Nueva York, personas que están profesional y económicamente bien situadas, pero que, aún así, se sienten muy solas. —Morgan hizo una breve pausa y luego se dio cuenta de que estaba dispuesta a compartir lo demás. Por ser él quién era, por la manera en que había intervenido en su vida—. Esa es la parte más importante del negocio. Pero hace poco he creado una rama adicional, en honor a mi madre. Se trata de ayudar a mujeres que han sobrevivido a relaciones abusivas y que ahora buscan entablar una relación sana. A esas clientas no les cobramos.

Montgomery entendió. Ella vio aparecer ese entendimiento fugazmente en su expresión.

—Es un gran homenaje a su madre. Estoy seguro de que se sentiría orgullosa.

—Eso espero.

—Ha dicho que el nombre de su socia es Jill. Supongo que habla de Jill Shore, la hija del congresista. Lo cual explicaría el nombre de Winshore.

—Así es —dijo ella, y asintió con un gesto de la cabeza—. Como sabe, Elyse y Arthur se convirtieron en mis tutores. Crecí con Jill. Para mí, es como una hermana —dijo Morgan. Calló y se puso a jugar con la manga raglán de su jersey—. Inspector Montgomery, por favor, perdóneme por ser tan franca, pero ha elegido un momento muy delicado para venir a verme. Las fiestas de estos días siguen siendo una experiencia muy dolorosa para mí. Este año es peor que otros años. Y ahora aparece usted... —dijo, y tragó saliva—. Dígame, por favor, en qué puedo ayudarle.

—¿Por qué dice que este año ha sido peor que otros?

La pregunta inesperada cogió a Morgan desprevenida. Era casi como si él supiese algo que ella ignoraba.

—He estado mirando algunos objetos y recuerdos —respondió, cauta.

—¿Ése es el único motivo?

Morgan había olvidado lo intuitivo que era el inspector Montgomery. No tenía sentido contarle verdades a medias.

—En realidad, no. Pero es el único motivo que tiene sentido. Lo demás... sólo es una sensación. Una sensación, rara, que va y viene, y que tengo desde hace semanas. No tiene ningún fundamento. Pero no me la puedo quitar de encima.

—Sí, tiene un fundamento. Se llama conexión mental, o sexto sentido, o como sea que se llame a ese vínculo inexplicable que a veces existe —dijo el inspector Montgomery, y se pasó una mano por el mentón.

No había duda de hacia dónde iban, y Morgan sintió que se le formaba un nudo frío en el estómago.

—¿El motivo por el que ha venido… tiene algo que ver con el asesinato de mis padres?

—Lamentablemente, sí. —Montgomery se metió las manos en los bolsillos, cerró la boca con un gesto serio y frunció el ceño—. Nate Schiller no mató a sus padres.

Morgan se lo quedó mirando como ausente. Había oído lo que decía, pero sus palabras no tenían sentido.

—Se equivoca —dijo, finalmente—. Es imposible. Lo condenaron. Él mismo confesó. Además, su manera de hacer las cosas… era lo habitual en él. Lo demostró la acusación. Es el culpable.

—Es lo que pensaban todos los que trabajaron en el caso. Estaban equivocados. La misma noche en que sus padres murieron, mataron a un poli y a un jefe mafioso en Harlem. La hora de los dos crímenes coincidía. Lo cual significa dos autores diferentes. El fiscal del distrito acaba de obtener pruebas que refuerzan esa idea. Nate Schiller estaba en Harlem aquella noche, lo cual significa que la persona que mató a sus padres no es él.

—Ay, Dios mío. —Morgan se apoyó contra la pared y dejó que aquella masa sólida la aguantara—. Pero ¿por qué confesaría si no hubiera…?

—Sabía que le caería una condena pasara lo que pasara, pero si un tipo mata al jefe de una banda mafiosa, no lo pasa bien en Sing Sing. —Siguió una pausa tensa—. ¿Se encuentra bien?

—No.

Él hizo una mueca, mezcla de dolor y desagrado.

—No era mi intención decírselo así, a bocajarro. Pero, sinceramente, no sé si andarse con rodeos haría las cosas más llevaderas.

—Tiene razón. No las haría más llevaderas. —Morgan se obligó a hacer la siguiente pregunta—. Entonces, ¿la policía sabe quién lo hizo?

—Todavía no. Pero están trabajando en ello.

—¿Están? —inquirió ella, alzando la cabeza—. ¿Usted no?

—Ya no trabajo para el Departamento de Policía. Me jubilé hace cinco años. Ahora trabajo por cuenta propia, soy investigador privado.

—Sin embargo, ha venido aquí, a darme la noticia.

—Fui yo quien lo quiso así. Esta tarde, la Oficina del Fiscal del Distrito se lo comunicará oficialmente. Un contacto me dio la información. El asesinato de sus padres fue un caso que llevé yo. Me siento responsable.

—También se sentía responsable en aquel entonces —le recordó Morgan.

No lo había olvidado. Nunca lo olvidaría. Él se había portado como un verdadero héroe, como un caballero con su brillante armadura, para aquella pequeña que se enfrentaba a un horror que el paso del tiempo no podría borrar.

Morgan se encontraba en estado de *shock* cuando él llegó a la escena. A Elyse y a Arthur ya les habían informado, y llegaron en un santiamén. Pero ya no importaba. Ella ya no reaccionaba.

Arthur mandó a buscar a un psicólogo que le ayudara a elaborar el duelo. Pero fue el inspector Montgomery el que se encargó. Manejó bien la situación, la abrigó con una manta para que dejara de temblar, y le habló en un tono amable pero seguro. Cuando ella se mostró reacia ante la oferta de los Shore de llevarla a su casa, él les sugirió que le dejaran un poco de espacio. Y cuando se pegó a él como una lapa, les aconsejó a Elyse y Arthur que subieran a su coche y lo siguieran a la comisaría de policía.

La hizo subir a su coche y la condujo a la comisaría de Sutter Avenue. Ella recordaba el cartel, porque la designación oficial: 75 COMISARÍA, DEPARTAMENTO DE POLICÍA DE LA CIUDAD DE NUEVA YORK, le había parecido muy oficial e intimidatoria.

El inspector Montgomery la llevó entre aquellas personas de pinta desastrada y subieron por la escalera hasta una cocina diminuta que se parecía a la cafetería que había en su colegio, sólo que más pequeña y desordenada. Él le trajo un chocolate caliente y se sentó a su lado. Y luego empezó a hablar, acerca de sus hijos, de cómo en ese momento él no vivía con ellos, y lo difícil que le resultaba la separación para él, y de cómo no había ninguna distancia que pudiera jamás romper el vínculo que existía entre padres e hijos.

Le dijo que sus padres siempre la amarían. Que siempre estarían con ella. Sin importar lo lejos que estuviera el cielo de la tierra.

Fue entonces que las compuertas se rompieron, y Morgan lloró. No, en realidad, fueron sollozos, grandes sollozos que la ahogaban, la sacudían y le rompían el corazón en mil trozos. Cuando vinieron las lagrimas, los sollozos ya no pararon. Morgan lloró hasta que su cuerpecito estaba demasiado agotado para seguir. Y entonces se tendió y se acurrucó entre dos sillas destartaladas y se durmió. Recordaba vagamente que el inspector Montgomery la llevó a una habitación pequeña que olía a humedad, con montones de carpetas y cajas, y una pequeña cama. Ahí la dejó y luego la tapó con una manta antes de salir. Se aseguró de dejar la puerta entornada para que pudiera oír voces, incluyendo la suya. También dejó una luz encendida para que no tuviera miedo.

Meses más tarde, después de muchas sesiones de terapia que le permitieron empezar a hablar de esa noche, Morgan empezó a dar pequeños pasos emocionales. Lo que hablaba con Elyse le permitió rellenar los espacios vacíos. Supo que el inspector Montgomery había trabajado con los Shore y con el psicólogo. Durante los meses que siguieron, Montgomery llamó en varias ocasiones para saber de ella, para asegurarse de que no se había derrumbado.

A ella no le había sorprendido. La había emocionado. Montgomery era un hombre bueno y generoso. Intentó expresar aquello en la nota que, más tarde, le escribió.

Sin embargo, esa primera vez no sintió nada. Se había vuelto insensible. Se quedó con los Shore porque era lo más parecido que tenía a una familia, y porque era lo que sus padres habían querido. Cualquier otra cosa parecía imposible. ¿Quererlos? De ninguna manera. No, porque estaba demasiado llena de dolor y rabia. Lo único que deseaba era volver atrás en el tiempo, agitar una varita mágica y volver a ver a sus padres vivos nuevamente a su lado.

Elyse y Arthur fueron maravillosos. Hicieron todo lo posible, y se lo dieron todo, desde el tiempo y la ternura hasta el más mínimo cuidado médico y los mejores terapeutas y psicólogos especializados en experiencias de crisis que el dinero podía comprar.

Ella les estaba agradecida. Había vivido esa parte con facilidad. Lo demás había tardado un tiempo más largo.

—¿Recuerdos? —El inspector Montgomery interrumpió ese momento de abstracción suyo.

—Sí. —Morgan alzó la cabeza y se lo quedó mirando—. Recordaba lo astuto que era usted. Nunca me metió prisas. Nunca me dijo lo que tenía que sentir. Dejó que me doliera. No se portó como un intruso, pero tampoco me abandonó. Sin usted, no sé si habría podido superar esa noche.

—Me da usted demasiado crédito. Había mucha gente que estaba pendiente de usted. Además, recuerdo que era usted muy valiente.

—No me sentía como una valiente. Me sentía como si se me hubiera acabado la vida.

—Así fue. Y usted la reconstruyó.

—Supongo.— Morgan se cruzó de brazos y se frotó las mangas del jersey. De pronto, tenía frío—. Sin embargo, las cicatrices como las mías no desaparecen. No del todo. Así que al sentir la explosión de esta bomba que usted acaba de dejar caer, es como si las heridas volvieran a abrirse una vez más.

—Sí. —El inspector Montgomery encajó esa realidad frunciendo el entrecejo—. Ya me gustaría a mí hacer que todo esto desapareciera. Lo último que quiero es privarla de su tranquilidad. Bastante trabajo le ha costado conseguirla.

La franqueza de sus palabras la emocionó.

—Sigue siendo un hombre muy generoso.

—Soy un hombre muy cabreado, no se engañe usted. Quiero que este caso se resuelva. Y pienso tener la vista puesta en ello hasta que atrapen al verdadero culpable.

—¿Qué le hace creer que eso ocurrirá? —preguntó Morgan,

impaciente—. Hicieron una chapuza cuando el caso era reciente. Ahora es agua pasada. Además, usted ya no está en la foto. A mí eso me dice que las probabilidades de resolver esto son cercanas a cero. El verdadero animal que mató a mis padres a sangre fría seguirá rondando las calles, en total libertad, como lo ha hecho durante los últimos diecisiete años. —La voz le tembló, mientras el impacto de sus palabras empezaba a sentirse—. Dios mío —murmuró, Los ojos se le llenaron de lágrimas y se tapó la cara con las manos—. ¿Cómo es posible que esto esté ocurriendo?

—No tengo una respuesta. Pero es una mierda. —El inspector Montgomery no intentó calmarla con palabras dulces. Se acercó al aparador, cogió el jarro de agua fría y le sirvió un vaso—. Aquí tiene —dijo, y se lo puso en la mano.

—Gracias. —Morgan bebió un trago largo—. No pretendía importunarlo de esta manera.

—No me ha importunado. Se siente frustrada y la noticia le ha impactado. Tiene derecho a sentirse así. Y tiene razón en lo que dice. Este caso lleva siglos cerrado. Pero no debería subestimar la influencia que puede ejercer el congresista Shore. Es un miembro importante de la Cámara de Representantes, un hombre de peso en el Comité de Asuntos Financieros de la Cámara. Los habitantes de Nueva York lo adoran. Y lo mismo le pasa a la mayoría del país. Tiene arrastre… y es una figura visible. Además, actualmente patrocina un proyecto de ley de alto perfil. El ruido que meterá el congresista Shore le dará a quien se encargue el incentivo para no abandonar hasta que encuentre lo que busca.

Costaba no reparar en el duro tono de censura del inspector Montgomery, y en su significado.

—Usted nunca estuvo totalmente de acuerdo con las conclusiones de aquella primera investigación —caviló Morgan, en voz alta.

—Tenía mis dudas —dijo él, sin rodeos—. Pero sólo eran eso, dudas. No tenía ni la más mínima prueba. Y luego Schiller confesó. Así que yo supuse que mi intuición no tenía fundamentos.

—Se equivocó en su suposición.

—Sí, pero verá, uno siempre acierta cuando mira hacia el pasado.

Morgan se lo quedó mirando fijo. A ella no le engañaba su comentario a la ligera ni su fachada de estoicismo.

—Todavía se reprocha a sí mismo no haber agotado todas las posibilidades.

—No me dieron una oportunidad. ¿Cree que me lo reprocho? Claro que sí. Pero arrepentirse es parte de la vida.

—No tiene por qué ser así. Esta vez, no. —Morgan dejó su vaso—. Ocúpese de esta investigación. Encuentre al asesino de mis padres.

Él frunció ligeramente el ceño.

—Le he dicho que ya no pertenezco al cuerpo de policía.

—También me ha dicho que es investigador privado. Vale, yo soy su cliente. Diga su precio. Encontraré una manera de pagarle. No tengo ninguna fe en la policía. Ni en el fiscal del distrito. Pero confío en usted.

—Eso me halaga. Pero el fiscal del distrito piensa que soy como un dolor en el culo. Y lo mismo piensa mi antiguo jefe. No le haría ningún favor si acepto el caso.

—Sí que me lo haría. Usted no es el tipo de persona que se deja intimidar por otros, o por los protocolos. Usted sabría superar esos dos obstáculos.

—¿Eso cree? —Al parecer, a Montgomery le hacía gracia—. A veces, quizá. Pero ésta no es una de esas veces. Créame, por mucho que vuele por debajo del espectro del radar, siempre apareceré en la pantalla de ellos. Saltarían chispas.

—A una parte suya eso lo entusiasmaría —aventuró Morgan, aguda—. Se enfrentaría al sistema… y ganaría.

—Es usted muy buena para juzgar el carácter de las personas, Señora Agencia de Parejas Boutique. Pero me da demasiado crédito.

—Yo no lo veo así. —Morgan respiró hondo, y por su mente desfilaron ramalazos de unos recuerdos—. Lo recuerdo. Puede que entonces no fuera más que una niña, pero esa noche se me quedó grabada para siempre en mi cabeza. Usted se ocupó de todo. Iba diez pasos por delante de todo el mundo. Y no le gustaba jugar. Era un hombre recto. Y sí, puede que también un inconformista.

—No se trata de puede que. Soy un vaquero. Por eso dejé la policía y empecé por mi cuenta. Jugar según las reglas no es mi fuerte.

—Me parece bien. Juegue con las reglas que quiera. Tuérzalas. Quiébrelas. No me importa. Siempre que consiga atrapar a ese cabrón. —Morgan adoptó una actitud más intensa, dio un paso adelante y juntó con fuerza las manos mientras lo miraba sin pestañear—. Por favor, inspector Montgomery, se lo ruego. Hágalo. Hágalo por su propia tranquilidad. Hágalo por aquello que lo llevó a ir más lejos hace tantos años. —Los labios le temblaron cuando tragó con dificultad—. Hágalo por la niña que logró salvar y por la mujer angustiada en que se ha convertido. Por favor.

Por el rostro de él cruzó un cúmulo de emociones, y Morgan supo que había llegado a su corazón. Montgomery revivía el pasado, recordaba los mismos momentos agónicos que ella.

—Usted cree que puede atrapar a ese tipo —dijo, decidida, interpretando su expresión—. Yo también lo creo. De hecho, lo sé. Así que le ruego que lo haga. Acépteme como cliente.

Él asintió, con la mandíbula tensa.

—De acuerdo —dijo, con cara de pocos amigos—. Ya tiene usted un investigador privado.

Capítulo 4

Morgan se quedó sentada a solas en la sala de reuniones un largo rato después de que Montgomery salió. Sentía que su vida entera había sufrido un repentino vuelco. Además del impacto y del dolor, sentía rabia. Y, en cierto sentido, también había cierto grado de refuerzo emocional, una confirmación de que su malestar y su aprensión tenían una base de realidad.

El asesino de sus padres caminaba libremente por las calles, y así había sido durante los últimos diecisiete años.

Se oyó un ligero toque en la puerta de la sala de reuniones y Jill entró, vacilante.

—¿Morg?

—Entra. —Morgan contestó a la pregunta no dicha de su amiga, pero siguió con la mirada perdida en el vacío.

Jill se acercó y se detuvo junto a la gran mesa de reuniones.

—¿Qué ocurre? Jonah dice que Pete Montgomery es investigador privado.

—Así es. —Morgan giró la cabeza y se encontró con la mirada de preocupación de Jill—. Solía trabajar en el Departamento de Policía de Nueva York. Ahora es investigador privado.

—Eso ya lo sé. Al parecer, es cliente regular de la tienda del abuelo. Lo ha sido durante años, con sus compañeros de la comisaría y con su familia. Su hijo es el fotógrafo que le ha dado trabajo a Jonah. ¿Qué quería?

—Quería advertirme.

—¿Acerca de?

—Una gran chapuza. Algo que nos afectará a todos y que a mí me empujará más allá de lo que puedo manejar.

—Morgan, me estás asustando. —Jill se dejó caer en una silla y se inclinó hacia adelante—. Es evidente que lo conocías. A juzgar por lo que he oído, no te había visto desde que eras una niña. ¿Formaba parte del equipo que investigó la muerte de tus padres?

—Era el inspector a cargo del caso. También fue el primer poli que llegó a la escena, el que me ayudó en las primeras horas de mi trauma. Mantuvo a tu padre al corriente desde lo ocurrido el primer día hasta la detención, el juicio y la condena de Nate Schiller. Por lo que se ha sabido, no sirvió de nada.

Jill abrió desmesuradamente los ojos.

—¿No me dirás que a ese animal lo van a dejar en libertad condicional?

—No, está decididamente encerrado de por vida.

—Y, entonces, ¿de qué se trata?

Morgan exhaló un suspiro tembloroso.

—Schiller no es el hombre que mató a mis padres. Cometió todos esos asesinatos, y otros dos más, mató a un poli y al jefe de una banda. Pero mis padres no están entre sus víctimas.

—¿Qué? —Jill estaba sacudida—. No lo entiendo. ¿Acaban de enterarse de esto ahora?

—Es una larga historia. Pero, en una palabra, sí. —Con un tono de voz desprovisto de emociones, Morgan le contó lo ocurrido a su amiga—. Así que volvemos al punto de partida —concluyó—. No, peor. Ahora tengo que vivir sabiendo que la persona que mató a mis padres todavía anda suelta por ahí. Que ha estado suelta todos estos años. Que puede que haya habido otras víctimas desde entonces. Y que quizá vendrán más en el futuro... —dijo, y se le quebró la voz.

—No sigas —dijo Jill, y la abrazó por los hombros—. No te pongas a pensar en eso. Concéntrate en la idea de que esta historia tendrá su reparación.

—Sí, reparación, ya lo creo —convino Morgan—. Porque yo pienso asegurarme de ello. Ya no tengo diez años. Pienso hacer algo para resolver esto, por mi propia cuenta y escogiendo a los profesionales adecuados para que hagan lo que yo no puedo hacer.

Jill pensó en aquello un momento.

—¿Entre esos profesionales está el inspector Montgomery?

—La lista empieza con él. Es un hombre clave. Lo he contratado enseguida. —Mientras Morgan hablaba, su estado de *shock* y su malestar empezaban a transformarse rápidamente en una determinación activa—. ¿Charlie Denton ya ha llegado?

—Acaba de llegar. ¿Quieres que me ocupe de él y te sustituya en la entrevista?

—No. Quiero hablar con él. Trabaja en la Oficina del Fiscal del Distrito. Entró a trabajar ahí varios años antes de que mataran a mi padre. Charlie lo conocía y lo respetaba. Supongo que a estas alturas la noticia ya se sabe en su oficina. Puede que sepa algo a propósito de lo que se está haciendo para reabrir la investigación sobre el asesinato de mis padres. Quiero saber cómo es el ambiente en su oficina, y cuánta presión van a ejercer para llegar a la verdad. —Morgan se incorporó.

—¿Qué puedo hacer para ayudar? —preguntó Jill, estirando las manos en un gesto de impotencia.

—Llama a tu madre. Pregúntale si podéis aplazar vuestra cena. Quisiera que nos reuniéramos todos y habláramos de esta situación en cuanto llegue el vuelo de Arthur. ¿Te parece bien?

—Perfectamente.— Jill parecía aliviada de tener una tarea concreta a la que poderse poner enseguida—. Primero llamaré a papá. Quizá pueda coger un vuelo más temprano. Cuanto antes se entere de esto, mejor. Si alguien puede presionar a la gente adecuada, es él. Pero, Morgan, quizá debieras esperar antes de lanzarte de lleno a esto.

—No puedo. —Morgan se apretó un brazo y se dirigió a la puerta—. Tienes el corazón bien puesto y te quiero. Pero si no hago algo, me derrumbaré.

Jill asintió en silencio y vio a su amiga salir a toda prisa de la sala, los hombros tensos por su decisión. A ella no le engañaba Morgan con su subida de adrenalina y su demostración de coraje. La noticia que acababan de darle era demoledora, y su estado emocional ya era frágil antes de la visita del inspector Montgomery. Ahora, su única fuente de consuelo había sido aniquilada.

Se acercó al teléfono y marcó el número de su padre.

Charlie Denton esperaba sentado en la cómoda sala de espera de Winshore. Se removió en su asiento. El café que Beth le había traído no tenía demasiada buena pinta. Para la conversación que iba a tener, ni siquiera le habrían bastado un par de tragos de whisky.

Denton llevaba casi veinte años trabajando de abogado de la acusación. Era un hombre duro y de pellejo resistente, y no tenía reparos cuando se trataba de saltar a la yugular de alguien. Hacía falta mucho para enervarlo, y rara vez los enfrentamientos le hacían perder el talante.

Esta vez era diferente.

Esta vez le tocaba demasiado cerca.

Dejó la taza de café y se masajeó la nuca. Cuanto antes acabara con aquello, mejor.

Desde el otro lado del pasillo, oyó el interfono en la mesa de Barbara.

—¿Sí? —preguntó ella—. De acuerdo. Enseguida.

Al cabo de un minuto se asomó a la sala de espera.

—¿Señor Denton? Morgan lo espera para la reunión. ¿Quiere hacer el favor de seguirme?

—Gracias, no será necesario. Es la sala en la segunda planta, ¿no? —Esperó a que Barbara asintiera con la cabeza—. Tuve mi primera entrevista ahí. Ya sé cómo llegar.

Dicho eso, subió las escaleras de dos en dos y no se detuvo hasta llegar a la segunda puerta a la derecha.

La puerta estaba entornada, y Morgan sentada en el sofá de microante color gris marrón, con la frente arrugada y concentrada mirando una carpeta abierta que tenía sobre el regazo.

Era una mujer bella. Huesos finos, delicados, con una rara mezcla de amabilidad e intensidad que daba seguridad y era a la vez sexy. Era curioso que ella misma fuera tan ajena a su aspecto, y a muchas otras cosas, también, y que fuera tan inteligente e intuitiva cuando se trataba de entender a otros.

Entró en el despacho y cerró la puerta.

—Hola.

—Hola, Charlie. —Morgan tenía aspecto de cansada y estaba pálida. Se acercaba el aniversario de la fecha del asesinato de sus padres. Era comprensible que lo estuviera pasando mal.

Y él estaba a punto de restregarle ese dolor por la cara.

—Siento haber cambiado la hora de nuestra cita —empezó diciendo—. Ha sido un día infernal.

—Ya te entiendo. —Morgan hizo un gesto hacia el mullido sillón situado en diagonal frente a su sofá—. Siéntate.

Él se sentó en el borde del sillón, se cogió las rodillas con ambas manos y se inclinó hacia ella. No había nada que ganar retrasando lo inevitable, así que decidió abordarlo sin rodeos.

—El motivo por el que he retrasado nuestra cita hoy es que no he venido a hablar de mi vida social. He venido para hablar de un acuerdo que se ha alcanzado en la Oficina del Fiscal del Distrito de Brooklyn esta mañana. Tiene que ver con el asesinato de tus padres, y con quien fue, o no fue, el autor de los hechos.

Ella se quedó muy quieta.

—Te escucho.

—La confesión de Nate Schiller era falsa. Él no los asesinó. Estaba demasiado ocupado matando a un poli y al jefe de una banda mafiosa en el momento del asesinato de tus padres. —Charlie se detuvo para calibrar la reacción de Morgan, e interpretó su silencio como un estado de *shock*—. Seguro que esta noticia será como una bomba que de repente te cae encima, y te pido disculpas por ello. En cuanto al motivo por el que soy yo quien te lo cuenta, se debe a que hemos tenido una sesión de discusión política que ha durado todo el día entre mi Oficina y el fiscal del Distrito de Brooklyn. Nosotros alegábamos cortesía profesional, y ellos alegaban jurisdicción profesional. Nosotros hemos ganado. Por eso estoy aquí.

Charlie se sorprendió cuando Morgan respondió con una risa seca.

—Vosotros ganasteis, pero tú has perdido. ¿Qué pasó? ¿Te tocó la paja más corta?

—¿Qué? —Charlie se esperaba cualquier cosa excepto eso.

—No hay por qué engañarse —dijo Morgan, como contestando a su propia pregunta—. El fiscal del distrito te entregó sus instrucciones y te enseñó la salida. Tiene bastante sentido. Tú y yo nos conocemos. Tenemos una relación de trabajo cómoda y positiva. Además, conociste a mi padre, puede que incluso trabajaras en un par de casos bajo su dirección. Por lo tanto, eras la persona más indicada para darme la noticia. Qué civilizado por parte de los dos fiscales de distrito. O qué muestra de egoísmo, dependiendo de cómo se mire. ¿Qué les preocupa más, mi reacción o la reacción de Arthur? Porque yo estoy desconcertada y con los nervios de punta. Estoy así desde hace unas horas, desde que lo supe. En cuanto a Arthur, aún no lo sabe. Pero si tuviera que adivinar, diría que estará furioso porque la investigación sobre el asesinato de mis padres ha sido una chapuza y porque la persona que los mató todavía está libre y anda suelta por las calles.

Charlie se la quedó mirando.

—¿Ya sabías lo de Schiller?

—Un amigo me lo contó. Quería ahorrarme el dolor de que me lo contara un extraño o, peor, que lo supiera por la prensa.

—Ya entiendo. —Tras una larga pausa, Charlie recuperó la compostura—. O tienes un amigo muy bien conectado o tenemos un serio caso de filtración. Se suponía que la noticia no debía saberse antes de que te lo comunicáramos, personalmente.

—No me cabe duda. Pero en este momento, no tiene importancia. —Morgan se obligó a sonreír secamente—. Deja de mirarme como si estuvieras esperando tu turno para ir al paredón. No creo en eso de liquidar al mensajero. La noticia ya está en el aire, su impacto inicial ha pasado y yo sigo entera.

Charlie la miró, inseguro.

—Nunca hemos hablado de verdad de tus padres, excepto de

cuestiones formales. Sabes que yo acababa de salir de la Facultad de Derecho cuando empecé a trabajar en la Oficina del Fiscal del Distrito de Manhattan. Tu padre era toda una referencia. Todos los recién llegados lo adoraban como a un héroe, y yo también. Era un abogado brillante, y tenía una intuición muy certera. Nunca conocí a tu madre, pero me han dicho que tenía un corazón de oro.

—Es verdad.

Charlie dejó escapar un suspiro.

—El asesinato de los dos conmocionó a todo el sistema. No puedo ni imaginarme lo que significó para ti. Eras una niña, sólo tenías diez años. No sólo perdiste a tus padres, sino que fuiste testigo de la escena del crimen.

—Yo los encontré —dijo ella, con una voz sin inflexiones—. Y tienes razón, no podrías ni imaginártelo. Pero puedes suponerlo. Me cambió la vida para siempre.

—Y ahora tienes que vértelas con esto… con estas noticias a propósito de Schiller.

—Es verdad. Pero ahora tengo armas mucho más sólidas para enfrentarme a ello. Y una voluntad más fuerte. No pienso quedarme de brazos cruzados y dejar que la tarea de encontrar al asesino de mi padre pase a formar parte de una lista de tareas de un poli cualquiera. Yo misma voy a hacer que las cosas avancen.

Aquella última frase despertó la curiosidad de Charlie.

—¿Qué significa eso?

—Significa que empezaré por averiguar qué hay de este asunto en las diversas oficinas que se ocupan del aspecto policial. —Era su turno de inclinarse hacia adelante—. Dime una cosa, Charlie, ¿Están muy enfadados en la Oficina del Fiscal del Distrito de Manhattan? ¿Lo bastante enfadados como para presionar a los de Brooklyn para que reabran la investigación? ¿O se trata de un caso de baja prioridad?

Charlie caminaba por la cuerda floja, y lo sabía.

—No estoy seguro de lo que saldrá de todo esto. Los veteranos están furiosos. Sobre todo los que eran más cercanos a tu padre. Ellos quieren que se resuelva. Los más jóvenes es otra historia. Sólo conocen a Jack Winter por su nombre. En pocas palabras, reabrir la investigación significa asignar recursos. Muchos recursos. Han pasado diecisiete años, y la pista está fría. El caso también está frío.

—Podríamos calentarlo. O, más bien, *tú* podrías. —Morgan reaccionó al ver la expresión cautelosa de Charlie—. Con esto no quiero decir que tengas que convertirte en un Garganta Profunda ni que tengas que pisarle los pies a nadie. Sólo te pido que busques información para mí sobre los casos que mi padre llevaba en el momento de su muerte.

—Alguien que se la hubiera jurado, quieres decir.

—Exactamente; sería un punto de partida.

—Estoy seguro que la brigada de Brooklyn que se ocupa de los casos pendientes echará una mano para cubrir ese terreno.

—A la larga. Una vez que termine la guerra territorial y se desempolven los archivos. No quiero esperar a que eso suceda. Quiero pasar por encima de los papeleos. Empezando por los veteranos, como tú has dicho. Podrías hablar con ellos, ver qué puedes averiguar.

—Hay dos problemas con esa estrategia. Para empezar, los casos en que trabajaba tu padre ahora estarán repartidos por todas partes. Habrá algunos casos resueltos, otros archivados, casos ya guardados. Y habrá otros abiertos que han sido reasignados. Y, por otro lado, tú estás suponiendo que se trató de una venganza personal cuando, en realidad, podría haber sido un robo que salió mal.

—No lo sabremos hasta averiguarlo. Pero eso nos trae al tercer problema o, mejor dicho, al problema fundamental, que en el fondo es lo que suscita tus reparos. La política. La batalla por la jurisdicción a la que se asigna este caso, o que quiere dirigirlo. Hasta que no estés seguro de eso, corres el riesgo de importunar a más de uno. Pero relájate. Yo me ocuparé de ello. Hablaré con Arthur. Él se asegurará de que te den luz verde, y que las autoridades correspondientes lo sepan.

Charlie soltó una risa hueca.

—Me haces parecer un cabrón egoísta.

—No. Sólo como un tío que valora su futuro profesional. No te lo reprocho. ¿Y qué? ¿Me ayudarás?

Charlie juntó los dedos de ambas manos delante de la cara y se los quedó mirando. Era incapaz de mirar a Morgan a los ojos y permanecer impasible. De hecho, no podía permanecer impasible aunque no la mirara. Influían demasiados sentimientos personales, sentimientos complejos, multifacéticos y personales. Mantenerse imparcial era imposible. Ya le había resultado imposible en aquel entonces. Y ahora lo era todavía más.

—Veré lo que puedo averiguar —dijo, levantando la mirada.

El aeropuerto de Heathrow era un zoológico, lleno de viajeros que iban y venían con diferentes destinos.

Lane Montgomery sólo quería llegar a casa.

Se removió en su asiento y lanzó una mirada a su reloj para ver cuánto faltaba para que llamaran a embarcar. Si fuera por él, ya habría embarcado. Hablando del *jet lag*. Había pasado por Beirut, Estambul, Atenas, Madrid y, ahora, Londres, en sólo diez días. Estaba de mal humor, cansado, al borde del agotamiento. Soñaba con pasar una hora en su jacuzzi y otras ocho horas entre las sábanas.

Se reclinó y cerró los ojos. Le fascinaba su profesión. Pero esta parte del trabajo comenzaba a pasarle factura. La vida de *paparazzi* había sido una experiencia emocionante a los veinte años. A los treinta y tres, con las misiones encubiertas de fotografía, demasiado parecidas a las de sus días de fotoreportero, tanto en su estrategia como en su ejecución (a pesar de que se trataba de misiones autorizadas por la CIA y llevadas a cabo por una causa completamente diferente, una noble causa), empezaban a pesar los años. Los horarios inverosímiles, el secretismo necesario y el correspondiente aislamiento comenzaban a eclipsar la emoción y a sustituirla por un nuevo tipo de desasosiego.

Vivir la vida en los límites era espectacular. Sin embargo, un poco de normalidad sería un alivio bienvenido.

Su teléfono móvil sonó justo cuando una voz anunciaba por megafonía que su vuelo comenzaba a embarcar. Por fin, después de más de una hora de retraso.

Se incorporó, se colgó la cámara al hombro y sacó el móvil del bolsillo de su chaqueta de cuero de aviador. Mientras se dirigía a la fila de embarque, miró la pantalla para ver quien llamaba.

Era Hank Reynolds, el editor con que trabajaba en *Time*.

Pulsó la tecla para coger la llamada.

—Hola, Hank.

—Hola, ¿dónde estás?

—A punto de coger un vuelo en Heathrow.

—¿Vienes o te vas?

—Vuelvo a casa. Y cuento las horas. Ya han retrasado el vuelo dos veces. He trabajado veinte horas al día durante la última semana y media. Estoy hecho polvo. Pienso dormir hasta llegar a Nueva York. Me mantendré despierto el tiempo suficiente para pasar por la aduana, llegar a casa, darme un baño y a la cama.

Hank respondió con una risilla.

—Vale. Te diré una cosa. Llámame mañana. Tengo una misión para ti.

Lane gruñó.

—¿Dónde y cuándo?

—La próxima semana. Eso te dará tiempo suficiente para descansar. Y es aquí mismo, en tus barrios, en Nueva York. No tienes por qué viajar. Nada de cambios horarios. Ni de pasar largas jornadas sin comer ni dormir.

Ni de arriesgados trabajos clandestinos, añadió Lane, para sí. *Un bonito y agradable fotorreportaje.*

—Ya me has convencido. ¿De qué se trata?

—El congresista Arthur Shore. Ya has trabajado alguna vez con él, ¿no?

—Sí, durante su última campaña para la reelección. Hice un reportaje fotográfico sobre él y sus pasatiempos, montañismo y puenting. Fue para *Sports Illustrated*. ¿Qué hay de nuevo sobre él que pueda interesarle a *Time*?

—Por lo visto, no has tenido la oportunidad de leer los periódicos esta semana. Shore está empeñado en lograr que se apruebe una legislación muy innovadora. Por otro lado, sigue viviendo una existencia temeraria a lo Indiana Jones. Sus últimas novedades son el parapente y las bajadas a toda pastilla por las pistas de esquí más peligrosas de las Montañas Rocosas. —Siguió una pausa—. Además, hay otro aspecto relevante de su vida personal que acaba de saltar a las noticias. Te daré más detalles mañana. En resumen, quiero un reportaje fotográfico amplio sobre nuestro temerario congresista que se presta a correr tantos riesgos personales, profesionales y deportivos, y que rompe tantos esquemas. Eres el hombre perfecto para la tarea.

—Vale, de acuerdo, cuenta conmigo. —Lane sólo asimilaba la mitad de lo que le decía Hank—. Ahora tengo que colgar. Estamos embarcando y estoy agotado.

—Así parece. Ve a casa y duerme una buena siesta. Lo último que quieres es quemarte.

—Qué curioso. Estaba pensando precisamente lo mismo.

Capítulo 5

La cena en el piso de los Shore en el Upper East Side fue comida china. Una comida rápida, sin complicaciones y sin provocar interrupciones en la álgida discusión que tenía lugar en el salón.

Morgan estaba sentada en el sofá poniendo al día a Arthur sobre las noticias. Éste se iba enfureciendo con cada minuto que pasaba, dando grandes zancadas por el salón y frunciendo el ceño mientras asimilaba la información. No había nada de extraordinario en aquello, porque Arthur nunca se estaba quieto. Y cuando tenía que reflexionar sobre algún problema, se paseaba. Jill no se movía de su lugar junto a las enormes ventanas que iban del suelo al techo, lanzando miradas furiosas hacia los reporteros que seguían apostados en los alrededores del edificio, esperando una reacción personal del congresista.

Cuando llegó la comida, ella y su padre fueron a la cocina, donde la madre, Elyse, ya había puesto la mesa y preparado una tetera de té verde, aunque tenía una oreja puesta en el salón para enterarse de la conversación. Quería saber cómo reaccionaba su marido, saber cuánto podía hacer él para acabar con aquella pesadilla e impedir que volviera a destrozar sus vidas.

Nadie tenía ganas de comer. Aún así, porque lo necesitaban y porque había que mantener un ritmo de normalidad, se sentaron a la mesa de la cocina y se sirvieron. La conversación cesó y, durante un rato después de repartirse las porciones, el único ruido en la cocina fue el roce de los platos de cartón y el tintineo de los cubiertos de plata. El silencio continuó mientras iban comiendo desganadamente y bebiendo té.

—Sigo sin creer que una chapuza de este calado le haya pasado inadvertida a todo el sistema judicial —murmuró Arthur, rompiendo el silencio. Echó la silla hacia atrás y renunció a seguir comiendo. Se incorporó cuan alto era, una figura carismática y atractiva que transmitía energía y pasión en todo lo que hacía—. Una incompetencia así de flagrante es imperdonable.

Elyse frunció los labios y miró a Morgan para saber cómo se lo estaba tomando. Ella misma casi no había tocado su plato, y en este caso no se debía a su preocupación por comer sano y mantenerse en forma. Después de diecisiete años como madre adoptiva de Morgan, sabía perfectamente el precio que su hija había pagado por el asesinato de Lara y Jack. Tenía serias dudas de que fuera capaz de soportar la tensión de revivir ese episodio de su vida.

—Es atroz —convino—. Tenemos que resolverlo lo más pronto posible.

—Eso se dice fácil —dijo Jill, que seguía con el ceño fruncido—. ¿Una condena errónea que tiene más de veinte años? Investigar para llegar a la verdad será un calvario.

—Pero se hará —sentenció Arthur—. Se trata de una necesidad insoslayable, no de un si condicional. Sin embargo, eso no cambia el hecho de que la situación sea injustificable. No sólo porque hablamos de Jack y Lara. Ni siquiera porque la figura de Jack como ayudante del fiscal del distrito era importante —dijo, y le tembló un músculo de la mandíbula—. Me mantuvieron al corriente cada día durante la investigación de los asesinatos. Sabía todo lo que hacía la policía; conocía cada una de las pistas que seguían.

—Lo recuerdo —murmuró Elyse—. Hablabas con el inspector Montgomery todos los días por teléfono. Y te reunías con él una vez por semana en el restaurante de tu padre para revisar el progreso de las investigaciones.

—Sí, pues ésas son las conversaciones que me molestan ahora. El inspector Montgomery nunca estuvo del todo de acuerdo con la idea de que Schiller fuera el culpable. No paraba de decir que intuía que algo estaba mal, que ciertas inconsistencias le inquietaban. Y luego Schiller confesó. Eso dio al traste con las teorías de Montgomery. La investigación se cerró. A Schiller lo juzgaron y condenaron. Caso cerrado.

—Así es como funciona el sistema, papá —le recordó Jill.

—Pero yo no funciono así. No debería haberlo aceptado a pies juntillas. Debería haberlos obligado a revisar hasta la última prueba, incluso después de la confesión.

—Arthur, no te hagas esto —le interrumpió Morgan, que no había hablado desde el comienzo de la cena—. El inspector Montgomery dijo exactamente las mismas cosas esta mañana en mi despacho. Los dos os sentís culpables, y eso es absurdo. Tú presionaste todo lo posible. Un asesino confesó. No había motivos para dudar de esa confesión. Fin de la historia.

Arthur hundió las manos en los bolsillos del pantalón y miró a Morgan con expresión reflexiva.

—Has dicho que has contratado a Montgomery. Es una movida inteligente. Como investigador privado, asumirá más riesgos que como policía. Me pondré en contacto con él a primera hora mañana y le ofreceré todos los recursos que tenga a mi alcance. En cuanto a Charlie Denton, haré unas cuantas llamadas y me aseguraré de que tenga las vías despejadas para conseguir lo que pueda en relación con los casos de los que se ocupaba Jack.

—Gracias —dijo Morgan, agradecida.

Las arrugas en la frente de Arthur se desvanecieron.

—No quiero que me des las gracias. Quiero que me hagas un favor. Tómatelo con calma. Cualquiera ve que estás al borde del colapso. Ahora yo he llegado, y quiero que dejes esto en mis manos y en manos de profesionales como Montgomery. Has dado un gran paso. Has echado a rodar el engranaje. Ahora deberías dar un paso atrás. Ya tienes bastantes problemas para lidiar con el aniversario de la muerte de tus padres. No te pidas más de lo que puedes dar.

—Le he dicho exactamente lo mismo —intervino Jill—. Puede que a ti te escuche.

Morgan se obligó a sonreír, tensa.

—Os escucho a todos. Entiendo que estáis preocupados por mí. Intentaré adoptar una perspectiva adecuada de todo esto y prestaré atención a mis propias limitaciones. Pero ésta no es la noche más indicada para hacerlo. De hecho, esta noche no se presta para hacer gran cosa de nada. Estoy agotada. Sólo quería contároslo todo lo más pronto posible. Ahora que lo he hecho, de verdad que necesito irme a casa y dormir un poco. —Se levantó y se sintió un poco mareada.

—Mi chófer está aparcado en la parte de atrás —le informó Arthur—. Te llevará a casa.

—No será necesario. Puedo caminar.

—Sí, claro, y desmayarte en la calle. Olvídalo. Te irás en coche. Además, te permitirá esquivar a la prensa —dijo, y miró a Jill—. Tú también. No serías capaz de pasar a su lado sin decirles un par de cosas sobre el derecho a la intimidad.

Jill arrugó la nariz.

—Ya veo que me conoces bien.

—Los dos te conocemos bien —corrigió Elyse—. Conocemos tus puntos flacos y sabemos cuándo estás agotada. —Abrazó a las dos. Iros a casa y dormid un poco.

—No tienes ni que obligarme —le aseguró Morgan. Le lanzó a Arthur una mirada inquisitiva—. ¿Podemos hablar mañana, después de que hagas esas llamadas? ¿Tienes tiempo?

—Me buscaré un momento.

—¿Y qué hay de tus reuniones? —No era ningún secreto que Arthur estaba desbordado.

—Todo está controlado —aseguró él—. Tendré tiempo suficiente para hablar con quienes sea necesario. Recordad que el Congreso está de vacaciones hasta después de las fiestas, así que en Washington no pasa nada. Eso me da libertad para quedarme en Nueva York y concentrarme en mi territorio. Tengo unos cuantos asuntos pendientes. Como concesión a la publicidad nacional, he aceptado conceder una entrevista para un reportaje del *Time*. Creo que lo titularán «El congresista temerario». Es una perspectiva fabulosa. Así que dejad de preocuparos.

Miró a Morgan y al reparar en la palidez de su rostro, y en su expresión aturdida, por su semblante cruzó una expresión de feroz determinación.

—Nada de esto tiene importancia. Lo tuyo está antes que cualquier cosa. Haré esas llamadas temprano por la mañana. Después, iré a verte a Winshore. Me puedes preparar un expresso en esa maravillosa máquina tuya.

Esta vez Morgan sonrió sin esfuerzo.

—De acuerdo, tienes un trato. —Se sentía como si le hubieran quitado de encima una parte del peso del mundo—. Gracias, Arthur. Significa muchísimo para mí. —Se giró hacia Elyse—. ¿Nos perdonaréis por salir huyendo y dejaros con todo este desorden?

—¿Qué desorden? —dijo Elyse, rechazando el comentario con un gesto de la mano—. ¿Meter los platos en el lavavajillas y poner las cajas con la comida que sobra en la nevera? No tardaremos más de diez minutos. —Por el rabillo del ojo advirtió que su marido había sacado su teléfono móvil y miraba sus mensajes. Una expresión de tristeza cruzó por su rostro—. Creo que yo también me iré a dormir. Todos tenemos que recargar las pilas. Se mire como se mire, el camino que nos espera será accidentado.

Eran las dos de la madrugada y Monty todavía no dormía.

Se dio la vuelta y quedó tendido de espaldas, cansado de resistirse y haciéndose a la idea de una noche de insomnio. Lanzó una mirada a Sally, y experimentó paz y alegría al verla tendida a su lado. Llevaban ya seis meses casados por segunda vez, y él todavía se creía el hombre más afortunado del mundo. Después de treinta años ocupándose de los asuntos de la ley, había visto más tragedia y más horrores de los que querría recordar y, desde luego, más que suficiente para saber que Sally representaba todo lo que había de bueno y bello en el mundo. Y esta vez era lo bastante maduro y sabio como para no dejarla ir.

La respiración profunda y regular de ella le dijo que estaba completamente dormida. Con cuidado para no despertarla, se deslizó fuera de la cama, se puso unos pantalones de chándal y se dirigió a la cocina. Como siempre ocurría en esas noches en que no conciliaba el sueño, se entregó a la misma rutina perjudicial pero placentera. Perjudicial porque en todos los sentidos garantizaba la prolongación del insomnio. Se preparó una cafetera muy cargada, encontró una rosquilla medianamente fresca (que introdujo en el microondas nueve segundos, ni uno más ni uno menos) y se sentó a la mesa para comer y pensar.

Los pensamientos de esa noche versaban en su totalidad sobre la reapertura del caso del asesinato de los Winter.

Gabelli era un buen tío. Durante las horas menos atareadas de su jornada, se las había arreglado para hacer una copia de todos los contenidos del expediente original, desde los interrogatorios hasta los informes escritos y las fotos de la escena del crimen. Después, lo había metido todo en un sobre y salido de la comisaría al final del día, haciendo un pequeño desvío por Little Neck. Le dejó un mensaje en el buzón de voz informándole que había deslizado la carpeta por debajo de la puerta de su despacho, de modo que sería lo primero que encontraría al llegar al día siguiente por la mañana.

Monty ansiaba echar mano de ese expediente. No lo necesitaba para recordar los detalles de la escena del crimen, que habían quedado para siempre grabados en su memoria. Pero los necesitaba para revisar y volver a evaluar cada uno de los pasos de la investigación llevada a cabo, esta vez con una nueva mirada y disponiendo de instrumentos forenses más sofisticados.

Una identificación por medio del ADN se podía hacer fácilmente, siempre y cuando el culpable estuviera fichado. Pero si no lo estaba, y si los asesinatos habían sido, como sospechaba, una cuestión personal y perpetrados por alguien que no estaba fichado, la historia traería cola.

Lo de las fotos de la escena del crimen era otro asunto. Era verdad que databan del final de los años ochenta, pero la calidad era bastante decente, y la zona y los ángulos que habían cubierto eran suficientes. Aquello era un buen punto de partida. Porque la suerte quería que él conociera al mejor experto en tratamiento de imágenes y retoques fotográficos que había en el negocio, un profesional cuya maestría para interpretar fotos se había ganado el respeto de la policía y de otros círculos.

Tomó un trago de café. Era pasada la medianoche. Si recordaba bien las fechas, su pobre hijo acababa de llegar de Europa hacía unas horas. Sin duda ya se habría dormido y estaría descansando ajeno al mundo.

De acuerdo, pensó, no cedería a sus instintos paternales, por una noche.

Pero al día siguiente Lane recibiría una llamada.

Morgan se despertó con un sobresalto, abrumada por aquella sensación punzante en la boca del estómago, la sensación de que algo malo había ocurrido, pero sin saber exactamente el qué.

De pronto, recordó, y sintió que el frío la invadía por dentro.

Se sentó en la cama, replegó las rodillas y se las cogió con los brazos. Arthur pondría en marcha las cosas. Y el inspector Montgomery se dedicaría a indagar en el caso como un sabueso. Aún así, no sería suficiente. Eran sus padres los que habían sido asesinados, y ella no podía adoptar un rol pasivo en la investigación sobre quién había realmente apretado el gatillo.

Tenía que haber alguna otra cosa que pudiera hacer.

Abandonó la cama, y volvió a la habitación vacía donde había dejado los recuerdos de sus padres. Quizás hubiera algo ahí que pudiera darle una pista. El problema es que todas las fotos eran personales, y lo mismo ocurría con los objetos de recuerdo. Y los diarios que acababa de encontrar pertenecían a su madre. Trataban de proyectos de ayuda a mujeres maltratadas, para ofrecerles asesoría legal y cuidados médicos. Aquello había sido la pasión de Lara, y el motivo por el que ella había creado aquel servicio gratuito para mujeres en Winshore. Si podía ayudar a mujeres que habían sobrevivido a maltratos a entablar una relación sana, contribuiría a hacer realidad el sueño de su madre.

En cuanto a los objetos de su padre, no había notas, ni viejas agendas, nada personal, excepto la foto enmarcada de ella y su madre, y la elegante pluma fuente que él solía tener en su mesa de trabajo.

Sin embargo, junto al montón de fotos que su madre había coleccionado, vio unos recortes de periódicos; elogios de casos importantes que Jack Winter había llevado y ganado.

Morgan desplegó cuidadosamente los artículos. Los había leído todos, línea por línea. Los nombres y las condenas no le decían nada. Sin embargo, ella no era más que una niña cuando todo eso ocurrió. En realidad, todos esos criminales podrían haber tenido contactos en el exterior o familiares furiosos dispuestos a «encargarse» de un ayudante del fiscal del distrito.

Resumiendo, en cualquiera de esos artículos quizá se encontraba el núcleo de un motivo, de algo que ella no tenía ni los conocimientos ni los criterios para detectar.

Maldita sea. Morgan se sentó sobre los talones, abrumada por la frustración. Era como arar en el agua. Pero al menos era algo. No importaba lo preocupados por ella que estuvieran Arthur y Elyse, ni su insistencia en que se mantuviera apartada de la primera línea. No podía abstenerse. Tenía que asumir un papel activo en aquella investigación.

Estaba tensa por la decisión tomada. Plegó los artículos y los metió en un sobre. Se los entregaría al inspector Montgomery. Quizás aquellos nombres le dijeran algo. Si no, puede que a Charlie Denton le recordaran algo, o a otro abogado que hubiera trabajado con el fiscal del distrito por aquel entonces.

Era una pista potencial.

Una pista que tenía que seguir.

Capítulo 6

La suerte quiso que Hank Reynolds contactara con Lane antes que lo hiciera Monty.

Lane acababa de poner fin a su sesión de ejercicios y estaba bebiendo una botella de agua cuando sonó el teléfono.

Se cubrió los hombros con una toalla y cruzó la sala que, después de la renovación de la casa de ladrillos rojos que le había comprado a su cuñado, Blake, había convertido en gimnasio. Era un lugar fabuloso, lo bastante espacioso para montar un amplio laboratorio de fotografía digital, un gimnasio y un taller técnico.

Lanzó una rápida mirada a la pantalla del móvil para ver quién llamaba.

—Hay que reconocer que tienes huevos —le dijo a su editor—. Ni yo mismo me atrevería a meterme conmigo tan pronto después de los diez días que acabo de vivir y de una noche en que casi no he dormido.

—Pues yo sí me metería —contestó Hank—. Además, te conozco. Siempre juras que vas a descansar una semana y al cabo de ocho horas ya te aburres. Oye, parece que estás sin aliento. Supongo que acabas de volver del gimnasio.

—No, hago ejercicio en casa —dijo Lane, sonriendo y acabándose el agua de la botella—. Pero tienes razón. Me aburro pronto. Y la cama es muy aburrida cuando estás solo.

—Ah, sí, pues en ese caso no tienes más que sacar tu Black-

Berry, escoger un nombre y darle a la tecla para tener compañía. Te solucionará el problema de la cama vacía en un santiamén.

Lane dejó escapar una risilla, se deshizo de la toalla y se sentó en el banco acolchado junto a la pared.

—Creo que exageras un poco. Pero me agrada la imagen, así que no discutiré. Ahora, cuéntame lo del artículo sobre el congresista Shore que te tiene tan entusiasmado. Y guárdate los actuales asuntos políticos. Puede que ande dando tumbos como un loco por el mundo, pero sigo conectándome a Internet.

—Me parece bien, pero ha estallado un nuevo escándalo en la vida de nuestro congresista, un escándalo que no tiene nada que ver con la política.

Lane emitió un gruñido.

—Espero que no se trate de un reportaje revelación. He oído todos los rumores posibles sobre sus jovencitas. He leído los blogs sobre los «ángeles de Arthur» que sostienen que Shore tiene, y disfruta, de las becarias más guapas de la capital. Todo eso me importa un rábano.

—Estamos hablando de *Time*, Lane, no del *Enquirer*. El reportaje no tiene nada que ver con su vida sexual. Tiene que ver con el asesinato de sus mejores amigos, algo que ocurrió hace diecisiete años. Al parecer, el asesino que se declaró culpable no lo era.

—¿Qué? —Lane alzó la cabeza—. ¿Hablas de Jack y Lara Winter? ¿Esos asesinatos?

—Exactamente. Han descubierto una chapuza de proporciones incalculables, y ahora acaba de saberse. Quién sabe cuántos culos se cobrará por el camino.

—Mi padre trabajó en ese caso. Era el inspector responsable.

—Lo sé. El congresista también lo sabe. Lo cual redobla sus ganas de que seas tú el asignado a este fotorreportaje.

—¿Por qué? —Enseguida Lane se mostró cauto—. Yo tenía dieciséis años cuando eso ocurrió. No tengo ni idea de los detalles del caso. Y tampoco los divulgaría si los supiera.

—Tranquilo. Él no quiere un topo, ni necesita que le sonsaques información a tu padre. Lo ha contratado. En realidad, fue la hija de los Winter la que lo contrató. Pero eso no cambia nada. Morgan Winter fue adoptada por los Shore cuando sus padres murieron. En cualquier caso, el asunto es que Shore es un hombre ocupado. Reunirse contigo para lo del artículo mientras comprueba con tu padre los avatares del caso le ahorrará tiempo y lo tranquilizará.

—Explícate.

—Confianza. Quiere dar su aprobación a las fotos y al texto que utilicemos para retratar este ángulo de su personalidad.

—¿Este ángulo? ¿Eso significa reabrir el caso de los Winter?

—Así es. Como Pete Montgomery es tu padre, Shore confía en que respetarás sus deseos y pondrás límites a la cobertura. En otras palabras, retratarás la inquietud y la intensidad, pero nada más.

—No quiere hacer reventar el sistema, al menos no públicamente, y no todavía.

—Exactamente. Ha limitado sus apariciones en los medios de comunicación para hablar sólo de su proyecto de ley. Nada sobre el asesinato de los Winter. Nada de entrevistas, nada de conferencias de prensa oficiales. No responderá a ninguna pregunta sobre lo que en su opinión es un tema muy delicado y muy personal. Si lo presionan, dirá solamente que todas las preguntas deben dirigirse a las autoridades. Así que, en relación con este tema, tú eres nuestro hombre.

Lane se rascó la nuca, pensativo.

—Vale, así que me darán una exclusiva preliminar. Me enteraré de los informes sobre la investigación de la policía, y tomaré unas cuantas fotos de él y mi padre. —Siguió una pausa—. Deberíamos hacerlo en el local de Lenny. Le dará un toque familiar. Serán fotos hogareñas pero formales. Por no hablar de lo bien que me alimentarán. Mi padre y yo siempre hemos sido clientes de Lenny, desde que yo era un chaval.

—Tú y los habitantes de otros cinco distritos. Pero tienes razón. Es una buena idea. El sutil recordatorio de las raíces humildes del congresista darán mucho de sí, en contraste con el político carismático y exitoso en que se ha convertido.

—También puedo sondear las ideas de Shore a propósito de su proyecto de ley. Después tomaré algunas fotos de él y sus electores.

Ahora bien, ¿qué hay acerca del ángulo más emocionante? ¿En qué momento lo abordamos?

—Me preguntaba cuánto tardarías en llegar a eso —dijo Hank, con un dejo de ironía. Conocía a Lane y sabía que esperaba con impaciencia la oportunidad de alguna aventura de alto riesgo—. De eso no tienes que preocuparte. Por lo que ha dicho, el congresista tiene grandes planes para ti. Habló de hacer heliesquí contigo en las montañas San Juan, en Colorado y paracaidismo de altura en los Poconos, y no se trata de esos saltitos de poca monta que has hecho docenas de veces. Hablamos de caídas libres a toda pastilla. Ya te lo contará esta noche.

—¿Esta noche? —interrumpió Lane—. ¿Qué pasa esta noche?

—Oh… —Hank carraspeó—. Digamos que le he prometido que irías a su casa esta noche a la hora del aperitivo. Quiere pasar revista a los puntos clave del reportaje y revisar el programa de la próxima semana.

—Y quiere que tome unas cuantas fotos en casa rodeado de la familia. Así el público verá con sus propios ojos cómo llevan los Shore los efectos de esta bomba que les ha caído encima. Al mismo tiempo, ilustrará su solidaridad y retratará al congresista como un hombre amante de su familia. Eso le vendría bien en estos momentos; podría neutralizar cualquier impacto negativo que generan esas revistas baratas que no paran de publicar reportajes sobre sus aventuras extramatrimoniales con chicas de veinticinco años.

—Exactamente.

Lane se encogió de hombros.

—A mí me va bien. Me hubiera gustado que me lo dijeran con algo más de seis o siete horas de antelación, pero qué más da. ¿A qué hora me espera?

—A las seis.

—Ahí estaré.

Monty dedicó toda la mañana a analizar los contenidos de la carpeta que Gabelli le había pasado por debajo de la puerta, actualizando algunos apuntes y elaborando una lista de todas las posibles pistas que el Departamento de Policía de Nueva York había desechado.

Su análisis fue interrumpido primero por la llamada que esperaba de Arthur Shore y luego por la visita, menos esperada, de Morgan Winter.

El congresista le ofreció todo el apoyo con que contaba y todos los recursos que tenía a su disposición. Le comunicó que hablaría con los fiscales del distrito de Brooklyn y de Manhattan, haciendo uso de su influencia política para asegurarse su colaboración. También le pidió que celebrarán reuniones semanales para que él pudiera actuar como contacto entre la investigación oficial y la no oficial y, al mismo tiempo, proteger a Morgan para que no encajara lo más duro de aquella traumática situación.

La conversación telefónica fue interrumpida cuando a Arthur le devolvió la llamada el fiscal del distrito de Manhattan, que él respondió personalmente, aunque no sin antes acordar una primera reunión con él. El lunes a mediodía. En Lenny's. Para comer.

Monty había dicho que sí y acababa de colgar cuando sonó el timbre de su casa. Morgan estaba en la entrada, con las manos hundidas en los bolsillos de su abrigo de lana. Entró y se quedó el tiempo necesario para hacerle entrega de un sobre con artículos relacionados con condenas que su padre había ganado como fiscal del distrito, y luego preguntó qué otra cosa podía hacer.

Monty carraspeó.

—Escuche, Morgan. Seré sincero con usted. He conseguido una copia del expediente del caso. No tiene nada de agradable. Los detalles son escabrosos y las fotos son muy elocuentes. No creo que sea una buena idea que usted…

—Quiero verlas —dijo ella, mientras abría y cerraba los puños a los lados—. Necesito verlas.

Su entereza era admirable, pensó Monty. También entendía el porqué de su determinación. Pero sabía mejor que ella en qué se estaba metiendo, así como la preparación emocional que necesitaba para enfrentarse a ello.

—Le propongo un trato —dijo—. Necesito tiempo para estudiar a fondo todos los informes, todas las pistas. Entretanto, usted necesita tiempo para hacerse con el ánimo adecuado. Lo que va a ver será un infierno. Así que le propongo que nos demos un par de días para prepararnos. Cuando los dos estemos preparados, cruzaremos esa puerta juntos. Y quiero que entienda que eso no significa sólo rebuscar en recuerdos dolorosos, sino también revivir una pesadilla. Lo siento, pero... no hay otra manera de hacerlo.

—Entiendo —dijo ella, con voz neutra—. Ya sabía a qué debía atenerme cuando lo contraté.

—Puede que sí, y puede que no. He hablado con el congresista Shore. Está preocupado por usted, y de su capacidad de manejar las repercusiones.

—Ya lo sé. Y le estoy agradecida por ello. Pero esto es algo que debo hacer. Si eso significa tener pesadillas más intensas y frecuentes, que así sea.

Él respondió con un movimiento seco de la cabeza.

—Me parece bien. Déme un par de días.

—¿Y entonces hablaremos?

—Será más que hablar. Haremos una recapitulación detallada. Usted estaba ahí esa noche. Hasta hoy, se le ha quedado grabada la escena que descubrió, el recuerdo de haber encontrado los cuerpos de sus padres y el horror que eso significó. Ahora tendrá que pensar más allá de eso. Puede que viera u oyera algo que podría darnos una pista. Y eso no es más que el comienzo. Quiero que repasemos todo lo que recuerde de las semanas que precedieron a la noche de los crímenes. Llamadas de teléfono que recibieron sus padres. Conversaciones. Discusiones.

Morgan abrió los ojos, como sorprendida.

—Inspector, yo tenía diez años. Difícilmente se podría decir que estuviera enterada de los detalles de las vidas de mis padres, o de su matrimonio.

—Podría llevarse una sorpresa. Los niños escuchan mucho más de lo que creen.

—¿Adónde quiere llegar con eso?

—Al mismo sitio que quería llegar usted cuando recopiló todos esos recortes de prensa. ¿Fue un asesinato fortuito o fue algo personal? Su padre era abogado de la acusación. Eso significa que se debió granjear muchos enemigos. ¿Fue uno de ellos que se vengó matándolos a él y a su madre? Si así fue, puede que hubiera alguna señal previa. Cosas de las que sus padres hablaron y que usted escuchó.

—Estamos de vuelta donde empezamos —dijo Morgan, y se pasó una mano por el pelo—. Puede que lleguemos a la conclusión de que se trató de un robo que salió mal.

—Sí, puede que sí. La idea de una venganza quizá sea un callejón sin salida. Es igual de probable que a sus padres los hubiera matado un yonki miserable con síndrome de abstinencia, para conseguir joyas y dinero. Pero sea quien sea el responsable, me he propuesto encontrarlo.

—Si es que todavía está vivo.

—Aunque no lo esté, quiero descubrir quién es… o fue. Todos queremos cerrar este caso.

Pensando en sus propias palabras después de que Morgan se despidiera, Monty tuvo que reconocer que eran chorradas. Sólo había una manera de cerrar de verdad el caso. Y eso pasaba por encontrar vivo a ese hijo de perra y hacerle pagar. Cualquier otra cosa dejaría un vacío. Para él y, mucho más importante, para Morgan.

Volvió a abrir la carpeta y examinó las fotos de la escena del crimen. Noche de Navidad, 1989. Lara y Jack Winter asesinados en el sótano de un edificio renovado en Williams Avenue, donde Lara tenía su centro de acogida para mujeres maltratadas.

Los asesinatos habían sido cometidos entre las siete y media y ocho de la noche. En ese momento, Jack y Lara estaban solos en la casa, acompañados sólo por Morgan, que les había rogado que la dejaran acompañarlos para ayudar a decorar y preparar la primera fiesta de Navidad que celebraba el centro. Habían venido directamente de una fiesta en honor a Arthur, una fiesta política, organizada por los padres de Elyse en su elegante *penthouse* de Park Avenue. Hablando de una versión moderna de *Historia de dos ciudades*, Manhattan era la más rica y Brooklyn la indigente. Sin embargo, por lo que Monty había averiguado, los corazones de los Winter eran mucho más grandes que sus egos.

¿Cuál había sido su recompensa? Asesinados vilmente, abandonados en medio de un charco de sangre, sobre un suelo de cemento sucio y agrietado, para luego ser descubiertos por su hija de diez años, que había bajado a ver por qué sus padres tardaban tanto en subir con los adornos de Navidad.

Su mirada iba de una foto a otra. De pronto cogió el teléfono y marcó un número de la memoria.

—Hola, Monty. Seguro que te están pitando los oídos —lo saludó Lane.

—¿Qué?

—Hace un momento estaba hablando de ti con mi editor de *Time*. Me ha dicho que estás trabajando para el congresista Shore. Eso significa que tú y yo comeremos juntos el lunes. Pastrami con pan de centeno en tu lugar preferido, como en los viejos tiempos. —Lane hizo una pausa y carraspeó—. En realidad, cuando Hank me dijo que volvías a ocuparte del caso Winter, pensé en llamarte para saber si te encontrabas bien. Sé que lo pasaste mal durante esa investigación. La noticia tiene que haber sido muy dura para ti.

—Estoy bien —dijo Monty, y frunció el ceño. De sus tres hijos, Lane era el único que tenía edad suficiente y era lo bastante maduro como para intuir la relación entre la separación de su propia familia y el asesinato de los Winter. Y Monty no había hecho nada para ocultárselo, para proteger a Lane de sus torpezas. En realidad, en aquella época lo había hecho casi todo mal, todo excepto tragar cerveza y trabajar de policía.

—Monty, ¿todavía estás ahí?

—Estoy aquí. Estoy confundido. He hablado con Shore hace una hora. No me dijo nada de que estarías presente el lunes. Tampoco me ha dedicado demasiado tiempo. Ha tenido que contestar una llamada del fiscal del distrito. Me mencionó rápidamente el cuándo y el dónde del encuentro y colgó.

—El dónde fue idea mía. Lenny's es un buen punto de encuentro, es una base popular para el congresista y buena comida para nosotros. ¿Por qué no dices nada? ¿Es un problema que yo esté presente?

—Eso depende de tus motivos para venir. Seguro que no tiene nada que ver con hacer un reportaje sobre la chapuza de la investigación en torno a los asesinatos de los Winter, justo cuando Shore procura hacer todo lo posible por mantener un perfil bajo. ¿Así que para qué querría que estuviera presente un reportero gráfico?

—Para tener una cobertura mediática de su proyecto de ley. Voy a hacer un reportaje sobre el legendario congresista que vuelve a caminar por la cuerda floja. Profesionalmente, porque su proyecto legislativo ha reavivado el conflicto entre diversos grupos de interés. En lo personal, lanzándose a la búsqueda de nuevas aventuras. En cuanto al notición acerca del fallo equivocado sobre los asesinatos de los Winter, digamos que soy el responsable de censurar qué se filtra y qué no.

—Muy listo de parte de Shore —murmuró Monty—. Conseguir al mejor reportero, que, curiosamente, es el hijo del investigador privado que ha contratado. Reúne la destreza y la discreción en un solo paquete. Pero para lo que me interesa a mí, todo esto te exigirá demasiado trabajo.

Esta vez fue Lane el que reaccionó sin rodeos ante el tono dolido de su padre.

—Venga, Monty, suéltala. ¿Qué es lo que te molesta?

—El tiempo. ¿Cuántos días dedicarás a este reportaje?

—Una semana, puede que diez días.

—No me sirve. Necesito que trabajes en las fotos de la escena del crimen.

—Está bien. Estoy contigo. Haré lo que creas necesario.

—¿Ah, sí? ¿Mientras saltas de un avión al vacío?

—No, mis mejores trabajos no los hago durante las caídas libres —dijo Lane, y soltó un bufido—. Escucha, Monty, confía en mí. En cuanto Hank me contó que había un fallo en la condena por el caso

Winter, y que tú intervenías en la investigación, supuse que me necesitarías para la interpretación y tratamiento de las fotos. Mi tarea para *Time* es aquí, en Nueva York. El trabajo lejos de la ciudad me tomará un par de días, como mucho. Lo que significa que estaré en casa casi todas las noches, aquí mismo, con mi equipo de última generación.

—Sí, tu mejor equipo y tus otras veinticinco tareas.

—No tienes por qué preocuparte. Ésta es prioridad número uno. Además, ahora Jonah trabaja conmigo, ¿recuerdas? Puede ocuparse de las tareas rutinarias para los proyectos ordinarios. Eso me dará tiempo para los asuntos importantes, como el tuyo. Así que ¿por qué no vienes a verme el fin de semana y me pones al corriente? Así tendré una idea más concreta de lo que busco. Si hay algo en esas fotos que te pueda ayudar a descubrir al verdadero asesino, yo lo encontraré.

—De acuerdo. —Monty parecía un poco más apaciguado, aunque todavía algo tenso, un estado mental que aún tardaría en desvanecerse—. ¿Qué horario tienes?

—Tengo que ir a lo de Shore esta noche, a la hora del aperitivo. El congresista quiere hablarme de la agenda y las aventuras de la próxima semana. Aparte de eso, tengo un horario flexible. Tocado por el *jet lag*, pero flexible.

—¿Cómo te ha ido el viaje?

—Muy bien. Agitado. Largo.

Monty no insistió. Sabía perfectamente que algunas de las misiones de Lane se las encomendaba el gobierno y que cualquier conversación sobre ellas estaba prohibida. Sin embargo, esta vez había algo diferente en el tono de de su voz. Daba la impresión de que era cansancio, y quizás algo parecido a lo que él conocía por experiencia personal, algo que a la larga lo había hecho abandonar.

—Quizá te vendrían bien unos días libres —comentó, como de pasada—. Y no me refiero a viajar a algún lugar perdido quién sabe dónde, o a saltar de aviones sólo por la emoción del salto. Me refiero a un tiempo muerto, a salirse del circuito. Mira, ¿por qué no pasas la Navidad en la granja? Ven con alguna amiga. Estará toda la familia, mamá, yo, Devon y Blake, Merry... oh, y ese chico de la Facultad de Derecho con que está saliendo.

Lane soltó una risilla.

—Se llama Keith. Y es un buen tío. Inteligente, con suficiente confianza en sí mismo para soportar tus interrogatorios. Y está loco por Merry.

—Demasiado loco. Merry es una chica dulce, joven y confiada, demasiado ingenua como para saber qué se trae ese Keith entre manos. No son virtudes que haya heredado de mí. Sé en qué parte de su cuerpo está pensando.

—Yo también. Y no me agrada más que a ti. Pero Merry no es ni la mitad de ingenua de lo que te piensas. Tiene casi veintidós años. Tiene su propia manera de ver las cosas. Además, se licencia en mayo. ¿Qué haremos después de eso? ¿Encerrarla en su habitación?

—A mí me parece una buena solución.

—Sí. —Lane vio que él mismo estaba de acuerdo—. A mí también.

—Entretanto, este cómo-se-llame, que ya casi es abogado, se hospedará en el lado opuesto de la casa.

—Nunca lo he dudado.

—Entonces, ¿vendrás?

Lane vaciló, pero sólo un momento.

—Claro. Parece estupendo. Una dosis de hogar es justo lo que necesito.

—¿Crees que te aburrirás? —le preguntó Monty, seco—. Un fin de semana largo en la granja no puede compararse con el aperitivo en casa de los Shore.

—Ya me apañaré.

—Por cierto, ¿quiénes son los invitados esta noche?

—Supongo que el congresista y su familia.

—Si aparece Morgan Winter, le puedes decir que analizarás las fotos de la escena del crimen conmigo. Si no, no lo menciones. No sé con quién comparte los detalles de este caso, aparte de Arthur. Sé que tiene una relación muy estrecha con la mujer y la hija, pero eso no significa que se lo cuente todo. Y, técnicamente, Morgan es mi cliente y mi trabajo para ella es confidencial. Así que confío en que serás discreto.

—Lo seré. En cuanto al congresista Shore, dudo de que la noticia de que yo trabajo contigo sea una revelación. Sabe a qué me dedico. Y ya que quiere que esté presente en vuestra reunión del lunes al mediodía, es evidente que espera que participe de la conversación. Tú lo pondrás al corriente de los avances de la investigación, y yo entregaré mi análisis de las fotos de la escena del crimen. No hay conflicto de intereses, si eso es lo que te preocupa. Es el propio Shore el que ha abierto esta puerta. Si algo consigue él con esta tarea de *Time*, es asegurarse de que yo participe.

—No estoy preocupado. Estoy seguro de que tienes razón. Puede que Shore no quiera que haya publicidad en torno a este caso, aunque lo quiere ver resuelto. Si consigue que tú participes en mi investigación, ya sea pidiéndotelo directamente o esperando que yo lo haga, estará encantado.

Mientras seguía mirando las fotos, Monty decidió poner fin a la conversación.

—En cualquier caso, debería llamar a tu madre y decirle que estás en casa sano y salvo. Se sentirá feliz. No diré nada acerca de tus aventuras temerarias con el congresista Shore la próxima semana, al menos por ahora. Ya tendrá tiempo suficiente de empezar a preocuparse de eso el lunes.

—Buena idea. No suelo darle tranquilidad a mamá muy a menudo.

—Ya somos dos. Vivir una vida sin riesgos tampoco es mi fuerte. —Monty hizo una pausa y luego siguió, con su tono seco de siempre—. Escucha, Lane, me alegra de que trabajes conmigo en este caso. Esta vez, descubriré al verdadero autor del crimen. Y no pienso abandonar hasta que lo haga. No espero que lo entiendas del todo, pero...

—Sí lo entiendo —interrumpió Lane, y su tono de voz le recordó a Monty lo sabio que era su hijo para los años que tenía—. Y, te lo aseguro, Monty, no te defraudaré.

Capítulo 7

Charlie Denton estaba sentado en su estrecho despacho en la Oficina del Fiscal del Distrito de Manhattan viendo cómo se ponía el sol en el horizonte de Nueva York. Un día más. Un montón de casos atrasados. Y un problema enorme que aún seguía ahí.

El congresista Shore no había perdido el tiempo. Hacia las diez de la mañana, Charlie ya tenía la pista despejada para su investigación interna, es decir, averiguar quién había heredado los casos de Jack Winter y cómo se habían resuelto, en aquel entonces y ahora. Y hablar con un puñado de empleados veteranos con los que había trabajado Jack para averiguar si recordaban algo. Incluso se puso en contacto con los integrantes del antiguo equipo de Jack, abogados, ayudantes y funcionarios que habían dejado hacía tiempo la Oficina del Fiscal del Distrito, para averiguar si recordaban algo que pudiera conducir al verdadero asesino.

Las cosas no estaban nada fáciles.

Lo que había sido una bomba de relojería diecisiete años antes, ahora era un misil orientado por el calor que apuntaba a su cabeza.

No sólo pensaba en Arthur Shore sino también en Morgan Winter.

Charlie hizo girar su silla y cogió el sobre que Morgan le había dado hacía media hora. Estaba lleno de artículos fotocopiados de los éxitos de su padre en los tribunales. A ella no le sonaba ninguno de los nombres de los acusados; él, en cambio, los reconocía todos. Uno de ellos, en especial, le puso la piel de gallina.

Habría deseado no tener planes para salir a cenar esa noche, pero tenía una cita con una de las chicas de la lista de parejas. Karly algo, directora de una agencia de *top models* de Nueva York. Pensaba llevarla a La Grenouille, porque a los dos les gustaba la comida francesa. Estaba seguro de que sería una mujer encantadora, inteligente y una estupenda compañía, aunque él tendría la cabeza en el trabajo.

La hora del aperitivo en casa de los Shore fue más relajada de lo que Lane había pensado.

Le abrió la puerta Elyse, la pequeña y elegante mujer de Arthur, que lo saludó muy afectuosamente. Si eran verdad los rumores de que Arthur se comprometía a menudo en relaciones con chicas menores que su propia hija, costaba entender por qué. Elyse era una mujer atractiva y vivaz, y se mantenía lozana como una mujer de veinticinco años. También poseía un refinamiento y una clase interior que iba mucho más allá que cualquier cirugía estética a la que se pudiera haber sometido.

También era verdad que provenía de una familia con dinero. Su padre, Daniel Kellerman, era el director general de Kellerman Development Inc., uno de los grandes en el negocio inmobiliario. No era ningún secreto que Kellerman había ayudado a su yerno, recién licenciado en la Facultad de Derecho, a lanzar su carrera política, nombrándolo abogado de Kellerman Development, un empleo que le había permitido a Arthur introducirse en los círculos profesionales y sociales adecuados. Entre su propia mente privilegiada y su carisma, Arthur había sido elegido primero para el Ayuntamiento de Nueva York, después para la Asamblea del estado de Nueva York y, finalmente, para la Cámara de Representantes de Estados Unidos.

Elyse era una baza de indudable valor para su marido congresista, incluso en un ambiente tan relajado y hogareño como el que Lane iba a conocer esa noche.

Vestida con un chándal deportivo de terciopelo verde esmeralda, de Lacoste, y luciendo su fina cabellera rubia, corta y peinada a la moda, Elyse le invitó a entrar, cogió su abrigo y le preguntó qué le gustaría beber. A juzgar por el color tomate y por la consistencia del contenido de su vaso, Lane supuso que ella había elegido un bloody Mary.

No tardó en darse cuenta de que se equivocaba.

Nada más entrar, percibió una especie de zumbido que le llegó desde la cocina. Una voz de mujer, más joven, avisó:

—El segundo *round* de zumo de tomate con apio está a punto.

Lane pestañeó al ver que de la cocina salía a toda prisa una mujer rubia, de casi treinta años, con la energía de un correcaminos, y con una jarra de zumo casero.

—Hola —dijo, y pasó sin alterar el paso cuando lo vio junto a su madre—. Tú debes ser Lane Montgomery. Espero que estés preparado para la mejor mezcla de beta-caroteno y licopeno que jamás hayas probado —dijo, enseñándole un vaso—. ¿Te sirvo un trago?

—Claro —dijo Lane, con una ligera sonrisa en los labios—. Supongo que tú eres Jill.

—Me declaro culpable.

—No deje que mi hija lo intimide. —Era el congresista Shore que se acercaba por el pasillo. Vestía un jersey de cuello alto con dibujos de color caramelo y negro, y pantalones negros. Le tendió la mano—. También tenemos bebidas convencionales, cualquier tipo de licor, cerveza y coca cola «light». Así que si no es un fanático de las dietas saludables, que no le entre el pánico. Sólo tiene que decir lo que quiere tomar.

—De hecho, el zumo tiene buena pinta —dijo Lane. Dejó la bolsa con el equipo fotográfico y aceptó el vaso con un gesto de agradecimiento—. Siempre me gusta probar cosas nuevas.

Arthur llevó a Lane hasta el salón. El sofá en forma de ele y el sillón que hacía juego eran de color arena, de fina tela cruzada, asientos mullidos y cojines color verde salvia. El conjunto de la habitación estaba bañado de una atmósfera acogedora y natural. Lane barruntó que todo era obra de Elyse.

—Siéntese —dijo Arthur, señalando el sofá.

Lane le obedeció, y se sentó con un vaso de zumo vegetal en la mano.

—Esto está muy bueno —le dijo a Jill, alzando el vaso. Era verdad, el zumo era refrescante y fuerte.

—Bien, es un hombre de buen gusto —dijo ella, y le enseñó los pulgares hacia arriba—. Prepararé otro poco cuando llegue Morgan —dijo, y miró su reloj—. Me pregunto por qué no ha llegado todavía.

—Ha llamado —dijo Elyse—. Me dijo que tenía algo que hacer y que se retrasaría unos minutos. Llegará en cualquier momento. —Por su rostro cruzó fugazmente una expresión de inquietud—. Espero que haya comido a mediodía. No ha comido como Dios manda en dos días.

—Esta mañana conseguí hacerle tragar casi media magdalena —murmuró Jill.

—Y yo conseguí que se tragara la otra mitad cuando pasé por su despacho —añadió Arthur—. Pero tienes razón, no está comiendo regularmente.

—Ni durmiendo —dijo Jill.

—Iré a buscar la bandeja de quesos y frutas. —Con paso enérgico, Elyse se dirigió a la cocina—. Podemos empezar a picar algo mientras esperamos a Morgan.— Volvió al cabo de un rato, dejó la bandeja sobre la mesa de centro y le lanzó a Lane una mirada tímida y llena de tristeza—. Nos perdonará por la preocupación de la familia. Vivimos tiempos difíciles.

—No hay por qué disculparse —dijo Lane, midiendo bien sus palabras—. Me cuesta imaginarme lo duro que debe ser para ustedes. Lamento que este episodio tan doloroso de sus vidas tenga que volver a salir a la luz.

—Nosotros también —dijo Arthur, hablando francamente y sin rodeos—. La noticia ha sido un impacto para todos. Sin embargo, la más afectada es Morgan. Mi objetivo es protegerla todo lo posible, empezando por nuestros temas de conversación. Esta noche hablaremos de temas menos dolorosos, como nuestro programa para la próxima semana. Ya habrá otro momento y lugar para entrar en el meollo de la investigación.

—Entendido —dijo Lane, asintiendo con la cabeza. El mensaje era claro e inequívoco. Tenía que respetar aquella demostración del espíritu protector del padre—. Hablando del programa de la próxima semana, tengo muchas ganas de saber lo que nos tiene preparado.

Arthur se relajó y en sus ojos asomó un brillo de diversión.

—No se sentirá decepcionado. Por lo que recuerdo de aquel reportaje que hicimos para *Sports Illustrated*, usted no era ningún principiante. Era un escalador consumado, y lo mismo diría del puenting. ¿Sigue estando en plena forma?

—Mejor todavía —contestó Lane, con una sonrisa socarrona—. He doblado mis horas en el gimnasio para poder seguirle el ritmo.

—Inténtelo —dijo el congresista, con una ancha sonrisa—. ¿Qué tal esquía?

—Esquié por primera vez a los seis años. He bajado prácticamente todas las pistas de alta montaña que hay en Estados Unidos, y unas cuantas en los Alpes franceses, suizos y austríacos. Este año había pensado visitar el lado canadiense de las Montañas Rocosas, ir directamente a la Columbia británica y lanzarme por la legendaria caída vertical del Whistler/Blackcomb.

—Excelente. Después de la próxima semana, podrá agregar una nueva experiencia a esa lista tan impresionante.

—Hank me habló de hacer heliesquí —dijo Lane, inclinándose hacia delante—. Siempre he querido probarlo. Cuénteme.

Antes de que Arthur respondiera, se oyó el ruido de una llave en la cerradura y se abrió la puerta del piso.

—Hola, soy yo. —Desde el pasillo se oyó una voz femenina, seguramente la voz de Morgan Winter, seguida del roce del abrigo al quitárselo y colgarlo—. Espero que no os haya hecho esperar demasiado.

—No —dijo Jill—. Acabo de hacer más zumo y mamá ha traído algo para picar. Estamos a punto de enterarnos de las aventuras salvajes que papá ha planeado para la próxima semana. Ven y siéntate con nosotros.

—Voy. —Se oyeron las pisadas de los tacones en el suelo de baldosas, y luego una pausa al entrar en el salón—. Por fin he llegado.

Lane no sabía demasiado bien qué esperar pero, desde luego, no a la mujer de pelo castaño y estilizada figura que hizo su entrada. El pelo le llegaba a los hombros. Ojos verdes claros. Unos rasgos finos y un cuerpo delicado que sugería fragilidad. Sin embargo, en ella se adivinaba una confianza sin fisuras en sí misma, algo que contradecía totalmente la imagen de vulnerabilidad. No, en realidad, la hacía más intensa. Sensibilidad y fuerza, compostura y fuego, con una profundidad y expresividad en sus ojos que transmitían compasión y dolor.

«Embrujadoramente bella», fue la definición que le vino a la cabeza.

Se levantó del sofá y la vio acercarse.

—Hola, soy Morgan Winter —se presentó ella misma. Le tendió la mano y se la estrechó con un gesto firme, pero formal.

—Me alegro de conocerla —dijo él—. Lane Montgomery.

—Veo el parecido con su padre.

—¿Ah, sí? —Lane frunció el ceño—. ¿Lo dice por lo alto, moreno y guapo o por lo intimidatorio, despótico e ignorante de la moda?

—Hmmm —dijo Morgan, con una leve sonrisa—. Difícil elección. ¿Qué le parece alto, moreno y dinámico?

—Me parece bien. ¿Y qué hay de los otros adjetivos?

Ella lo miró de arriba abajo, se fijó en su jersey azul marino y sus pantalones caqui.

—Intimidatorio, no. Despótico… posiblemente. Guapo… eso depende de quién lo mire. ¿Ignorante de la moda? Decididamente no —sentenció Morgan. Alzó el mentón y lo miró a los ojos—. ¿Qué le ha parecido?

—Sincera. Directa, pero con sentido del tacto. —Su mirada fue de ella a Jill, y de vuelta a ella—. Dos mujeres bellas e inteligentes, una, encantadora e intuitiva, la otra, vivaz y entusiasta. Es una combinación muy difícil de superar. Ya entiendo por qué los clientes acuden en masa a su agencia.

—Tal vez quiera convertirse en uno de esos clientes —sugirió Jill—. Es un hombre soltero. A menos que ya tenga una interlocutora privilegiada, ¿por qué no pide una cita y viene a ver lo buenas que somos en Winshore?

Morgan reprimió la risa al ver la reacción que Lane no alcanzó a disimular.

—Ésa es una expresión que he visto miles de veces. Y todas y cada una de ellas, se han equivocado.

—Pues, ahora que lo menciona…

—Ahora que lo menciono, siempre tiene éxito con las mujeres y no tiene problemas de autoestima —dijo Morgan, con una sonrisa torcida—. Eso es evidente. Y, pensándolo bien, estoy de acuerdo con usted. Para el tipo de relación en que usted piensa, está mejor buscándose la vida solo. Algún día, cuando busque una relación en profundidad, una relación que exija una verdadera compañera, llámenos.

Lane sentía que lo habían puesto ante dos desafíos en los últimos cinco minutos. Uno lo había lanzando el congresista Shore, el otro, Morgan Winter. No sabía cuál de los dos le había hecho subir más la adrenalina.

La velada estaba resultando mucho más estimulante de lo que había imaginado.

—Me parece justo. —Inclinó el vaso hacia Morgan y Jill—. Tendré presente la oferta. No se olviden de darme una tarjeta de visita antes de que me vaya.

—Eso haré. —Morgan miró a Elyse, que había llenado una bandeja con fruta y queso, y que ahora le ofrecía—. Gracias —dijo. Daba la impresión de que quería rechazar la comida, pero vio la ansiedad en la mirada de Elyse, y aceptó—. Esto tiene muy buena pinta.

—Debería tenerla —comentó Arthur, seco—. Seguro que es lo primero que comes desde la magdalena del mediodía.

Morgan se encogió de hombros con un gesto de culpabilidad.

—Ha sido uno de esos días. Una locura de trajines.

—Entonces no deberías haber pasado a ocuparte de otras cosas antes de venir —le reprochó Elyse—. Estás agotada. Aquello podía esperar.

—No, en realidad, no podía esperar. —Morgan se hundió en el sofá y mordisqueó un trozo de piña—. He pasado por la Oficina del Fiscal del Distrito de Manhattan. Quería dejarles copia de aquellos recortes de prensa. Le he pasado los originales al detective Montgomery —dijo, y le lanzó una mirada de curiosidad a Lane—. ¿Arthur le ha contado que contraté a su padre?

—Me lo mencionó, sí. —Lane respondió breve y tranquilamente—. Aunque debo decir que lamento que sea necesario. —Se acomodó en el sofá y aceptó la bandeja de fruta que le ofrecía Elyse—. Gracias —murmuró—. En cualquier caso, le aseguro que está en manos muy eficientes. A Monty no se le escapa nada, créame, se lo digo por propia experiencia. Yo nunca conseguía salirme con la mía, ni cuando era pequeño ni cuando fui adolescente. Él siempre estaba un paso por delante de mí.

—Algo me dice que desde entonces lo ha compensado —observó Morgan, con tono seco.

—Quizá. Pero todavía tenemos nuestras pequeñas desavenencias.

—Es su padre —dijo Jill, como resumiendo—. No hay nada que hacer.

—Sobre todo si los dos son bastante parecidos —dijo Morgan, que miraba pensativamente a Lane—. Me parece que eso es lo que ocurre con usted y el detective Montgomery.

—Tiene razón. Eso ocurre. —Lane arqueó las cejas, lanzándole a Morgan una mirada provocadora y burlona—. No sé si eso favorece o perjudica mi imagen.

Morgan no respondió con una broma ligera. Ni siquiera sonrió. Al contrario, se quedó mirando su plato y una expresión de tensión le endureció los rasgos de la cara.

—No tengo palabras para describir a su padre. Para mí, en una ocasión fue mi salvavidas. Ahora ruego para que vuelva a serlo.

Lane se reprochó haber suscitado esa reacción en ella.

—Lo será —dijo, con voz neutra—. Monty no se despedirá hasta que le haya devuelto la tranquilidad. Cuente con ello.

—Eso espero. —Ella alzó el mentón y la tensión de su rostro se desvaneció—. Ni se imagina cuánto lo espero.

—Tengo una idea —interrumpió Elyse—. Jill, Morgan y yo tenemos que solucionar unos cuantos detalles de la fiesta de Navidad en Winshore. Iremos al estudio y nos ocuparemos de eso mientras ustedes, caballeros, planifican esas aventuras salvajes de la próxima semana. —Dicho eso, se estremeció—. Con sólo escuchar el programa se me ponen los pelos de punta. Prefiero no estar presente.

—Buena idea —dijo Arthur, sin pensarlo dos veces—. Vosotras, señoras, ocuparos de lo vuestro, y nosotros a lo nuestro. Después, Lane podrá tomar algunas fotos de familia y daremos la velada por acabada. Todavía me quedan muchas llamadas por responder y una reunión con cena a que atender, más tarde.

—¿Una reunión con cena? —preguntó Elyse—. ¿Cuándo te ha sugido eso? Pensé que cenabas con nosotras.

—Eso es lo que tenía pensado. Pero tu padre llamó hace un par de horas. Ha convocado una reunión, y no ha sido fácil. Tuvo que conciliar las agendas de cuatro directores generales muy ocupados. Ésta era la única noche en que podían los cuatro. Así que así será.

—Directores generales —repitió Lane, pensativo—. ¿De los bancos?

Arthur le devolvió una mirada cauta.

—De los bancos y otras empresas. ¿Por qué?

—Porque no lo envidio. —Era el corresponsal periodístico que había en Lane el que habló sin rodeos—. Las empresas financieras han sido un elemento clave de su éxito político. Ahora tiene que persuadirlos para que aprueben una ley que les costará mucho dinero. Seguro que será una reunión difícil.

—Es probable. —En lugar de parecer desanimado, Arthur asintió encogiéndose de hombros—. Sin embargo, creo profundamente en mi proyecto de ley. Creo que, a la larga, beneficiará a todos. Mi trabajo consiste en hacérselo entender.

—Le deseo suerte.

—También tengo a Daniel Kellerman de mi parte. No quisiera minimizar la importancia de tenerlo como aliado.

—En otras palabras, él habrá allanado el camino.

—Exactamente. Así que, al final, espero que la cena sea un éxito.

—Hablando del abuelo, dale recuerdos —dijo Jill, mirando de reojo a su madre, que se mostraba claramente contrariada por la inesperada ausencia de su marido—. Así tendremos la oportunidad, mamá, Morgan y yo, de probar ese nuevo restaurante tailandés. Pediremos comida para llevar y acabaremos todo lo que nos quede por planificar de la fiesta.

—Parece que esa fiesta será todo un acontecimiento —comentó Lane.

—Lo será. —Jill le lanzó una generosa sonrisa—. ¿Por qué no viene? Es el día diecinueve, a las siete de la tarde, en el gimnasio de mamá. Da la casualidad de que tengo unas cuantas invitaciones en mi bolso. —Buscó en su bolso Coach y sacó una invitación impresa con elegante caligrafía—. Aquí tiene —dijo, y se la entregó—. Le irá bien. Verá lo que se pierde por no registrarse en Winshore.

Lane miró las letras doradas. Normalmente, detestaba ese tipo de fiestas. Eran encuentros frívolos y superficiales, llenos de gente falsa y de conversaciones estúpidas.

Todavía dudaba cuando alzó la vista y vio a Morgan que lo observaba desde el otro extremo del sofá. Había desaparecido la vulnerabilidad que se desprendía de ella hacía un rato. Ahora tenía los brazos cruzados a la altura del pecho y en sus ojos se adivinaba el brillo de una certeza.

—¿Estaba a punto de decir que no? —sugirió, como para ayudarlo.

—¿Ah, sí?

—Sí.

—¿Y usted me iba a convencer de lo contrario?

Ella sonrió socarronamente.

—Claro que sí. ¿Por qué no atreverse? Es entre semana, demasiado tarde para ir a picar algo y beber una copa, y demasiado temprano para irse a dormir. La comida será buenísima, el ponche casero, y si la gente resulta ser tan sosa como usted cree, puede dedicar la velada a hacer ejercicio. Al fin y al cabo, es un gimnasio, y tiene las instalaciones más modernas de todo Manhattan.

Lane no pudo reprimir una risilla.

—Vaya, es una negociadora dura.

—Ninguna negociación. El único que puede ganar, o perder, es usted.

De acuerdo. Con aquello bastaba. Era un subidón de adrenalina diferente, y él no pensaba inhibirse, así como no se inhibía ante otros retos.

—Tiene razón —concedió, y se guardó la invitación en un bolsillo del pantalón. Ella había movido ficha. Ahora le tocaba a él—. Parece interesante. Gracias por la invitación. Ahí estaré.

Capítulo 8

Karly Fontaine se estaba divirtiendo de verdad. La comida en La Grenouille era exquisita, el hombre sentado frente a ella era un abogado exitoso y atractivo, y la conversación era estimulante.

Una vez más, Morgan había escogido bien. Aquella joven sabía hacer su trabajo. Su intuición para encontrar parejas era extraordinaria.

—¿Más vino? —preguntó Charlie Denton.

—Me encantaría, gracias. —Karly sonrió mientras Charlie le servía otra media copa de vino. Se había mostrado muy atento toda la noche, sabía escuchar muy bien y era un excelente conversador. Es verdad que ella tenía la impresión de que él estaba cansado y algo estresado, pero no se lo reprochaba. Ella misma estaba bastante agotada, y dirigir a un grupo de modelos no era nada en comparación con llevar a juicio a los delincuentes. No quería ni imaginarse algunos de los horripilantes casos que aquel hombre debía tener en su agenda.

Charlie no tardó en dejar claro que no quería hablar de su trabajo. Quizá fuera por un problema de confidencialidad o sencillamente deseaba evitarlo, pero ella entendió la indirecta y dejó correr el tema. Su línea de trabajo se prestaba mucho más a una conversación distendida, así que a Karly no le sorprendió que él prefiriera esa vertiente. Le habló de la agencia de modelos Lairman, y de cómo ella había pasado de modelo a ejecutiva en su sede de Los Ángeles, y luego había sido asignada a Nueva York hacía tres meses para dirigir la ampliación de la empresa en Manhattan.

Charlie parecía fascinado. Entrecruzó los dedos y se inclinó hacia delante para escucharla. Ya bien entrada la conversación, la mirada de él empezó a desviarse ligeramente hacia la izquierda del hombro de Karly, y luego volvió rápidamente a ella. Al principio, ella pensó que quizá buscara al camarero para pedirle postres y café. Pero cuando el camarero no apareció y la distracción de Charlie se volvió cada vez más evidente, empezó a sentir curiosidad y, después, claro, a sentirse insegura.

Si se trataba de una antigua novia o de un conocido cualquiera, eso era una cosa. Pero si una mujer más joven y guapa le había llamado la atención, eso le molestaría, y mucho. La belleza era su negocio, le había dedicado su vida. Se sentía orgullosa de su rostro y su figura, por no hablar de su excepcional elegancia en el vestir. Que acabara prendida o no de Charlie Denton era irrelevante. Pero le habría herido su ego creer que él miraba a otra mujer durante su primera cita.

—¿Charlie? —preguntó, con una enorme sonrisa y echó su silla hacia atrás—. ¿Te importaría pedir el café? Yo voy al lavabo de señoras.

—Claro. —Charlie se levantó rápidamente y se acercó a retirarle la silla.

—Gracias. —Con la sonrisa todavía pintada en la cara, ella cogió su bolso y se levantó. Tenía unas piernas largas y un pelo rojizo de tonos dorados. Se volvió y miró en la dirección en que él dejaba vagar la mirada.

Lo que vio era algo que no se esperaba ni de lejos.

El restaurante estaba relativamente tranquilo porque era tarde. La única mesa ocupada en esa parte del comedor era una gran mesa redonda instalada en un rincón. Ninguno de los seis comensales era mujer. Eran todos hombres mayores, entre los cincuenta y cinco y sesenta años. A juzgar por la manera en que el *maître* daba vueltas alrededor de su mesa y por los trajes convencionales y caros que vestían, se trataba de gente importante. De modo que era una cena para tratar asuntos de altos vuelos. No había nada de raro en eso.

Karly estaba a punto de desviar la mirada cuando se fijó en el hombre que hablaba en ese momento, y de pronto lo reconoció. Puede que llevara sólo unos meses en Nueva York, desde septiembre, pero ese hombre concretamente había salido en las primeras páginas de los periódicos desde hacía mucho más tiempo. Había visto su foto en el *Enquirer*, en un sórdido reportaje sobre su relación con una chica de veinticuatro años que había formado parte de su equipo y luego desaparecido a la velocidad de la luz, después de que los dos fueran sorprendidos dándose un apasionado beso detrás de un hotel en Washington D.C.

Karly arqueó las cejas y siguió hacia el lavabo. Pero a mitad de camino, volvió a mirar por encima del hombro.

Charlie Denton tenía la mirada fija en el congresista Shore.

Al otro lado de la sala, y sin tener la menor idea de que lo observaban, Arthur cortó un trozo de su pato a la naranja, mientras escuchaba a su suegro aclararles ciertos puntos importantes de su proyecto de ley a los cuatro escépticos empresarios que había invitado a cenar.

—No nos enredemos con la semántica, caballeros —dijo Daniel Kellerman, que había dejado su copa sobre la mesa mientras hablaba—. Tal como yo lo veo, todos le estarán agradecidos a Arthur por redactar una ley que contempla el impacto que tendrá en sus industrias. Así que esperamos que nos brinden su apoyo.

Los cuatro directores generales intercambiaron miradas.

—De acuerdo, colaboraremos.

—Es lo que me esperaba.

Elyse estaba tendida en la cama mirando el techo cuando oyó que se abría la puerta de entrada, y luego se cerraba con cuidado. Miró la pantalla iluminada del reloj: la una y cuarto. Una hora demasiado tarde para que La Grenouille estuviera abierta.

Desde el pasillo le llegaron los ecos de ruidos familiares a medianoche. Arthur colgando su abrigo, cerrando la puerta del armario y luego cerrando con llave a la puerta de casa. Luego oyó los pasos. No fue directamente a la habitación, sino que se detuvo en el estudio, sin duda para hacer sus habituales llamadas a esa hora de la noche.

Elyse se tendió de lado, sin experimentar ese dolor que antes había sentido, sólo vacío y resignación. ¿Cuándo se había producido ese cambio?, se preguntó. ¿Cuándo se había transformado el cariño en hastío, y luego en sólo un profundo vacío?

En algún momento entre entonces y ahora.

Habían ocurrido tantas cosas. Tantas cosas que lo habían complicado todo y la habían vaciado de su reserva emocional. Había sido muy difícil al comienzo, pero la fachada comenzaba a acusar el desgaste. La mentira que vivía empezaba a quitarle las ganas de vivir.

Pensó en los tiempos de la universidad, en los días en que Lara estaba viva y las dos tenían aquellos osados sueños de juventud. Las dos iban a curar y a revitalizar a la humanidad. Lara, en lo emocional y psicológico, ella, en el plano físico y nutricional. En algún momento, Jack y Arthur habían entrado en escena. Pero no habían hecho más que alimentar sus sueños. Nunca las habían apartado de ellos; siempre los habían engrandecido.

Eso había ocurrido hacía milenios.

Se habían tejido los vínculos, se habían prestado los juramentos. Las carreras despegaron. Y luego, con sólo tres meses de diferencia, habían nacido Jill y Morgan. Era una época de alegría. Los sueños de los Winter y los Shore deberían haber seguido creciendo.

Pero no fue así.

Las prioridades cambiaron. Todo empezó a derrumbarse. Ella se aferró a la negación todo lo que pudo. Al cabo de un tiempo, la negación dejó de funcionar. Así que, a partir de entonces, había decidido mantener las apariencias.

Después vino aquel golpe trágico y el mundo se desgarró.

Elyse apretó los labios y se giró del otro lado, justo cuando la puerta de la habitación se entreabrió y entró Arthur. Se movió en silencio por la habitación, se puso los bóxers que usaba para dormir, y luego desapareció en el cuarto de baño.

Al cabo de diez minutos, se metió en la cama, deslizándose entre las sábanas moviéndose lo menos posible.

Como de costumbre, no quería despertarla.

La mayoría de las veces, ella fingía que no la despertaba.

Esa noche era diferente.

—Estoy despierta —dijo ella con voz neutra, mirando el perfil de su marido. Incluso en la oscuridad, podía verlo apretando la mandíbula.

—No quería molestarte —contestó él.

—Claro que no. ¿Quién era esta vez?

Arthur dejó escapar un resoplido de impaciencia.

—Sabes dónde estaba Elyse. Con tu padre.

—¿Una cena hasta la una? La Grenouille tiene que haber cambiado su horario de atención al cliente.

—No, la cena se sirve hasta las once. Y luego he tenido una reunión con tu padre para revisarlo todo.

—Y él seguro que te avalará —dijo ella, con una sonrisa amarga—. Al fin y al cabo, ¿qué es más importante, su hija o los favores políticos que obtiene de su poderoso yerno?

Con un gruñido de exasperación, Arthur se deslizó hasta quedar tendido de espaldas, con los brazos plegados detrás de la cabeza.

—No pienso volver a tener esta conversación, Elyse. Se está volviendo muy trillada. Además, estoy reventado y es tarde.

—Muy tarde —dijo Elyse, y no se refería sólo a la hora.

—Entonces, buenas noches. Llevo muchas horas sin parar.

—Y estás agotado y exhausto. Pues, yo también. —Elyse guardó silencio, intentando controlarse—. Más de lo que te puedes imaginar.— A pesar de sus esfuerzos, la voz se le quebró y con unas lágrimas recalcó sus palabras.

Arthur no se sentía indiferente. Se giró, se apoyó en un codo y miró a su mujer.

—No llores, Elyse —murmuró, y le acarició las mejillas con los nudillos—. Están pasando tantas cosas. No añadamos más tensión discutiendo sobre cosas absurdas. —Se inclinó y acercó los labios al hombro de ella—. Tenemos que estar enteros para Morgan. Está viviendo un infierno. Nosotros también. Hay muchas cosas en juego. Acerquémonos mutuamente, no nos distanciemos.

Dos lágrimas rodaron por las mejillas de Elyse, que sollozaba.

—Es lo que yo quiero. Tú sabes que lo quiero.

—Pues, yo también. —Arthur la estrechó en sus brazos, le alzó el mentón y la miró con ese brillo íntimo que a ella todavía la hacía derretirse y le recordaba cómo habían sido las cosas en el pasado.

Como todavía lo eran, a veces.

—Ven aquí —murmuró él, como si leyera sus pensamientos. Deslizó las manos por debajo de su camisón y palpó las curvas de su cuerpo—. Déjame que te consuele.

Elyse ya había empezado a responder, y se quitó el camisón mientras Arthur se quitaba los bóxers y luego se colocaba encima de ella. Elyse cerró los ojos y dejó que el placer se apoderara de su cuerpo, borrando el dolor de lo que había sido, de lo que sería.

Elyse no se mentía. Aquello no era sólo una cuestión sexual. Para ella, no. Había aprendido a distanciarse emocionalmente, pero seguía amando profundamente a su marido. Era capaz de hacer lo que fuera por él. Ya lo había hecho antes.

Arthur le hizo el amor como sólo él sabía hacerlo, con una destreza, pasión e intensidad que la hizo sentirse como la única mujer en el mundo.

Y durante esos momentos, esa noche, lo fue.

Monty dio unos golpes en la almohada hasta que estuvo mullida como a él le gustaba. Luego se la puso detrás de la cabeza y la colocó entre él y la cabecera. Con un gruñido de contrariedad, siguió apuntando nombres y escribiendo notas, sacando datos del montón de recortes de prensa que Morgan le había dado esa mañana. Había hecho un montón de llamadas después de que ella se marchara, pedido algunos favores, y recopilado mucha información.

En ese momento, consultaba la historia de Carl Angelo y sus asquerosos contactos, del pasado y del presente. Angelo era un traficante de armas y drogas que apostaba fuerte, un cabronazo que había sido indirectamente responsable de la muerte de numerosas personas y que Jack Winter había encerrado dos meses antes de que Lara y él fueran asesinados.

Había una relación interesante en aquella historia, algo que le sorprendió. Al día siguiente, seguiría la pista, buscaría hasta el último rincón para averiguar si en el fondo había algo sólido. Si se convertía en una verdadera pista, se lo mencionaría al congresista Shore durante la reunión que tendrían el lunes.

—Hey. —Sally se sentó en la cama, y pestañeó al acariciarle el brazo a Monty—. ¿No piensas apagar la luz en algún momento y dormir un poco?

Él la miró de lado y sus rasgos se suavizaron al verla, toda envuelta en el edredón, excepto los hombros, que asomaban. Con un gesto tierno, le revolvió el pelo despeinado y luego se lo dejó caer hasta la nuca. Tenía el cuello cálido de tanto dormir y parecía saciada y adormecida después de su sesión de amor, más temprano esa noche.

—Te quedaste dormida, así que estaba avanzando un poco en el trabajo. Ahora apagaré. —Metió los papeles en la carpeta y la dejó sobre la mesita de noche. Luego apagó la lámpara, se deslizó dentro de la cama y le cogió la cabeza a Sally para apoyarla en su pecho.

—Es el caso Winter —dijo ella—. Te está resultando más duro de lo que habías imaginado.

—Sí. —Monty miró hacia el techo frunciendo el ceño—. Y no sólo por la compasión que siento por Morgan Winter, o por la culpa que siento sabiendo que lo hice mal y dejé que el verdadero asesino escapara. Es algo más personal y egoísta. La investigación me obliga a volver a los momentos más horribles de mi vida, unos momentos que me esfuerzo por olvidar.

—Lo sé —reconoció Sally, con voz suave—. Pero el amor no siempre funciona así. A veces sencillamente nos lleva de vuelta al pasado, lo queramos o no.

—Eso ya lo entiendo. Lo que no entiendo es por qué dejé que nuestra familia se viniera abajo.

—Nuestra familia no se vino abajo, Pete. Nosotros sí. Y ninguno de los dos *dejó* que eso ocurriera. Tomamos una decisión. En ese momento, los dos necesitábamos cosas muy diferentes, y nuestras prioridades eran diametralmente opuestas. Nuestra relación era un desastre. Poner fin al matrimonio era la única respuesta en ese momento. Pero todos sobrevivimos. Y tú y yo conseguimos volver a encontrarnos.

—Eso lo agradezco mucho —dijo Monty, y dejó escapar un resoplido—. En cuanto a lo demás, no me gusta que me exculpes sin más. No fue tan sencillo. Esas prioridades diferentes existieron porque yo actué como un imbécil. Creía de verdad que me podía dar por entero al cuerpo de policía y seguir siendo lo que tú y los chicos necesitábais. Incluso después de separarnos, me dije a mí mismo que podía dividir mi vida en compartimentos y conseguir que funcionara. No funcionó. Y los chicos se llevaron la peor parte.

—Los niños suelen ser normalmente los que más sufren en un divorcio —convino Sally—. Pero también es verdad que sufren viviendo en una atmósfera de permanente estrés y de discusiones.

—Es lo que dicen los textos. —La respuesta de Monty fue seca—. Quién sabe si tienen razón. Entretanto, yo me creí la idea de que podía ser un padre que iba a visitar a los chicos y que seguiría conservando el mismo vínculo estrecho que siempre tuve con ellos. Qué farsa de idea. Lane sólo pensaba en partir a la universidad. Luego se fue a vivir al otro extremo del país y se lanzó de cabeza a una carrera de muchas emociones y nada de ataduras personales. Se parece demasiado a mí, maldita sea, y yo no puedo hacer nada para evitarlo.

—Pete...

—Y luego está Devon. Fue como una pelota de *ping-pong* entre tú y yo, desgarrada por la culpa de no saber a quien pertenecían su amor y su fidelidad. Y ¿Merry? Ni siquiera había empezado el jardín de infancia. No entendía por qué me había ido. Pensaría que su padre la había abandonado, y reaccionó cerrándose conmigo. Sólo ahora comienza a acercarse un poco. Fue una situación de mierda.

—Tienes razón, lo fue. —Le sorprendió que Sally dijera eso—. Pero no sólo para los niños. Para ti. Te veía la cara cada vez que los traías a casa. Vivir separado de ellos debió de ser una tortura.

Monty tragó saliva.

—Nunca imaginé que se podía echar de menos a alguien de esa manera. Como si me hubieran arrancado una extremidad. Me convertí en algo más parecido a una máquina que a un ser humano. Trabajaba, bebía y me volví insensible a las emociones.

—No, no es verdad. —Sally se giró para mirarlo a la cara—. En primer lugar, deja de pensar que abandonaste a tus hijos. No los abandonaste. Tu puerta y tu corazón siempre estuvieron abiertos, te dieras cuenta de ello o no. En cuanto a volverte insensible, eso es una chorrada. ¿Por qué crees que fuiste capaz de darle tanto a Morgan Winter? Canalizaste toda esa energía que dices no haber tenido y la convertiste en empatía hacia ella. Mira el bien que hiciste. Por tu manera de identificarte con su sentimiento de soledad y de pérdida, la pobre chica logró superar una tragedia que quizá de otra manera la habría destruido.

Monty sacudió la cabeza como muestra de incredulidad y se quedó mirando a su mujer.

—¿Cómo lo haces? Después de todos los años que llevamos juntos, después de todo lo que hemos vivido, siempre logras encontrar un aspecto positivo a todas las situaciones. Tu manera de ver la vida, con ese idealismo tan optimista… no deja de asombrarme.

—Por eso te enamoraste de mí, ¿recuerdas? —dijo Sally, pestañeando—. Siempre dijiste que era la contraparte perfecta para un policía desencantado.

—Y tenía razón. En momentos como éste, necesito todo el idealismo que puedan darme.

El tono humorístico se desvaneció.

—Solucionarás el caso, Pete. Sé que lo solucionarás. Tienes que concentrar tu energía para conseguirlo. Lo de hacer las paces con el pasado vendrá de manera natural y en el momento debido.

—En otras palabras, que solucione lo que está en mi poder solucionar y deje de pensar en lo demás.

—No lo dejes, aprende de ello. Disfruta de lo que tienes y de lo que has vuelto a descubrir. —Sally se inclinó y lo besó suavemente en los labios—. Empieza diciendo que me amas. Y luego deja que esa cabezota sobrecalentada tuya descanse un poco durmiendo para que mañana por la mañana puedas enfrentarte al mundo. ¿Crees que podrás conseguirlo?

Monty la apretó con fuerza y la estrechó en sus brazos.

—Sí —murmuró, mientras le besaba el pelo—. Eres una maravilla.

Capítulo 9

El problema con el fin de semana es que le daba a Morgan demasiado tiempo para pensar.

La mañana del sábado estuvo ocupada. Tenía una sesión a las nueve con el doctor Bloom. Luego volvió a casa, donde encontró varios mensajes de sus amigas, sugiriendo que se reunieran. Pero no estaba de ánimo. Ni siquiera Jill logró convencerla.

En su lugar, pasó la mayor parte del sábado revisando nuevamente los asuntos de sus padres. Sabía que buscaba una aguja en un pajar, pero no abandonaba la esperanza de dar con algún tipo de pista, algo que pudiera orientarlos en la dirección correcta.

Lo único que consiguió fue aumentar su nerviosismo y despertar una profunda nostalgia al volver a mirar viejas fotos.

Al final, se decidió por algo positivo, el diario de su madre. Leerlo le daba una sensación de conexión. También le daba una visión de lo que debía ser la nueva iniciativa de Winshore que pensaba dedicar a la memoria de su madre.

Un número considerable de las anotaciones de Lara se referían a Healthy Healing, un centro de ayuda para mujeres no lejos del centro de acogida que había fundado en Brooklyn. El nombre de Barbara Stevens, principal psicóloga de Healthy Healing e íntima colaboradora suya, aparecía una y otra vez, lo cual no tenía nada de sorprendente, considerando la frecuencia con que trabajaban juntas y la estrecha relación que tenían.

Con un nudo en la garganta, Morgan escrutó la letra de su madre, una caligrafía fluida con sus puntos redondos sobre las íes, un rasgo que le era dolorosamente familiar. Recordaba tantas cosas y, aún así, había cosas que nunca sabría. Daría cualquier cosa por conocer a su madre ahora que ella misma era una persona adulta, lo suficientemente madura para establecer una relación con una mujer capaz de aportar tantas cosas valiosas a su vida.

Su mirada se detuvo en el nombre de Barbara y, presa de un impulso, cogió el teléfono y marcó el número de Healthy Healing. Era sábado, y lo más probable es que respondiera el contestador automático. En ese caso, pediría una cita para la semana siguiente.

Se sorprendió cuando contestó la recepcionista y le dijo que Barbara estaba allí. La mujer le preguntó por su nombre y ofreció pasarle la llamada.

Morgan no desaprovechó la oportunidad, le repitió su nombre a la recepcionista y le preguntó si Barbara tenía unos minutos para recibirla ese mismo día. Quizá no fuera capaz de resolver el asesinato de sus padres, pero hacer aquello podría ayudarle a sentirse más cerca de ellos. Y, además a lo largo del encuentro, quizá pudiera recoger alguna información que sirviera para la investigación. Puede que su madre le hubiera mencionado algo a Barbara en esos últimos días, algo aparentemente inocuo en relación con alguno de los casos que llevaba su marido, o casos en que algún criminal condenado hubiera vuelto a aparecer y se dedicara a acosar a su padre.

Valía la pena intentarlo. Y aunque no condujera a nada, le daría la oportunidad de conocer a una mujer que había sido muy importante para su madre, y de escuchar historias personales sobre ella.

Barbara tenía un momento para verla, así que, media hora más tarde, Morgan se estaba abrochando el abrigo y saliendo de su casa con la tarjeta de metro en la mano.

A siete manzanas de distancia, Monty se instaló en el sofá del salón de Lane con la carpeta del caso Winter en las manos. Quería enterarse de todos los detalles de la reunión de la noche anterior con Arthur Shore. Sin embargo, lo primero era lo primero.

Con una taza del café que su hijo había preparado, se inclinó sobre la mesa rectangular de cerezo y desplegó las veinte fotos de la escena del crimen, distribuyéndolas ante la mirada de Lane.

—He llamado al Palacio del Rompecabezas a propósito de los negativos —le informó—. Los están buscando.

El nombre Palacio del Rompecabezas no necesitaba mayor explicación. No había ni un solo agente del departamento que no utilizara ese mote para referirse al cuartel general del Departamento de Policía de Nueva York en el número uno de Police Plaza, en la parte baja de Manhattan.

—¿Han dicho cuánto tardarán? —inquirió Lane.

—Si presiono lo suficiente, los tendré el lunes por la mañana. Entretanto, echa una mirada a éstas —dijo, y señaló las fotos.

Lane se sentó en el borde del sofá y se inclinó para mirarlas de cerca.

—No están mal —murmuró—. Hay unas cuantas de las heridas de bala que están un poco sobreexpuestas. Es probable que el *flash* fuera demasiado potente. Pero no hay nada que no se pueda compensar —avisó, y siguió estudiándolas—. Vale, háblame de lo que viste al llegar a la escena del crimen. Descríbeme todo lo que estoy viendo ahora. Luego llegaremos a lo que yo busco.

Era un procedimiento estándar, una parte habitual del trabajo cuando Lane colaboraba con Monty.

—El crimen tuvo lugar en el sótano de un edificio hecho mierda en la avenida Williams, en Brooklyn —empezó Monty—. Tú mismo puedes verlo. El suelo de cemento agrietado, las paredes con la pintura saltada, un cuchitril. Esta hilera de fotos que está más cerca de ti fueron las primeras que tomaron, antes de que tocaran cualquier cosa o que movieran los cuerpos. —Monty señaló las diez fotografías en cuestión—. Había tres casquillos de una Walther PPK, que, según balística, correspondían a las dos balas disparadas a Jack Winter y a la disparada a su mujer. A Jack lo mataron como si lo ejecutaran por la espalda, con dos balas en la nuca; la cara mirando hacia abajo. Hay signos evidentes de lucha, sillas por el suelo, un montón de tablas desparramadas, cubos con materiales de construcción por aquí y por allá. A Lara Winter le dispararon una vez en el costado.

—Por eso hay tanta sangre y órganos dañados. —Lane estudiaba los primeros planos del cuerpo de Lara y la foto ampliada de la herida de bala.

—Sí, el tipo le destrozó los órganos internos. A juzgar por su posición, torcida hacia la derecha con ese listón de dos por cuatro pulgadas cerca del cuerpo, intentó defenderse. Él le dio cuando ella levantaba el brazo. —Monty señaló la tabla de dos por cuatro a menos de un metro del cuerpo de Lara—. En la tabla aparecieron las huellas de ella. Yo diría que cogió la tabla para intentar detener al tipo que golpeaba a su marido, o para defenderse cuando giró el arma contra ella. La bala le dio desde unos tres metros. A Jack le dispararon desde mucho más cerca.

Lane frunció los labios y miró las primeras fotos, luego las demás, tomadas después de haber movido los cuerpos y haberlos fotografiado desde otros ángulos.

—¿Una lucha? Yo diría que parece más bien un ataque y una pelea larga. Jack Winter tiene la cara destrozada.

—Eso puede dar lugar a equívocos. Estoy seguro de que él y el agresor intercambiaron unos cuantos golpes, pero la mayoría de los cortes y magulladuras que ves en la cara se deben al impacto contra el suelo. Como he dicho, aquel lugar era un cuchitril, trozos sueltos de cemento, piedras, listones de madera, cualquier cosa. El forense encontró un golpe en el lado izquierdo de la cabeza de Jack. Era la huella de la Walter PPK, de modo que se debió de haber lanzado contra el asesino por sorpresa. El tipo le debió propinar instintivamente el primer golpe mientras sostenía el arma, hiriendo a Jack en la cabeza, y la pistola salió volando. Lucharon. En algún momento, Jack cayó o fue derribado y dio con la cara en el suelo. El tipo lo inmovilizó, recuperó el arma y le disparó.

—Como en una ejecución… Por eso pensaste que se trataba de una cuestión personal —musitó Lane.

—Suele serlo, con una escena así. Por otro lado, ¿podría haber sido pura coincidencia? ¿Un robo que salió mal? Claro —dijo Monty, y lanzó un gruñido de contrariedad—. ¿Qué más te puedo decir? A juzgar por el ángulo y la forma de la herida, y el hecho de que estuviera en el lado izquierdo de la cabeza, sabemos que el asesino era diestro, como el noventa por ciento de los seres humanos.

—Y, en algún momento de esa lucha, Lara intentó salvar a su marido o salvarse a sí misma cogiendo la tabla de dos por cuatro e intentando darle al asesino.

—Momento en que le dispararon y la mataron.

—¿Qué hay del arma? ¿La encontraron?

—No. Desde luego, Schiller alegó haberla lanzado al río. Pero como su confesión es falsa, también lo es su versión sobre el arma del crimen. De modo que nadie sabe donde puede encontrarse ahora.

Lane asintió con un gesto de la cabeza.

—Sigamos. Tenemos salpicaduras de sangre en la ropa de las víctimas. Las joyas y las carteras desaparecieron. ¿Qué hay de las huellas dactilares? ¿Encontrasteis huellas que se distinguieran fácilmente?

—Sólo las huellas de las víctimas. Y hasta ésas estaban borrosas, con la excepción de las huellas en la tabla, que eran decididamente las de Lara. Había un montón de huellas de zapatos, la mayoría demasiado borrosas para poderlas identificar. Recuerda que ese mes de diciembre hacía frío y nevaba. El lugar tenía calefacción, por lo cual encontramos muchos pequeños charcos de nieve derretida y muchas ratas. No son las mejores condiciones para obtener pruebas físicas. Las pocas huellas que pudimos distinguir, y que no pertenecían a las víctimas, eran de un calzado Dunham Waffle Stomper, talla cuarenta y tres. Es una talla normal en los hombres, y el zapato normal de excursionismo. Además, no está garantizado que sean del asesino —dijo Monty, con una mueca—. Qué prueba más palpable, y más paradójica, que el hecho de que el propio Schiller tuviera un par.

—Hay que joderse —murmuró Lane—. De modo que ahí estabas, de vuelta en el punto de partida.

—¿Qué? —Monty lo miró arqueando una ceja y dando a entender su perplejidad.

Lane inclinó la cabeza y miró a su padre con ese dejo de sabiduría, como sondeándolo.

—No tenías dónde agarrarte. No tiene nada de raro que estuvieras tan cabreado.

—No te entiendo.

—Yo tenía dieciséis años, Monty. Lo recuerdo. Nunca te plegaste a la teoría de que el culpable era Schiller. En realidad, no. Yo te escuchaba hablar por teléfono, con la comisaría, con el fiscal del distrito, con todos los que tenían algo que ver con el caso. Recuerdo que no dejabas de insistir en que las pruebas no encajaban. Había algo raro. En aquel entonces, yo no entendía todo aquel asunto. Pero ahora, al ver la falta de pruebas tangibles, me imagino lo frustrado que te sentías. Lo único que tenía el fiscal del distrito era la confesión de Schiller, y estaba muy presionado para resolver el caso. A ti, tu intuición te decía que había contradicciones. Es una lástima que no te hicieran caso.

Montgomery se reclinó en el sofá y se cruzó de brazos, con la frente arrugada por la sorpresa.

—Nunca me había enterado de que estabas tan pendiente de mi trabajo.

Ahora era Lane el que se mostró sorprendido.

—¿Bromeas? Sabes que siempre estaba pendiente de ti.

—Sí, pero como decías, tenías dieciséis años. Casi no nos veíamos; ni siquiera los fines de semana que me tocaba teneros. Siempre habías salido a esquiar o estabas con una chica. No tenía ni la menor idea de que escucharas mis conversaciones telefónicas ni que prestaras atención a los casos que llevaba.

—¿Qué si prestaba atención? Estaba pendiente de cada una de tus palabras. Eres un modelo de rol de lo mejor.

—Era un imbécil —dijo Monty, aprovechando la oportunidad para decir la suya—. Tardé media vida en enterarme de lo que era importante. No me imites, al menos no en ese plano.

—Es un poco tarde, Monty —dijo Lane, encogiéndose de hombros como si le restara importancia—. Yo soy lo que soy. Pero no seas tan duro contigo mismo. Fuiste un gran padre. Todavía lo eres. Eres un gran testarudo, pero un gran padre. Puede que no te siente mal seguir los consejos de tu hijo adulto. Deja de mirar las cosas tan en blanco y negro. Si algo he aprendido a lo largo de mi carrera, es que hay pocas cosas que sean blancas o negras. Las imágenes, la fotografía, trata de los matices del gris. Y ya que la naturaleza imita al arte… pues, ya me entiendes.

—Sí. —Monty sintió un profundo orgullo viendo a su hijo convertido en todo un hombre—. Ya te entiendo. Intentaré tenerlo en mente. —Carraspeó y volvió al tema que los ocupaba—. ¿Eso es todo lo que necesitas saber sobre las fotos de la escena del crimen?

—Por ahora. Tengo material suficiente para trabajar. Los cuerpos. Las salpicaduras de sangre. El sótano. El exterior del edificio. Cuando tenga los negativos los escanearé y los guardaré en mi ordenador. Y luego me romperé el culo hasta que encuentre algo que mostrarte. Algo que te ayude a poner al verdadero asesino entre rejas.

—Es lo que quería oír. Y no sólo para mi tranquilidad.

—Ya. —Lane desvió la mirada y se quedó mirando la alfombra—. Anoche conocí a Morgan Winter. Entiendo por qué te preocupas tanto por ella. Es evidente que está viviendo un infierno.

—¿Le has dicho que trabajas conmigo?

—No. Antes de que ella llegara, el congresista Shore me pidió especialmente que no tocara el tema. Tal como están las cosas, Morgan está bastante obsesionada con esta investigación. Llegó tarde a casa de los Shore porque había pasado por la Oficina del Fiscal del Distrito a dejar un sobre con copias de recortes de prensa. Pero tú eso ya lo sabes. Me dijo que te había entregado los originales.

—Son recortes sobre las detenciones más famosas de su padre —dijo Monty, asintiendo—. He encontrado algunos datos bastante interesantes, algunos de los cuales tendré que aclarar con el congresista Shore en la reunión del lunes.

—Ahora has despertado mi curiosidad. ¿Hay algo que puedas contarme en este momento?

Montgomery tenía esa mirada intensa de inspector de homicidios.

—Jack Winter hizo condenar a Carl Angelo, un importante traficante de armas y drogas, unos meses antes de los asesinatos. Angelo había tenido a no pocas personas en su nómina a lo largo de los años. Investigué algunos hilos que se remontaban a tiempo atrás. Hace treinta años, Angelo contrató a un pobre pringado de la calle, un tío de veintiséis años, para que transportara unas armas. Al tipo lo pillaron *in fraganti* y lo detuvieron. Después, no se presentó denuncia. El caso está cerrado.

—Alguien intervino.

—Así parece. Y ese cabrón y Jack Winter debieron haber tenido una relación durante algún tiempo, lo cual incluía declarar contra Angelo en su juicio.

—Vale, o sea, que crees que el tipo era un informante confidencial.

—Tenía que serlo. Si no, ¿por qué renunciarían a acusarlo y cerrarían el caso? ¿Y por qué declararía contra Angelo trece años más tarde? Pienso conseguir el documento leído en el acta de acusación de Angelo. Además, si de verdad se trataba de un informante confidencial y Winter lo necesitaba para detener a Angelo, en algún sitio tiene que haber un archivo maestro con su expediente y el número de registro. También pienso echar mano de eso.

—Atribuir un nombre a un número de registro de un informante confidencial no debe ser nada fácil. Sobre todo en la Oficina del Fiscal del Distrito.

—No hay de qué preocuparse. Aunque esos funcionarios de control estén decididos a proteger las identidades de sus informantes, tengo mis contactos. También tengo el apoyo del congresista Shore. Entretanto, me iré por el camino más fácil. Llamaré a la Secretaría central y les pediré que busquen el archivo de Angelo. Es un documento de dominio público. Revisaré la trascripción punto por punto. Cuando encuentre el testimonio del testigo que busco, conseguiré una copia de los documentos del informante confidencial, o al menos un par de documentos con los números de registro, alguna información básica y algunas fechas. Compararé esos detalles con los de su testimonio. Créeme, conseguiré averiguar si se trata del mismo tipo.

—Te llevará mucho trabajo seguir esa pista. ¿Quién es ese tío?

—Se llama George Hayek. Es un traficante internacional de armas. —Monty observó la expresión de su hijo, pero no vio reacción alguna—. Supongo que no te habrás cruzado con él en tus misiones en el extranjero. El tipo vive en Europa, en Bélgica, creo. Ha amasado una fortuna vendiendo armas a gobiernos extranjeros. Si se trata de un comercio legal, no lo sé.

—¿Hay pruebas que digan lo contrario?

—No.

—Entonces no lo entiendo. ¿Por qué te fijas en él en relación con los asesinatos de los Winter? ¿Cuál es la relación?

—El expediente de la detención de Hayek. No el que está cerrado. Lo habían condenado antes del asunto de las armas. Nada grande, sólo un intento de robo de coche. Le dieron unos cuantos meses y trabajo para la comunidad. Lo conseguí en esos registros que se pueden consultar en Internet. Hayek hizo una llamada... a Lenny Shore.

Lane lo miró sorprendido.

—¿Lenny? ¿Qué relación tiene Hayek con él?

—Buena pregunta. Pero tiene que haber habido algo. Lenny pagó por la fianza de Hayek. Lo cual nos da una pista interesante. Lenny es el padre de Arthur. Hace diecisiete años, Arthur era delegado del parlamento estatal y el mejor amigo de Jack Winter. Y Jack Winter había acusado a Carl Angelo, sobre quien Hayek llevaba años informando y contra quien declaró en los tribunales.

—De modo que los asesinatos de los Winter podrían haber sido un acto de venganza.

—Es una posibilidad evidente. O quizás Hayek se chivó contra Angelo para escalar posiciones en el mundo del tráfico de armas. Todo no es más que una suposición. Necesito los archivos del fiscal del distrito y las transcripciones del tribunal. Sobre todo, tengo que averiguar qué es lo que motivaba a Hayek. Espero que Lenny

Shore pueda decírmelo. Me alegro de que vayamos a comer a su restaurante el lunes.

—Yo también. Esto comienza a parecer más emocionante que mi viaje para ir a practicar heliesquí con el congresista durante la semana.

—Hablando de eso, ¿qué ocurrió la otra noche en casa de los Shore?

—Fue una velada corta y bastante tranquila. Zumos vegetales, unas cuantas fotos informales de la familia, y una conversación sobre la agenda de la próxima semana. Ah, y una invitación a la fiesta de Winshore. Al parecer, Jill Shore piensa que necesito una pareja estable.

Monty respondió con una sonrisa irónica.

—No parece mala idea. Aunque seguramente habrás rechazado la invitación.

—En realidad, dije que sí. No para encontrar una pareja estable, sino para pasar un buen rato. O, para ser sincero, porque me provocaron para que la aceptara.

—¿Quién te provocó? ¿Jill?

—No, Morgan —dijo Lane, con una risilla, al recordarlo—. Puede que emocionalmente esté sufriendo, pero es una mujer de armas tomar.

—Ése es un aspecto que nunca le he conocido. —Monty cogió la taza y bebió un trago de café—. ¿Y por qué te escogió a ti para tomar sus armas?

—Interpretó mi expresión, o mi lenguaje corporal, o las dos cosas. Supongo que parecía poco entusiasmado ante la idea de asistir a una fiesta de Navidad de gente guapa hablando de tonterías insípidas.

—¿Y ella te provocó hasta que cambiaste de parecer?

—Más bien, me desafió a que cambiara de parecer. A ver —dijo, y tamborileó con los dedos sobre la rodilla—, creo que sus palabras exactas fueron: «¿Por qué no atreverse? Es entre semana, demasiado tarde para ir a picar algo y beber una copa, y demasiado temprano para irse a dormir».

Monty soltó una risa ronca.

—Se diría que te ha calado bastante bien.

—Así es. Y me retó a que le demostrara que se equivocaba. No lo dijo abiertamente, pero estaba en el aire. Así que acepté.

—Interesante. —Monty miró a su hijo—. Es una mujer muy guapa. Hay quien diría que es una belleza.

—Eso no lo discuto. —Lane guardó silencio y frunció el ceño, concentrado—. Pero «belleza» es un término demasiado genérico. «Inolvidable.» «Cautivadora.» «Compleja y fascinante.» Eso la define mejor. Hay algo muy atractivo en ella.

—Es evidente que te atrajo a ti.

—Es verdad. Me atrajo. No sólo es una mujer despampanante, también es aguda y directa. Yo veo la misma vulnerabilidad que ves tú, y entiendo por qué te preocupa. Pero también veo otro lado, que corresponde a una mujer segura de sí misma. No subestimes a Morgan Winter. Tiene una gran fuerza interior. Le ayudará a superar esta crisis, y cualquier cosa que la vida le ponga por delante. —Lane sonrió con la boca torcida—. Además, es rápida, es todo un *sparring*.

—Te ha impresionando bastante.

—Lo bastante para conseguir que asista a la fiesta de Winshore. —Lane lanzó una mirada a su padre—. Y ahora que estamos de acuerdo en que Morgan es inteligente, discreta y sexy, vamos a dejar esta conversación.

—¿Sexy? No recuerdo que hayamos dicho ese adjetivo.

—Monty. —Era la voz de advertencia de Lane—. Lo dejamos correr. Tú no tienes nada más que preguntar y yo no tengo nada más que decir.

—Te equivocas. Yo tengo algo más que decir. —Monty acabó de tomarse su café y dejó la taza con un golpe seco—. Normalmente, no me meto en tu vida privada. Pero esta vez lo haré. Esa chica ha vivido en un infierno. Yo fui testigo de ello, personalmente. Ahora tiene que revivirlo. No hagas nada que le pueda hacer daño emocionalmente.

—Monty...

—Lo digo en serio, Lane. Nada que pueda hacerle daño.

Capítulo 10

Morgan cogió el tren hasta la avenida Euclid en el barrio este de Brooklyn. Desde ahí, caminó hasta la urbanización de Cypress Hills donde tenía su sede el centro Healthy Healing. Era un día más frío que el anterior, y el viento se colaba por su abrigo de piel de camello mientras caminaba hacia su destino y dejaba atrás obras en construcción y viejos edificios destartalados. Los pisos estaban decorados aquí y allá con adornos navideños, y en alguna parte de Fountain Avenue un Santa Claus del Ejército de Salvación tocaba su campana. El paisaje y los ruidos de las fiestas tenían algo de agridulce, una cierta incongruencia en aquella parte de la ciudad plagada por la pobreza y el crimen.

Morgan se detuvo un momento y miró hacia atrás, en dirección a la avenida Williams, donde antes había estado el centro de acogida de su madre. Sabía que el edificio seguía en pie, aunque ahora era una tienda de artículos de segunda mano con fines benéficos. Abrumada por los recuerdos, estaba a punto de dar media vuelta y…

No, no podía. No importaba lo intenso que fuera el impulso. Jamás sería capaz de enfrentarse a ello. El efecto de entrar ahí, teniendo en el recuerdo la escena de la pesadilla, sería devastador. Quizás algún día. Pero no en ese momento. Y no si estaba sola.

Se obligó a seguir su camino, y no paró hasta llegar al conjunto de viviendas protegidas de Cypress Hills. Aspiró el aire gélido y entró en el pequeño edificio de ladrillos adyacente.

La recepcionista en el mostrador acabó de hablar por teléfono y se incorporó, mirándola con una sonrisa cálida y cordial.

—¿Señora Winter? —Cuando Morgan asintió con un gesto de la cabeza, la mujer siguió—: Soy Jeanine. Hablamos hace un rato. Barbara la está esperando. Le diré que ha llegado.

—Gracias.

Al cabo de un minuto, la mujer la hizo pasar a un despacho interior, una sala de tres por cuatro metros con los mismos colores y la misma modesta decoración que había visto en la recepción, sólo que algo más acogedor, gracias al alféizar de la ventana, lleno de bellas plantas. Una vieja mesa de nogal dominaba el espacio de la salita, con su superficie cubierta por montones de papeles, archivadores y una placa de acero donde leyó «BARBARA STEVENS, PSICÓLOGA». Detrás de la mesa estaba sentada una atractiva mujer afroamericana de mediana edad. Llevaba un jersey de cuello alto amarillo limón y unos pantalones oscuros. Toda ella irradiaba una calidez acogedora.

Cuando la señora Stevens se incorporó y le tendió la mano, Morgan tuvo un amago de recuerdo. Era la misma mujer, más joven, con un peinado más a la moda, pero con la misma presencia apacible, que se había acercado hasta el altar de la iglesia y le había dado un ligero apretón en el brazo a la niña de diez años.

Sí, Barbara Stevens había estado presente en el funeral, y ella acababa de recordarlo.

Sintió brevemente esa punzada de dolor que nunca había desaparecido del todo.

—Morgan… —la saludó Barbara, con una mirada que arropaba sus sentimientos—. Te habría reconocido aunque hubieras entrado sin que me avisaran. Te pareces tanto a tu madre.

—Me lo dicen a menudo —dijo Morgan, mientras estrechaba la mano de la mujer mayor—. Pero por mucho que lo escuche, siempre me lo tomo como un cumplido.

—Así debería ser. Lara era una persona bella y especial, por dentro y por fuera. También era la mujer más intuitiva, psicológicamente hablando, que jamás he conocido. —Siguió una pausa dolorosa—. He leído lo de la condena equivocada que arrancó el fiscal del distrito. Es horroroso. No me puedo ni imaginar lo que estás viviendo. Lo siento mucho por ti.

—Gracias. —Al oír esa descripción de su madre, el dolor se convirtió en orgullo. Era asombroso ver a cuántas vidas había llegado Lara, a través de su trabajo social, como captadora de fondos para causas benéficas y, sobre todo, a través de la fundación y la gestión del centro de acogida para mujeres maltratadas. Se había convertido en un salvavidas para muchas mujeres. De pequeña, lo había intuido, pero ahora, como mujer adulta, lo entendía de verdad. Lara había ofrecido a esas mujeres no sólo seguridad, sino también las bases para recuperar su sentimiento de dignidad.

Barbara Stevens había sido una parte importante de todo eso, una conexión.

—¿Te encuentras bien? —le preguntó con voz pausada.

—Sí. Y, en relación con lo que ha dicho, mi madre pensaba lo mismo de usted. Lo he descubierto cada vez con más claridad durante estas semanas. He encontrado sus últimos diarios de trabajo, y los he estado leyendo. La menciona a usted constantemente.

Barbara se dio por enterada con una suave sonrisa y le señaló la silla al otro lado de su mesa.

—Por favor, siéntate. ¿Puedo ofrecerte una taza de café? Acabo de prepararlo. —Como para confirmar sus palabras, la cafetera de filtro de la mesita borboteó indicando que el café estaba hecho.

—Cogeré una taza. Gracias. —Morgan se inclinó y se sirvió sola. Luego volvió a sentarse y se cruzó de piernas—. Le agradezco que me dedique su tiempo.

—Me alegro de que hayas llamado. Pensando en lo que ha ocurrido, estoy segura de que sientes necesidad de hablar.

—Sí. —Morgan sintió una ola de alivio al ver que Barbara entendía su necesidad de sentirse más cerca de su madre. Pero ¿por dónde empezar?

—A tus padres los asesinaron la noche de Navidad —dijo Barbara, dando a entender tranquilamente que comprendía—. Los días de estas fiestas deben ser muy difíciles para ti, incluso en años normales, y mucho más éste.

—Sí, son difíciles. Lo curioso es que este año ha sido especialmente malo, incluso antes de que me enterara del error judicial. Me he sentido muy inquieta, y he tenido una sensación rara, como de mal agüero. Y ahora... siento una enorme necesidad de sentirme conectada con mis padres. He pasado horas revisando sus cosas todas las noches, buscando pistas, buscando una manera de acabar con esto. Es como si tuviera que resolver este caso personalmente, o al menos ser una parte importante en la investigación. Sé que no tiene nada de lógico. Pero es real.

—No lo dudo. Además, has dicho que has encontrado los últimos diarios de tu madre. Eso debe ser a la vez un consuelo y un tormento.

—Lo es. Los he releído una y otra vez. Compartir con ella sus pensamientos más íntimos me está destrozando. Pero no puedo evitarlo.

—Y tienes preguntas.

Morgan se inclinó hacia adelante.

—¿La vio usted a menudo durante las semanas antes de su muerte? ¿En un plano personal o profesional?

Barbara no se anduvo por las ramas.

—Quieres saber si hizo o dijo algo que podría darte pistas acerca del verdadero asesino. Créeme, me he hecho la misma pregunta un montón de veces esta semana. He vuelto a revivir nuestras visitas y conversaciones sin parar, me he estrujado el cerebro en busca de una pista. Y la verdad es que no tengo ninguna. En general, hablábamos de las mujeres que teníamos en terapia o que acogíamos. En cuanto a lo de cuestiones personales, recuerdo que me contó que habías ganado un concurso de ortografía en el colegio y lo orgullosa que estaban ella y tu padre.

Barbara dejó escapar una risilla.

—Lara me contó que Jack había salido literalmente corriendo del Tribunal Supremo durante un receso para ir al colegio y ver al director entregándote tu diploma. Dijo que no había salido tan rápido de su trabajo desde el día en que se puso de parto.

Morgan tragó saliva.

—¿Alguna otra cosa acerca de la carrera de mi padre, algo general, o algo específico?

—Lara estaba preocupada por su seguridad. Pero eso no era raro ni sorprendente. Tu padre condenó a algunos criminales muy peligrosos.

—Lo sé. —Morgan aprovechó esa veta—. Durante esas últimas semanas o meses, ¿mi madre dejó caer algún nombre concreto? ¿De los propios criminales o de cualquiera de sus compinches? ¿Mencionó algo en relación con amenazas que hubiera recibido mi padre? ¿Llamadas telefónicas? ¿Incluso alguna disputa desagradable?

Barbara respondió negando con la cabeza.

—Ya me gustaría poder ofrecerte algo sólido. Pero la verdad es que ella y yo estábamos tan absorbidas por el trabajo de encontrar los medios con que ayudar a las mujeres que venían a vernos, que no quedaba casi nada de tiempo para hablar de otras cosas.

—Ya entiendo —dijo Morgan, con los hombros caídos. Era una posibilidad entre mil, y ella lo sabía. Aún así, eso no le quitó la sensación de frustración.

—Lo siento, Morgan. Créeme que lo siento. Si se me ocurre algo, cualquier cosa, te aseguro que te llamaré.

—Lo sé —contestó ella, asintiendo con la cabeza, deseando que esa molestosa sensación visceral desapareciera.

Pero eso no ocurrió.

Así que decidió enfrentarse a ello yendo más allá, de lo profesional a lo personal.

—Barbara, tengo miles de recuerdos de mi madre. Pero son todos recuerdos de mi infancia. Nunca tuve la oportunidad de conocerla como mujer, y es evidente que era una mujer notable. Elyse habla de ella a veces, pero le cuesta. Eran como hermanas, y el dolor de perderla sigue eclipsando la alegría de recordarla. Así que, por favor, cuénteme alguna anécdota. No tiene por qué ser nada del otro mundo, basta con que sean momentos que me la hagan revivir, que hagan mis recuerdos de ella más completos, dándoles una dimensión diferente.

—Será un placer. —Siguió otra sonrisa nostálgica—. A Lara le encantaban las barritas Milky Way. A mí también. Solíamos decir que era nuestra gran debilidad. Una noche, después de una semana especialmente difícil, llegó con cuatro bolsas tamaño gigante llenas de barritas y me desafió para ver quien de las dos se comía más. Comimos hasta ponernos enfermas. Yo me habría conformado con que quedáramos en un empate, pero ella insistió en contar los envoltorios para saber quién había ganado. Resultó que gané yo por dos barras. Ese año, Lara hizo enmarcar los dos envoltorios para mi cumpleaños. —Barbara se inclinó sobre la mesa, cogió un marco de unos diez por quince centímetros y se lo pasó—. Como puedes ver, aún lo conservo.

Morgan observó el delicado marco dorado con filigranas, en cuyo interior había dos envoltorios perfectamente recortados y aplastados, pegados uno encima del otro sobre un fondo de pergamino. En el rincón superior izquierdo del pergamino, había una corona dibujada y una dedicatoria: «Para la reina de los Milky Way». Era la letra familiar de su madre.

En los ojos de Morgan asomaron unas lágrimas.

—Mi padre y yo éramos unos fanáticos de los Big Snickers. Pero recuerdo que a mi madre le gustaban mucho los Milky Way. Por muy llena que tuviéramos nuestra nevera, siempre teníamos una bolsa de barritas dentro.

—Comerlas congeladas era lo mejor, y eran las preferidas de Lara. Pero no para darse atracones. Lo aprendimos de la manera más dura. Lo probamos. Tres barras más tarde, Lara casi no podía masticar y yo me había roto un diente. Así que nos dimos por vencidas y nos quedamos con la versión blanda y esponjosa. El precio que pagamos era poca cosa.

Las dos mujeres se miraron y se echaron a reír, una risa genuina y sentida. A Morgan le sorprendió lo bien que se sentía.

—La mayoría de las veces que trabajábamos juntas, sencillamente nos olvidábamos de comer —reconoció Barbara—. Estábamos totalmente inmersas en nuestro trabajo. Sin los bocadillos de Lenny, lo más probable es que nos hubiéramos muerto de hambre.

—Conozco esa sensación —dijo Morgan, asintiendo con un gesto comprensivo—. A veces pienso que la mitad de Brooklyn y

Manhattan se morirían de hambre sin Lenny. Ese hombre nunca se olvida de lo que tiene que servir, y nunca olvida a sus clientes. Yo tengo mucha suerte porque nos manda a Jonah hasta nuestro despacho para que Jill y yo no desfallezcamos.

—Las dos sois de la familia —dijo Barbara y miró fijo a Morgan—. Tu lo sientes así, ¿no?

—Absolutamente. —Morgan no vaciló en responder—. Todos los Shore son maravillosos. Arthur y Elyse me han tratado como si fuera su hija desde el día en que me acogieron. Son muy buenas personas.

—Pero no son tus padres —observó Barbara. Se inclinó hacia adelante y le cogió una mano a Morgan—. Nadie podrá sustituirlos, nunca. Ese privilegio les pertenecía a Lara y a Jack.

—Lo sé —dijo Morgan, con un gesto seco de la cabeza, y le entregó el marco a Barbara—. Cuénteme más cosas acerca de ella.

—Todo el mundo encontraba que Lara era una mujer muy tranquila y bondadosa. Y lo era, la mayor parte del tiempo. Pero si alguien se metía con ella, había que tener cuidado.

—En qué tipo de cosas se mostraba sensible.

—Tú, tu padre, sus amigos; los defendía a todos como una leona. Lo mismo se podía decir de sus principios y de las mujeres que ayudaba. Algunas más que otras. Era la campeona de la gente desvalida. Se inmiscuía en casos en que las víctimas eran las personas más débiles, los que tenían menos capacidad o recursos para defenderse. Niños maltratados junto con sus madres. Chicas abandonadas cuando apenas eran unas niñitas y que luego se convertían en víctimas de hombres que las maltrataban y las despojaban de su dignidad. Esas situaciones la enfurecían. Y acogía instintivamente a las víctimas bajo su protección. Así era tu madre.

—Lo he visto por las cosas que escribía en su diario —murmuró Morgan—. Eran situaciones desgarradoras. Sobre todo la pequeña Hailey, de cuatro años, y su madre, Olivia.

—Eran los nombres que les dábamos en las fichas. Nunca utilizamos los nombres verdaderos, excepto en los papeles de registro originales.

—Así se protegía la confidencialidad.

Barbara asintió con un gesto de la cabeza.

—No me sorprende que Lara hiciera lo mismo en sus diarios. Como he dicho, protegía ferozmente a las personas que ayudaba.

—Todavía me horroriza pensar en el novio violento y alcohólico de Olivia que vivía con ellas. Encerraba a Hailey en un armario oscuro durante horas, y obligaba a esa pobre niña a escuchar cómo golpeaba y atormentaba a su madre. No puedo ni imaginar el trauma que habrá sufrido.

—Un trauma profundo —confirmó Barbara—. Lara no quiso darse por vencida hasta que pudiera sacarlas para siempre de ese ambiente. Y lo consiguió.

—Desde entonces… ¿las cosas han ido bien? —preguntó Morgan.

—Ha sido un camino largo y difícil, pero sí, han ido bien. Antes de que muriera, Lara encontró para Olivia y Hailey un piso que podían pagar, y ayudas del gobierno para ayudarlas a dar el salto necesario. Sin embargo, fue Olivia la que hizo el trabajo más duro. Tuvo la valentía y la determinación suficiente para volver a comenzar.

—Qué maravilloso.

—Supongo que cuanto más lees de los diarios de tu madre, más cerca te sientes de ella.

—Es verdad. Acabo de empezar a leer un nuevo caso, el de una chica adolescente, Janice, que se escapó de casa después de haber sido víctima de los abusos de su padrastro.

—Sí —dijo Barbara, con un resoplido—. Ése fue otro caso descorazonador. Por desgracia, no acabó tan bien como el caso anterior.

—Eso lo he intuido. Lo acabo de empezar a leer, pero la furia de mi madre es palpable.

—Tenía buenas razones. Los abusos sexuales que sufrió Janice le dejaron cicatrices duraderas. No pudo superarlas. No paraba de entablar relaciones con personas que hacían de ella una víctima. Se convirtió en un círculo vicioso. Con cada nueva elección, se volvía más descuidada y autodestructiva. El final... —dijo Barbara, y calló—. Digamos que tu madre se lo tomó muy a pecho. Y, sí, estaba enfadada. Muy enfadada. Es muy difícil perdonar a hombres enfermos como el padrastro de Janice.

—Eso es porque esa gente no tiene perdón.

Barbara volvió a sonreír dulcemente.

—Tienes muchas cosas de tu madre en ti. —Guardó silencio, se le borró la sonrisa y su expresión se volvió seria—. No quiero que te equivoques. Si bien Lara expresaba su indignación en privado, en público siempre daba ánimos a las víctimas. Irradiaba una manera positiva de pensar y actuar, y estaba convencida de que la risa y la camaradería sanaban mucho más que las terapias.

Morgan pensó en lo que había dicho Barbara. De pronto, alzó la cabeza.

—Eso me recuerda que cuando mi madre se refería a los momentos más ligeros, siempre mencionaba los «cartatones». ¿Qué era eso, un chiste privado?

—Los cartatones —dijo Barbara, y rió—. Casi me había olvidado. No, no es un chiste. Era uno de los programas preferidos de Lara. Le fascinaba jugar a las cartas. Cuando se trataba del gin rummy, no había quien pudiera ganarle. Les enseñaba a jugar a las mujeres del centro. Dos sábados al mes, por la noche, celebraba unos maratones durante toda la noche, y los llamaba cartatones. Y repartía premios. Un día de cuidados en Elizabeth Arden, unas compras en Bloomingdale's, una transformación completa con una estilista profesional y artistas del maquillaje, cosas que las mujeres del centro no imaginaban ni en sus sueños más atrevidos. Los resultados eran maravillosos. En algunos casos, ayudaban a concretar posibilidades de trabajo y abrían nuevas vías profesionales. Sobre todo, eran horas de diversión, amistad y risas.

En ese momento, sonó el interfono en la mesa de Barbara.

—Sí, Jeanine. —Miró su reloj—. Dios mío, ni me había dado cuenta de que ya son las tres. Por favor, dile que estaré con ella en un minuto —dijo, y colgó—. Morgan, tendrás que perdonarme, pero tengo una visita.

—No, soy yo la que se diculpa —dijo ella, que ya se había levantado de su asiento—. Sólo había venido para charlar un rato. Y le he quitado una hora y media de su tiempo. Créame que lo siento.

—Qué va. Me lo he pasado muy bien. Y he podido conocerte, después de tantos años. Esperaba que algún día me buscarías si estabas preparada para saber cosas acerca de tu madre —dijo, y le dio un cariñoso apretón en la mano—. Tienes que ser fuerte, como tu madre. La policía encontrará a los asesinos de tus padres. Y si se me ocurre algo en que pueda ayudarte, te llamaré. Te lo prometo. Si, por otro lado, sientes necesidad de hablar, no dudes en coger el teléfono. Lo digo en serio.

—Lo sé. —Impulsivamente, Morgan se inclinó y abrazó a la mujer mayor—. Gracias, gracias por todo.

Capítulo 11

Lane estaba inusualmente inquieto.

Había pasado horas estudiando las fotos que Monty le había dejado, hasta que vio que no podía ir más lejos si no contaba con los negativos. Después, se había dedicado a preparar la tarea de la semana siguiente con el congresista Shore.

Hacia las ocho, se sentía cansado e irritable, y empezaba a tener un poco de claustrofobia.

Se cambió de ropa y se puso un jersey negro de punto grueso y unos pantalones del mismo color. Cogió su chaqueta de cuero forrada de lana y salió de su casa un poco después de las ocho, sin pensar en un destino fijo. Se dirigió a Central Park y siguió por la Quinta Avenida, donde las decoraciones de Navidad tenían una apariencia mágica. En algún momento, entre su casa y el parque, empezaron a soplar ráfagas de nieve. El aire se volvió más frío, pero sin que llegara a molestar. Era una sensación agradable y vigorizante, otra señal de las fiestas que se acercaban. Las aceras estaban repletas de gente comprando, las calles llenas de taxis, y Lane lo miraba y asimilaba todo, con las manos hundidas en los bolsillos, viendo cómo echaba nubes de vaho por la boca.

Por algún motivo desconocido, se dirigió hacia Madison Avenue y se encontró de pronto frente al Hotel Carlyle. El bar Bemelmans estaba en el interior. Hacía siglos que no aparecía por ahí. No era su local preferido, demasiados clientes ricos y estirados. Sin embargo, la decoración, con su barra de granito negro y los espectaculares murales, eran llamativos. El piano bar era toda una atracción, y las hamburguesas Black Angus se preparaban según los gustos del cliente y eran deliciosas. En realidad, cuanto más lo pensaba, una hamburguesa Angus, un par de aperitivos espectaculares, seguidos de un coñac, y una hora de buena música parecían muy apetecibles, sobre todo porque no había comido nada desde la hora del desayuno. Así que decidió entrar.

Acababa de escoger una mesa no lejos del piano, en ese momento desierto, cuando divisó un rostro que le era familiar en una mesa un poco más allá. Estaba sentada sola, quizá por un rato, o quizá para toda la noche. Miraba reconcentradamente su vaso y revolvía su bebida con una paletilla de cóctel.

Le hizo un gesto al camarero para que esperara su pedido y se acercó a su mesa.

—¿Morgan?

Ella alzó la mirada y aquellos ojos extraordinarios mostraron su sorpresa. Llevaba un jersey de cachemira color verde lima, y el pelo negro suelto le caía por los hombros. Tenía un aspecto fantástico. También tenía un aspecto solemne, preocupada, y muy cansada.

—Lane. Hola. ¿Qué te trae por aquí?

—La verdad sea dicha, mis pies —dijo éste, y apenas sonrió—. Necesitaba tomar aire, y salí a dar un paseo. Cuando me di cuenta, estaba frente al Carlyle. Ha pasado algún tiempo desde la última vez que estuve aquí, pero la idea de una buena copa y un poco de piano y jazz parecía buena. Así que, aquí me tienes.

—Qué curioso. Parece idéntica a mi versión.

—Entonces, quizá no hayan sido sólo mis pies. Quizá haya sido el destino. —Lane miró hacia los lados—. ¿Estás sola?

—Muy sola.

El acento en esas dos palabras tuvo su efecto.

—¿Eso significa que quieres seguir estándolo?

Ella se arregló el pelo detrás de la oreja y dejó escapar un largo suspiro.

—¿La verdad? La verdad es que preferiría alguna compañía. ¿Quieres sentarte conmigo? —preguntó, y enseguida dio un toque de humor añadiendo—: ¿A menos que te esté esperando una de tus numerosas citas-sin-compromiso?

—No, estamos sólo yo y mi soledad. Y me encantaría sentarme contigo. —Ya le había hecho una señal al camarero, dándole a entender el cambio de planes—. ¿Has comido?

Morgan arrugó la frente.

—Ahora que lo preguntas, no he comido desde el desayuno.

—Bien. Yo tampoco. Y detesto comer solo. Las hamburguesas Angus son estupendas. Y también lo son las costillas de cordero marinadas. Pediremos los dos platos.

—Suena perfecto.

—¿Qué bebes?

—Un Martini dreamy dorini —dijo Morgan, con una sonrisa irónica—. Vodka y una especie de whisky de malta ahumado. En realidad, está buenísimo. Tú eres un aventurero. Pruébalo.

—De acuerdo. Y pediré otro para ti. —Lane le dio sus instrucciones al camarero y se giró hacia Morgan—. Esto podría acabar siendo la parte más entretenida de mi día.

Ella arqueó levemente las cejas.

—No estoy segura de que eso sea un cumplido. Suena como si hubieras tenido un día muy gris.

—Gris, no. Pero muy intenso. Estaba trabajando. Pero encontrarme contigo sería un placer en cualquier circunstancia.

—Muy bien. —Morgan bebió un trago de su copa—. Eres todo un seductor. No tiene nada de sorprendente que tu puntuación promedio sea tan alta.

Lane rió con ganas.

—¿Mi puntuación promedio? Una de dos, o tienes una opinión muy elevada de mí, o muy baja.

—Sólo la correcta. No hay ningún juicio de valor implícito.

—Vale, siempre y cuando seamos sinceros, no llevo la cuenta de mi puntuación. En cuanto a lo que he dicho de que sería un placer encontrarse contigo, lo decía en serio. —Guardó silencio y la miró con un dejo especulativo—. Aunque se diría por tu expresión que también has tenido un día muy duro.

—Así ha sido.

—¿Trabajo?

—Intentando averiguar quién mató a mis padres.

Lane bajó la mirada, pensando en la evidente oportunidad que se le acababa de brindar. Morgan había sido sincera. Le tocaba a él serlo también.

—Morgan, en relación con la investigación de los asesinatos..., la otra noche no tuve la oportunidad de decirte algo. No se presentó el momento, y el congresista Shore me pidió que, para no alterarte el ánimo, no tocara el tema.

—¿Decirme qué?

—Me preguntaste si mi padre me había contado que tú lo contrataste.

—Y tú me dijiste que sí.

—Sí. Lo que no dije es que no fue una mera mención al pasar. Me llamó especialmente para hablar de ello, y para acordar una reunión. Que hemos tenido hoy. En realidad, hemos trabajado juntos un buen par de horas, revisando las fotos de la escena del crimen. Todavía no he encontrado nada, pero tendré los negativos el lunes. Es de esperar que me den alguna pista.

Morgan pestañeó.

—No lo entiendo. Tú trabajas como reportero gráfico. ¿Por qué habrías de intervenir en la investigación de un crimen?

—Porque también soy especialista en tratamiento de imágenes. —Al ver su mirada de despiste, explicó—: Encuentro pistas visuales empleando sofisticadas tecnologías digitales. Era una técnica relativamente innovadora hace diecisiete años, utilizada sobre todo por los militares, la NASA y un puñado de académicos. Pero todo eso ha cambiado ahora.

—Entiendo —dijo Morgan, que jugaba con su servilleta—. De modo que tienes experiencia y equipos que podrían contribuir a encontrar pruebas que antes no eran visibles.

—Exactamente. Y Monty quería que yo te explicara mi papel en este caso, puesto que tú eres su cliente. —Lane intentó aligerar el tono de la conversación—. De modo que contrataste a Monty, pero ahora tienes a dos Montgomery por el precio de uno.

—Eso no me gusta —dijo Morgan, con un tono seco y cortante.

La reacción cogió a Lane por sorpresa. No se había esperado esa resistencia suya.

—¿Por qué? Soy una persona digna de toda confianza y, para no pecar de falsa modestia, muy bueno en mi trabajo.

—Estoy segura de que lo eres. Pero ninguna de esas dos cosas me importa.

—Entonces, ¿qué pasa?

—Agradezco tu tiempo y tus habilidades. Pero insisto en pagar por ello. Tu padre no aceptaría ni un centavo. Lo cual significa que cualquier compensación que tú recibas saldrá de su bolsillo. Así que dime cuáles son tus tarifas y te firmaré un talón.

—Espera un momento. —Lane se inclinó y la detuvo justo cuando ella abría su bolso para sacar el talonario—. En primer lugar, no tengo ni idea de tus acuerdos económicos con Monty. Y, en segundo lugar, no me va a pagar ni un centavo. Así que estamos en paz. —Lane observó su expresión dubitativa y, antes de seguir, esperó a que el camarero dejara sus copas en la mesa—. No te miento —dijo, inclinándose hacia ella para convencerla—. Monty y yo no trabajamos así. No nos cobramos el uno al otro. Sencillamente, nos gusta trabajar juntos, es nuestra forma de entretenernos. Piensa en ello como un desafío entre padre e hijo, ya sabes, como la casa en un árbol que construimos juntos cuando yo tenía doce años.

—¿Una casa en un árbol? —La imagen la sorprendió, y su tensión disminuyó visiblemente, hasta que lo miró con un asomo de sonrisa en los labios—. Eso es toda una analogía. Aunque conociéndote a ti y a tu padre, estoy segura de que construir una casa juntos debió ser un desafío y una competencia tan grande como trabajar juntos como detectives. Me lo puedo imaginar: los dos peleándoos para saber quién manda, quién es más rápido, más eficiente y quién produce los mejores resultados. Toda esa testosterona en un solo árbol... tiene que haber sido alucinante. Tiemblo al pensar cómo habrá sobrevivido el pobre árbol.

Lane ya había empezado a reír.

—Golpe encajado. Y tienes razón. Fue como una lucha entre dos machos alfa. Sin embargo, hubo resultados: una casa muy sólida y correcta. Cuando Monty y yo nos embarcamos juntos en un proyecto, el éxito está garantizado. —Lane alzó levemente la voz porque el pianista había vuelto y empezaba a tocar música de fondo—. ¿Y qué? ¿Te he convencido sobre la calidad imbatible del equipo que formamos mi padre y yo?

—Nunca necesité que me convencieran.

—Perfecto. Entonces, ¿hemos puesto fin a este absurdo monetario? ¿Te parece bien que analice las fotos?

—Más que bien —reconoció Morgan, bajando las defensas de su orgullo—. Me siento agradecida.

—No me lo agradezcas. Hasta que haya encontrado algo. Que lo encontraré.

—Hablas igual que tu padre. Espero que los dos tengáis la confianza que aparentáis, y que no lo estéis montando para que me lo crea.

—No hacemos montajes. Ofrecemos soluciones.

—Me parece bien. —Con el pulso algo tembloroso, Morgan alzó su copa, tomó otro trago y se quedó mirando el vaso un rato largo, pensativa—. Supongo que estarás muy acostumbrado a mirar fotos de homicidios. Pero yo no. Y estas fotos, concretamente... —dijo, y aspiró hondo—. No estoy segura de cuál será mi reacción cuando las vea.

—¿Tienes que verlas?

—Sí. Pero no se trata de ponerme a mí misma a prueba o de demostrar nada, sino de llegar a la verdad. No puedo dejar ni un palmo sin revisar. Tengo que hacer cualquier cosa, investigar todo lo que pueda conducirnos al asesino. —Cerró los ojos un momento—. Eso significa volver a vivir esa noche y los meses que la precedieron, procurar ver si guardo alguna información en mis recuerdos, información que he encerrado en alguna parte y de la que no soy consciente, o cuya importancia ignoro. Significa mirar esas fotos, una por una, concentrándome en cada detalle para ver si despiertan en mí algún recuerdo. Tengo que hacerlo, pero estoy aterrada. Mirar esas fotos cuando la pesadilla todavía está tan horriblemente viva,... no estoy segura de cómo me lo tomaré. —Alzó la vista y encontró la mirada de Lane—. No sé cuánto te habrá contado tu padre, pero yo descubrí los cuerpos.

—No tenía que contármelo. —Lane no le veía sentido a andarse con evasivas—. Ya lo sabía.

Ella frunció el ceño.

—¿Cómo?

—Digamos que hace diecisiete años mi familia vivió un periodo de incertidumbre. Los ratos que mis hermanas y yo pasábamos con Monty eran trozos de tiempo. Eso hacía muy difícil para él trazar una línea clara entre nosotros y su trabajo. Devon y Merry eran pequeñas. Tenían once y cinco años. Ellas le veían como su padre, no como un inspector de policía. Pero yo tenía dieciséis años, y era de los temerarios. Pensaba que el peligro y la emoción en la carrera de mi padre molaban. A menudo estaba con él, aunque a veces él no lo supiera. Escuchaba sus conversaciones por teléfono, lo observaba revisando pruebas. Este caso lo volvió loco. No podía dejarlo de lado. Es algo que no he olvidado.

—Él tampoco —dijo Morgan, lo cual sorprendió a Lane—. Y no sólo porque el resultado final no le parecía bien, sino porque convirtió la investigación en algo personal. Acababa de separarse. Yo tenía más o menos la misma edad de tu hermana Devon. Y que yo hubiera perdido a mis padres a él le recordaba cuánto echaba en falta a sus hijos.

Lane la estaba mirando casi boquiabierto.

—¿Él te contó eso?

—No con esas palabras. Tu padre no es precisamente el tipo de hombre que se preste a confesiones.

—Ésa es la frase del año.

—Lo que me dijo era que ninguna separación podía destrozar ni debilitar el vínculo existente entre padres e hijos. Mencionó vuestros nombres, y dijo que ya no vivía en la misma casa con vosotros, pero que os amaba tanto como os había amado entonces. Era evidente que sufría. Era una herida abierta, lo que significaba que era una separación reciente. Yo era demasiado pequeña para comprenderlo cabalmente, pero lo entiendo ahora. He tenido muchos años para reflexionar sobre lo que me dijo esa noche, y para reconocer su manera paternal de consolarme. Así que no me sorprende que el caso le preocupara tanto. Necesitaba hacer las cosas bien… por muchas razones.

Lane bebió un trago largo.

—¿Todo eso lo recuerdas de una sola conversación?

—No era sólo lo que decía. Era el dolor en su mirada. Era su manera de no apartarme cuando yo me pegaba a él. Cómo me llevó hasta la comisaría. Su manera de sentarse a mi lado cuando yo sollozaba. Encontró un camastro para que yo pudiera dormir, y dejó la luz encendida para que no tuviera miedo. Su manera de alargar las cosas hasta que yo estuviera preparada para partir y enfrentarme a esas otras personas que amaban a mis padres. —Una sonrisa triste cruzó por sus labios—. Todas ésas son cosas que un padre hace para proteger a su hija. Lo sé, porque recuerdo a mi propio padre.

Con cada momento que pasaba, Lane veía con más claridad por qué Morgan sentía tal feroz admiración y tanta gratitud hacia Monty.

—No sabía que mi padre hubiera intervenido de forma tan decisiva para ayudarte a lidiar con tu pérdida.

—Me ayudó a sobrevivir aquella primera noche. Yo me encontraba en estado de *shock*. Y de negación —musitó, en voz alta, con una mirada muy ausente—. Aquel sótano era horrible. Era oscuro y daba miedo, había un olor muy desagradable en el aire, a descomposición, a sangre y muerte. Mis padres no tenían por qué estar ahí, tirados sobre ese suelo agrietado y asqueroso. Yo quería verlos. Pero nadie me dejaba. No paraban de apartarme. Pero no podían obligarme a apartar la mirada. Yo no podía hacer otra cosa que mirar fijamente sus cuerpos. Había sangre por todas partes, por debajo de la cabeza de mi padre, alrededor del cuerpo de mi madre, en salpicaduras en el suelo. Casi pisé una de ellas, con las ganas frenéticas que tenía de estar junto a ellos. No paraba de gritar sus nombres, rogándoles que se despertaran, aunque sabía que eso no ocurriría. Nadie podía llegar hasta mí, ni siquiera la psicóloga. Toda la escena tenía algo de irreal, como imágenes descoyuntadas de una pesadilla.

Morgan se humedeció los labios y siguió:

—Tu padre intervino. No intentó eliminar todo aquello. Sabía que no podía. Sólo me dijo que dejara que la policía y los de la ambulancia hicieran su trabajo. Me envolvió con una manta y me sacó de ahí. No decía nada ni emitía juicios, se mostró generoso y abierto. Me contó la verdad. Pero también me dijo que mis padres ya no sentían dolor y que yo no estaba sola. Me hizo sentirme a salvo. Y actuó como una persona de verdad, como un ser humano. La psicóloga era muy profesional, era como relacionarse con un libro de texto parlante. Y Elyse y Arthur todo lo contrario; estaban demasiado implicados personalmente. No se lo reprocho. Eran los mejores amigos de mis padres. Vertían todas sus emociones en mí. Yo quería a alguien que entendiera, pero que no se metiera. Esa persona fue tu padre. Sencillamente cuidó de mí. Tú y tus hermanas tenéis suerte. Estoy seguro de que hacía… y hace lo mismo por vosotros.

Lane asintió sin dudarlo.

—Tienes razón, hace lo mismo. Es su manera de llevar las cosas: cuidar de las personas que ama y de las personas de las que se siente responsable.

—Pues la noche que mataron a mis padres, yo pertenecía a la segunda categoría. De hecho, todavía pertenezco porque, tal como lo ve tu padre, nunca cumplió con su responsabilidad para conmigo. En realidad, no. Porque el verdadero asesino todavía anda suelto por la calle.

Lane se cruzó de brazos y miró a Morgan con un dejo de admiración no disimulada.

—No es de extrañar que seas tan buena en lo que haces. Tienes una comprensión profunda de la naturaleza humana.

—Supongo que eso es lo que te da un máster en psicología del comportamiento.

—Puede que el título haya sido de ayuda. Pero yo me refiero a algo que no está en las aulas. Es algo innato. Diría que tienes una profunda noción de las motivaciones de las personas. Y lo que has vivido sin duda ha potenciado esa habilidad.

—Tenía la esperanza de poder relegar lo que he vivido al pasado. La idea no llegó muy lejos —dijo Morgan, y se masajeó la frente, visiblemente afectada por haber revivido esa noche.

—Has pasado por un infierno —dijo Lane, con voz queda.

—Sí —convino ella—. Y parece que ahora he vuelto a visitarlo.

A Lane le costó no estirar el brazo y cogerle la mano. Sin embargo, su intuición le dijo que ella no acogería bien el contacto físico.

Estaba a punto de sugerir que cambiaran de tema cuando el camarero solucionó el problema al escoger ese preciso momento para traerles la comida.

Por el rostro de Morgan cruzó una expresión de alivio.

—Esto tiene una pinta fabulosa. —Le dio las gracias al camarero con una mirada y luego volvió su atención a la hamburguesa, grande y jugosa, que cogió para darle un gran mordisco—. Yam.

Lane la imitó, y guardó silencio mientras se preparaba el plato, y luego dio unos mordiscos a modo de prueba.

—No olvides las costillas de cordero —le recordó, al cabo de unos minutos—. Ésas las compartimos —dijo, señalando los dos platos.

—No te preocupes, no las olvidaré. De hecho, tengo tanta hambre que, en tu lugar, protegería mi mitad.

El rió por lo bajo.

—Con toda libertad. Si es necesario, pediré más.

Morgan probó otro bocado, masticó lentamente y tragó, mientras observaba a Lane. Dejó su hamburguesa y se arregló el pelo detrás de la oreja. Hemos hablado mucho acerca de mí. Hablemos de ti, para variar.

Él hizo un gesto amplio con el brazo.

—Soy un libro abierto. ¿Qué quieres saber?

—¿Qué despertó tu interés por la fotografía?

—La vida. La vida y mi personalidad. Siempre pensé que era fascinante captar la esencia de toda una historia en una sola foto. Hay mucha verdad en el proverbio que dice que una imagen vale más que mil palabras. Si es la imagen adecuada, de la historia adecuada, tomada por el fotógrafo adecuado.

—Lo cual, en tu caso, se cumple.

—Suele cumplirse. Si todo va bien. Además, estaba mi pasión por la tecnología de la fotografía. Aprender a manejar el diafragma y la química del laboratorio estaba bien. Luego vino la edad moderna, las cámaras digitales y el tratamiento digital de imágenes. Estoy en la gloria.

—Por no hablar de viajar por todo el mundo y meterte en medio de situaciones de alto riesgo, como guerras civiles y desastres naturales, o participar en aventuras al filo de lo imposible como la que pronto vas a vivir con Arthur.

Lane sonrió.

—Sí, eso también. Tengo que reconocer que hay un lado temerario en mí.

—¿Hace cuánto tiempo que te dedicas a la fotografía profesional?

—Desde la universidad.

—Qué impresionante —dijo Morgan, con un silbido.

—No si supieras cómo me ganaba la paga por aquel entonces. Estaba embebido de mí mismo, de mis habilidades y de mi inmortalidad. Quería vivir rápido y ganar dinero rápido. Así que mi primer empleo me exigió convertirme en *paparazzi*. —Sonrió socarronamente al ver la reacción de Morgan—. Te parece bastante bajo, ¿no? Seguir a los ricos y famosos con la esperanza de sorprenderlos haciendo algo que valga una noticia, o que desate cotilleos, algo que nadie más haya retratado antes.

—No es una profesión a la que yo aspiraría. Eso no significa que no entienda por qué lo hacías.

Ese comentario lo molestó. No sabía bien por qué. Sí, en realidad lo sabía. Su manera de decirlo, tan analíticamente, como si estuviera sondeándolo para ver si lo calificaba correctamente, cosa que lo hacía sentirse como uno de sus clientes. Que era lo último que quería ser.

—Esto promete ser interesante —dijo, seco—. Estoy ansioso por escuchar tu análisis a propósito de las cosas que me estimulan.

Ella frunció el ceño.

—Vaya, qué irritables nos ponemos.

—Sólo escéptico.

—En otras palabras, soy buena en lo que hago, siempre y cuando no lo haga contigo.

Había vuelto a dar en el blanco.

—Eso no es lo que quería decir. —No pensaba abandonar sin presentar la pelea—. Sólo que, dada nuestra manera diferente de ver la vida, no puedo imaginar cómo puedes entender mis motivaciones.

—¿Por qué? ¿Porque no disfruto estirando los límites de mi propia mortalidad? Eso no es porque no te entienda. Es porque sé lo frágil que es la vida.

Se lo había buscado. Y se sentía como un cabrón.

—Morgan, yo...

—No. No me siento ofendida —dijo ella, para descartar la disculpa que él iba a pronunciar. Entrelazó los dedos con las manos sobre la mesa y lo miró con un dejo de intensidad—. No te voy a analizar. No te conozco lo bastante bien. Además, no soy terapeuta. Aunque visite a uno con la frecuencia suficiente como para entender los fundamentos de la conducta humana. Así que esto es lo que pienso de tu periodo de *paparazzi*. Tenías dieciséis años cuando tus padres se separaron. Aquella experiencia te sacudió hasta los cimientos. El riesgo se hizo más apetecible ya que tenías menos con qué contar. Las emociones eran infinitamente más atractivas que la complacencia. Así que te decantaste por eso. Era estupendo sentir la adrenalina, y su intensidad crecía con cada nueva tarea. Así que seguías adelante, empujando los límites cada vez más allá, elevando las apuestas y superando el subidón. Y funcionaba. Todavía funciona, aunque hayas cambiado la orientación de tus tareas. Sigue siendo emocionante, peligroso, y sigue procurando un subidón de adrenalina. ¿Tibio?

—Caliente. —Lane apoyó un codo en la mesa y la barbilla en la mano que, sin darse cuenta, había convertido en un puño. Sentía la sangre corriendo por las venas, como le había ocurrido aquella noche en casa de los Shore. Había algo en esa mujer que animaba todos sus sentidos. Lo desarmaba y luego provocaba en él ganas de consolarla, lo desafiaba y lo irritaba, lo excitaba y despertaba en él el deseo de hundirse en ella hasta que ninguno de los dos pudiera respirar.

Ese último impulso era el que lo estaba volviendo loco en ese momento.

—Buscar las emociones fuertes es como el sexo —murmuró, y su voz apenas era audible por encima del piano—. Estirar los límites, elevar las apuestas… todo contribuye a aumentar el subidón y a intensificar el placer.

Ella captó el significado a la primera. El rubor le tiñó las mejillas, pero no desvió la mirada.

—El subidón, el placer. ¿Y qué hay del riesgo?

—Vale la pena.

—Quizá. Si la experiencia es tan increíble como la pintas —dijo, y en su mirada asomó un brillo caliente—. Aún así, soy una mujer con los pies muy en la tierra, y me gusta tener una imagen clara de mis posibilidades antes de lanzarme.

—¿Y cómo consigues esa imagen clara?

—¿Es un maestro de la fotografía el que me hace esa pregunta?

—Sí, es un maestro de la fotografía.

No había ni un ápice de humor en sus palabras. Hablaba con total seriedad.

Ella respondió de la misma manera, y se hizo eco del fervor de Lane con el suyo propio.

—Tomándome mi tiempo. Dejando que la excitación se acumule. Si las emociones fuertes son como el sexo, entonces la emoción es lo equivalente de los juegos preliminares. Tiene sus propias recompensas. También es como un subidón de adrenalina. Además, esperar tiene otros méritos, como, por ejemplo, tener un mínimo de certeza.

—Ah, si buscas algo estable y seguro.

—No, basta con que sea una sensación buena. La vida es frágil. ¿Quién sabe lo que es estable y lo que no lo es? Y en cuanto a la seguridad... nunca es una garantía. Pero sentirse bien mentalmente es tan importante como sentirse bien físicamente. Y cuando te sientes bien de las dos maneras, pues, es difícil de superar.

—Me lo creo porque me lo dices tú.

—Eso, créelo. Mejor aún, pruébalo. Puede que alcances nuevas cotas de placer que incluso hasta a ti te sorprendan.

Dejó que sus palabras vibraran un rato en el aire, hasta que la tensión se volvió tan intensa que en cualquier momento hubiera podido romperse la cuerda.

Con un ligero suspiro, Morgan cogió el tenedor de la fuente de costillas y colocó unas cuantas en cada plato.

—Comámoslas antes de que se enfríen —murmuró.

—Sí. —Lane seguía mirándola con el ardor pintado en la mirada, sin intentar disimular lo que deseaba en ese momento. Y no eran las costillas de cordero.

—Ahí tienes. —Al sentir la mirada de él, el pulso le tembló ligeramente al pasarle el plato—. A partes iguales.— Se echó hacia atrás, y alzó las pestañas para mirarlo fijamente—. Disfruta —dijo, con voz suave. Saborea cada trozo. Ah, y que no se diga que no he estado a la altura.

Capítulo *12*

Cuando Monty cruzó la calle Delancey, ya empezaban a llegar las primeras multitudes que acudían a comer a Lenny's. Siguió caminando hasta la mitad de la manzana y entró por las puertas de vidrio.

Enseguida le llegó el aroma tentador del pastrami y de las empanadas de patatas, y luego oyó aquellas voces familiares que gritaban sus pedidos desde el otro lado de la barra, y el ir y venir de los cuchillos que cortaban tajadas de carne que se depositaban en una fuente o se servían entre dos rebanadas de pan de centeno judío.

Todavía quedaban cosas en la vida con las que se podía contar. El restaurante de Lenny era una de ellas.

Monty se desprendió de su anorak y paseó la mirada por la sala. Se alegró de haber fijado la cita a las doce, porque hacia las doce y media aquel lugar sería un caos. Ni siquiera podría escucharse a sí mismo pensando, y mucho menos poner al día a Arthur Shore sobre la investigación del crimen.

—Hola, Monty —exclamó Lenny, y lo miró gesticulando para que esperara un momento. Y luego, como si nada, siguió tecleando cifras en la caja registradora mientras le entregaba una bolsa rebosante de comida a un cliente. Al mismo tiempo, llamó a Anya, su camarera, una mujer robusta y de grandes pechos, rápida como el rayo, venida de Rusia y asentada en el barrio de Brighton Beach, en Brooklyn. Anya llevaba veinte años trabajando para él.

—Anya —dijo Lenny—. Prepara una mesa. Al fondo. Para tres... no, para cuatro. Quiero suficiente espacio para que pueda sentarme con ellos un rato.

—Vale, vale. —Anya sostenía en alto una bandeja llena de platos que rebasaban los bordes y que estaba a punto de servir—. En cuanto haya dejado esto. —Se dirigió a la mesa tres, distribuyó el pedido y fue enseguida a cumplir las órdenes de su jefe.

—Has llegado temprano —le dijo Lenny a Monty—. Todavía no han venido nuestros hijos.

—Eso es porque los dos son viejos y nosotros jóvenes. Nos movemos más rápido.

Lenny echó la cabeza hacia atrás y rió. Era un tipo asombroso. Tenía setenta y ocho años y todavía se le veía fuerte. Era rápido como una centella, tenía un pulso excelente y estaba siempre activo, aparentemente incansable, encargado de su restaurante casi a jornada completa. Rhoda, su mujer, llevaba los libros, pagaba al personal y preparaba el café, la sopa de matzo y el estofado de hígado todos los días. Los dos habían abierto el restaurante hacía cuarenta y cinco años, y habían convertido una pequeña tienda de bocadillos en todo un punto de referencia de Nueva York. En parte, el éxito se debía a la comida, en parte a la calidez personal de los dueños, y también, en parte, a la fama del hijo congresista.

Cualquiera que fuera la razón, no importaba. El espacio y la clientela habían aumentado con las ganancias, pero Lenny Shore no había cambiado un ápice. La fórmula era sencilla: le fascinaba su trabajo. Sus clientes le caían bien y él les caía bien a sus clientes.

—¿Cómo está Sally? —Lenny se acercó a Monty y se limpió las manos en el delantal antes de saludarlo.

—Estupendo. Pero está celosa. Le conté dónde iba a comer. Me dijo que no volviera a casa sin un bocadillo de pastrami y medio kilo del estofado de hígado de Rhoda.

—Te pondré un kilo. Así guardarás para cuando vengan los chicos. Sentémonos. Cuéntame qué tal va la familia —dijo, y condujo a Monty al fondo del restaurante, donde había algo menos de ruido que en el resto de la sala—. Ya he sabido acerca de Lane. Que está ocupado. De los países donde ha estado ni siquiera conozco la mitad. Pero está bien y está contento. Es lo único que importa. Cuéntame algo de tus dos bellas hijas.

—Están crecidas —dijo Monty, con el ceño fruncido—. El puñetero tiempo pasa demasiado rápido. Merry ya está terminando el último curso en Albany, en la Universidad de Nueva York. Esta primavera será licenciada y seguirá para hacer un máster en educación.

—Maestra, como su madre.

—Sí, se parece mucho a Sally; tiene un corazón enorme y muy buena conexión con los pequeños. También tiene un novio de la Facultad de Derecho, pero de eso no hablaremos —agregó, con un gruñido—. En cuanto a Devon, su clínica veterinaria va viento en popa, y la han citado en más publicaciones de las que podría recordar. Y con Blake acaban de comprar una casona en Armonk. Esperan convertirse en habitantes de la casa y verse de verdad de vez en cuando. Él dedica demasiadas horas a su trabajo en Pierson & Company. Se han dado cuenta de que tienen que tomárselo con más calma.

—¿Una casa? —Aquello despertó el interés de Lenny—. ¿Con muchas camas? Me parece que la casa que tienen en la ciudad se les está quedando pequeña. Y ya sabes lo que eso significa. Cualquiera de estos días te llamarán a ti y a Sally para daros las buenas noticias de que...

—Todavía no —lo cortó Monty, con una sonrisa—. Al menos no por ahora. Pero no me sorprendería que decidieran convertirme en abuelo en un par de años.

—¡Eso sería magnífico! Pero si piensas en el estilo de vida de Lane y la cantidad de mujeres con que ha salido, no apostaría porque él será el primero en hacerte ese honor.

—Créeme, yo tampoco.

—No hay nada como los nietos. Te llenan la vida de alegría. —Una expresión de dolor asomó fugazmente en su rostro—. Mi pobre Morgan. Se me revuelven las tripas nada más de pensar en lo que estará viviendo en estos momentos. Aunque no sea mi nieta sanguínea, la quiero tanto como a Jill.

—Ya lo sé —dijo Monty, con un suspiro—. Esta chapuza es una mierda.

—Pero tú ayudarás a Arthur, ¿no? Me ha dicho que iniciarás una nueva investigación.

—Es mucho decir. Morgan me contrató. Arthur me echa una mano con su influencia y, sí, pienso investigar el doble asesinato de los Winter. Pero soy investigador privado, no poli. Así que no pienso poner en marcha nada, al menos no oficialmente.

—Te conozco, Monty. Si estás en ello, tienes las cosas claras. ¿Y qué has averiguado?

—Cosas, aquí y allá. —Monty tenía la intención de esperar a que llegara Arthur antes de abordar el asunto que lo había mantenido obsesionado todo el fin de semana. Pero dado el interés de Lenny, pensó que daba igual—. Escucha, Lenny, tengo que hacerte una pregunta.

—Dispara.

—¿Qué sabes de George Hayek?

Lenny arqueó las cejas.

—¿George? Vaya, hablando de reliquias del pasado. Trabajó de chico de repartos para mí cuando era un chaval, justo después de que su madre y él huyeran del Líbano y vinieran a vivir aquí. Será hace unos treinta y ocho, quizá treinta y nueve años, poco después de que abriéramos. ¿Por qué?

—Porque he revisado algunos archivos y encontré el expediente de su detención —respondió Monty, algo evasivo—. Te nombraba a ti y a tu restaurante en su hoja de contactos. Era el único nombre.

—No es nada especial. Su madre no hablaba inglés. Y no tenía adónde ir. —Lenny arrugó la frente pensando en los años que habían pasado—. En el fondo, George era buen chico. Pero mataron a su padre en el Líbano, y cuando llegó aquí era un adolescente rabioso. No tenía modelos que seguir, así que, sí, se volvió un poco salvaje. Se convirtió en un problema y anduvo con malas compañías. Robaron un coche, y los pillaron. Era una estupidez, él lo sabía. Necesitaba que le dieran una oportunidad. Así que yo cumplí ese papel. Me presenté en su nombre y pagué la fianza. ¿Por qué lo preguntas? ¿Cómo apareció George o su expediente durante tu investigación?

—No apareció. No directamente. Conseguí unos archivos antiguos con la ayuda de la Oficina Central de la Fiscalía de Manhattan, con casos que Jack Winter tuvo a su cargo durante su último año de vida y que acabaron en condena. Uno de esos casos es el de un tío que se llama Carl Angelo, un traficante de altos vuelos de drogas y armas. Winter hizo que lo condenaran unos meses antes de los asesinatos. Angelo tenía una lista larga de cabronazos en su nómina. Un par de ellos solían frecuentar la misma gente que George Hayek. Como tú mismo has dicho, eran una pandilla que se las traía.

—Eso cuando eran adolescentes. ¿Quién sabe en qué se acabaron convirtiendo cuando crecieron? Quizá sean asesinos. O sacerdotes —dijo Lenny, y alzó las manos mostrando las palmas como diciendo quién sabe—. En cuanto a George, ése no andaba metido en líos de drogas y armas. Robó un coche. Y eso fue veinte años antes de la detención de Angelo.

—Es verdad —asintió Monty—. ¿Tú y Hayek os habéis mantenido en contacto?

—Qué va —dijo Lenny, sacudiendo la cabeza—. El restaurante fue sólo un punto de partida para él. Una vez que reunió dinero suficiente, se marchó. Quería instalarse por su cuenta, mandar dinero a su familia en el Líbano. Y digamos que lo de escribir cartas no se le daba demasiado bien. Lo último que supe de él es que se marchó a Los Ángeles y, después, que estaba en algún lugar en Florida. No sé donde se habrá asentado.

—Pero ¿se fue de aquí en buenos términos?

—Hombre, ya lo creo. Como te he dicho, George era buen chico. Trabajó para mí más de un año y no robó ni cinco céntimos.

—¿Trabajaba muchas horas extra?

—Más que eso. Ese chico se dejaba el culo trabajando para mantener a su madre.

—Así que pasaba muchas horas en el restaurante. ¿Conocía a Arthur?

—¿Quién conocía a Arthur? —preguntó el congresista Shore, que se había acercado y ahora colgaba el abrigo en un perchero junto a la mesa.

—Monty pregunta por George Hayek. Me da la impresión de que cree que George nos guardaba algún tipo de resentimiento.

—¿Por qué? —preguntó Arthur, que parecía sorprendido.

—¿Por qué preguntaba por él o por qué me preocupa que os guardara resentimiento?

—Las dos cosas. —Arthur, que todavía parecía perplejo, apartó una silla y se sentó—. George Hayek. Hacía años que no escuchaba su nombre.

—Te lo contaré —dijo Monty, y le repitió la historia.

—Entiendo —dijo Arthur, y frunció el ceño—. ¿Tienes alguna prueba de que George estuviera en la nómina de Angelo?

—No, era una posibilidad remota —dijo Monty—. Pero tenía que seguir la pista. Tengo que seguir todas las pistas. Y cuando vi el nombre de Lenny en la lista de visitas, vi un motivo potencial.

—¿Qué motivo? —inquirió Lenny—. Todavía no lo entiendo.

—Yo sí —dijo Arthur, que asentía mientras entendía el alcance del razonamiento de Monty—. Usted pregunta por George y por mí porque quiere saber si nos llevábamos bien. Sí, nos llevábamos bien. Tampoco nos veíamos muy a menudo. Yo me marché a la universidad y él trabajaba aquí con mi padre. Pero siempre que venía a casa por vacaciones lo veía. Incluso fuimos juntos con mi padre al cine unas cuantas veces. —Arthur dio un leve apretón a su padre en el hombro—. Papá tenía un punto débil por George, considerando todo lo que había perdido. Pensó que podíamos incluirlo en alguna de nuestras actividades de padre e hijo. George se lo agradecía. No era un gran conversador. Pero era evidente que nos respetaba. Sobre todo a papá. Nunca olvidó lo que mi padre le dio. Su lealtad era una cuestión de corazón.

—Pues, con eso ya podemos olvidarnos de esa hipótesis —dijo Monty, reclinándose en su silla.

—¿Ha llegado a pensar que si George me guardaba rencor, incluso después de veinte años, se vengaría matando a mi mejor amigo?

—No sería un mal motivo. El odio. La venganza. Ya ha ocurrido otras veces. Usted era miembro del gobierno estatal, un hombre influyente con una gran carrera política. Además, no tenía por qué ser usted el que él buscaba. Si Hayek se quedó en Nueva York y siguió con esa pandilla suya, y acabó vendiendo armas para Angelo, puede que usted ni siquiera apareciera en la foto. Angelo había sido condenado. Sólo era cuestión de tiempo antes de que cayeran los suyos. Puede que uno de ellos arremetiera contra Jack antes de que éste arremetiera contra él.

Arthur volvió a asentir con la cabeza.

—Es verdad. Y da qué pensar. Aunque George no perteneciera a esa categoría, habría decenas de criminales que sí pertenecían.

—Sí, de los cuales muy pocos fueron investigados la primera vez. Con su confesión, Schiller se encargó de eso.

—Hola a todos. Perdón por llegar tarde. —Lane se acercó a la mesa y dejó su bolsa con el equipo fotográfico con un ojo puesto en el reloj de la pared—. En realidad, no llego tarde, sino dos minutos antes. ¿A qué hora ha empezado esta reunión?

—No ha empezado —dijo Lenny—. ¿Cómo iba a empezar? Todavía no está servida la comida. Ya me ocuparé de eso.— Se incorporó y los señaló con el dedo, uno tras otro—. Lane, pastrami, magro, empanada de patatas al horno y ensalada de col y mayonesa. Monty, plato de estofado de ternera y sopa de matzá. Arthur, una bandeja de tajadas de pavo, pepinillos en vinagre y un trozo del budín de fideos de tu madre, si sabes lo que te conviene.

El hijo sonrió.

—No soy tonto. Me comeré hasta el último bocado y luego la llamaré para decirle lo bueno que estaba.

—Buen chico —dijo Lenny, dándole unos golpecitos en la espalda—. Me encargaré de vuestro pedido en persona. Vosotros, chicos, a lo vuestro —dijo, y se quedó mirando a Monty—. Gracias por ayudar a Morgan: para ella ha sido un viaje de ida y vuelta al infierno.

—Lo sé —dijo Monty, asintiendo con un gesto seco—. No te preocupes. Seguiré hasta la última pista, hasta que encuentre la buena.

—Sé que lo harás. —Lenny se giró hacia la cocina y volvió a ser el mismo dueño enérgico de siempre—. Y me aseguraré de tener el pedido de Sally para cuando te marches. El estofado de hígado de Rhoda vale más que una docena de rosas, en cualquier ocasión.

—Eso no lo discuto. —Monty observó a Lenny que se abría paso entre la multitud de clientes y desaparecía por las puertas batientes—. Qué personaje.

—Ya lo creo —asintió Lane—. Tiene más energía que yo, mejor memoria que yo y siempre está más achispado y alegre. No lo envidio para nada, congresista. Es un modelo difícil de seguir.

—Tiene razón. Y, por favor, llámame Arthur. Me siento más viejo que mi padre, y a él lo llamas por su nombre de pila.

—Es verdad —dijo Lane, con una risilla—. De acuerdo... Arthur. —Lane miró de reojo a Monty y luego volvió a Arthur con un dejo de curiosidad—. No sé cómo quiere que procedamos en esta reunión. Mi papel en este contexto es un poco difuso, al menos como yo lo veo. Mi editor me ha dicho que una reunión con Monty y conmigo le ayudará a optimizar su tiempo. Me parece bien. Pero tendrá que definir mis límites.

Lane resumió los puntos específicos contando con los dedos.

—Me dirá cuándo es información *off the record* y cuándo no. Cuando intervengo en la entrevista y cuándo paso a segundo plano. Y cuándo quiere que me largue para que ustedes dos puedan hablar a solas. Oficialmente, he venido para tomar las fotos y escribir el texto correspondiente que usted quiere que los lectores conozcan en relación con la investigación sobre el crimen. A la vez, quiero cubrir en lo posible su proyecto de ley. Ya tengo fotos suyas con la familia. Querré tomar unas cuantas con sus electores. El orden y la estructura de cómo lo hacemos depende de usted. Estoy a su disposición.

Arthur juntó los dedos de ambas manos y los hizo entrechocar mientras hablaba.

—Para empezar, dejémonos de chorradas. Tú y yo volamos a Colorado mañana, y seguimos hacia Poconos un par de días más tarde. Estaremos juntos casi toda una semana mientras redactas tu reportaje para *Time*. Tendremos mucho tiempo para hablar. Créeme, te hablaré de mi proyecto de ley hasta que no puedas más. Entre los viajes, encontraremos suficientes momentos para las fotos. Sin embargo, la reunión de hoy es para averiguar quién mató realmente a Jack y Lara. Ya sé que tu implicación en esta investigación es más importante que el reportaje fotográfico que harás para *Time*. Así que, dime, ¿cómo van las investigaciones sobre las fotos de la escena del crimen?

Lane estaba preparado para la pregunta. Se confirmaba lo que ya sospechaba: que aquél era el único motivo por el que Arthur los había convocado a esa reunión. Arthur Shore estaba enterado de lo que podía hacer Lane con una fotografía, y que Monty se servía de esos conocimientos, por eso quería reunir la información de las dos fuentes.

—Todo lo que he hecho es sólo trabajo preliminar —le informó Lane—. Espero que eso cambie en un par de horas, es decir, cuando me lleven a casa los negativos. Una vez escaneados los negativos, podré analizar todos los detalles en mi ordenador. Si hay algo, lo encontraré.

Arthur se volvió hacia Monty.

—¿Hay alguna relación entre aquello que le ha pedido a Lane que busque y la pista de la que nos hablaba a mi padre y a mí hace unos minutos? ¿Lane busca detalles visuales que podrían relacionar el asesinato de los Winter con alguno de los criminales que Jack hizo encerrar poco antes de morir?

—No —respondió Monty, sin más—. Sería un error estrechar el espectro de sospechosos. Si no tenemos pruebas, no. Lane posee un ojo experto. Lo mejor que puede hacer es mirar esas fotos sin ideas preconcebidas. Sólo hechos. De esa manera, no pasará nada por alto. Entretanto, yo seguiré con mis investigaciones. Cualquier cosa que descubra que tenga que ver con sus análisis, se lo haré saber lo antes posible. Queremos llevar a cabo esta investigación abiertos a todas las posibilidades, hasta que estemos perfectamente seguros de que nos orientamos en la dirección correcta. No habrá más chapuzas. Esta vez, no.

—Que así sea —replicó Arthur, con un murmullo de voz—. Todavía no me puedo creer que nadie se diera cuenta de la falsedad de la confesión de Schiller.

—Si cuando dice nadie se refiere a usted mismo, no sea tan duro con su persona —observó Monty—. Schiller es un ladrón y un asesino. A nadie le costó pensar que los Winter sólo habían sido dos nombres más en su lista de víctimas.

—Es verdad. —El tono de Arthur era una clara autocensura. Era evidente que todavía no se había perdonado—. En cualquier caso, ¿qué más tiene?

—Tengo los demás casos de Jack Winter por revisar. Tengo pistas sobre todos los que llevó a juicio, desde los que fueron condenados y que obtuvieron la condicional justo antes de que fuera asesinado, hasta los parientes, amigos o socios de condenados que todavía cumplían condena, y hasta los que están por debajo.

—¿Cuáles son los que están por debajo?

—Los que se le ocurran. Condenados sin relación con casos de allanamiento de morada o robos que se encontraban en Brooklyn en diciembre de 1989. Además, tipos con antecedentes y acusados de maltratos, hombres casados con mujeres que frecuentaban el centro de Lara Winter. Cabe la posibilidad de que uno de esos maridos esa noche hubiera perdido los papeles y venido al centro de acogida a darle una lección a su mujer. Puede que Lara y Jack sólo fueran las víctimas de esa visita. Y eso no es más que la punta del iceberg de «los que están por debajo».

—Dios, hay mucho terreno por cubrir —dijo Arthur, y se frotó la frente con un gesto de cansancio y frustración.

—Sí. Pero las buenas noticias son que yo trabajo rápido. —Una mirada pensativa asomó en la expresión de Monty—. ¿Cómo está Morgan? ¿Sigue soportándolo con entereza?

Arthur se encogió de hombros con un gesto ambiguo.

—Ha estado sola la mayor parte del fin de semana. Jill intentó convencerla para que salieran, pero no tuvo suerte. Esta investigación le llega a lo más hondo. Así que decir que está bien es una expresión relativa. Elyse y yo estamos muy preocupados.

—Todavía aguanta —dijo Lane, con voz queda—. No es fácil, pero es una mujer fuerte.

Los dos hombres le miraron sorprendidos.

—¿Has hablado con ella? —inquirió Arthur.

—La verdad es que me la he encontrado por casualidad. El sábado por la noche. Los dos entramos en el Carlyle para tomar una copa. Acabamos cenando juntos. Estaba mucho más relajada cuando la acompañé de vuelta a casa.

—Bien —dijo Arthur, y soltó un suspiro de alivio—. Me alegro de que haya salido. Y de que se haya divertido un poco. Gracias, Lane.

—No hace falta. Lo pasamos muy bien. La verdad es que yo también estaba bastante tenso. Así que la velada me fue tan bien a mí como a ella.

Monty abrió la boca como si fuera a decir algo, pero lo interrumpió la llegada de la camarera con los platos.

—Aquí tienen. —Anya se acercó y empezó a repartir los platos de comida sobre la mesa—. Volveré enseguida con la bebida. Lenny vendrá más tarde; está preparando los otros pedidos para que se los lleve Jonah.

—Gracias, Anya. —Arthur la miró con una gran sonrisa—. Esto tiene una pinta fantástica.

—Guárdese los cumplidos para su madre —dijo ella, con su humor seco—. Cómase todo el budín de fideos —dijo, y señaló el plato, que apenas bastaba para contener el enorme cuadrado de tarta humeante que lo desbordaba por las esquinas.

—Sí, señora —dijo Arthur, con un saludo histriónico.

Anya acababa de retirarse cuando se acercó Jonah hasta la mesa, con aspecto raro e incómodo.

—¿Lane? Siento molestarte, pero me pediste que te avisara cuando llegara ese paquete de la Secretaría Central del Juzgado. Ha llegado a tu casa justo cuando yo me iba.

Lane cruzó una mirada de sorpresa con Monty.

—Más rápido de lo que esperaba —murmuró Monty—. Es de agradecer.

—Sí —dijo Lane, y se volvió hacia su ayudante—. Gracias, Jonah.

—Ningún problema. —El adolescente desgarbado se sentía aliviado de que sus buenas noticias hubieran sido bien recibidas, quitando importancia a la inconveniencia de su interrupción. Inclinó la cabeza hacia Lane—. ¿Te parece bien si hago unas cuantas horas extra hoy? Me iría bien el dinero —dijo. ¿O necesitas el laboratorio ahora que ha llegado ese paquete?

—Desgraciadamente, necesito el laboratorio. Tendré mis cosas por todas partes. —Lane hizo una pausa, como si acabara de tener una idea repentina—. Pero quizá te necesite y puedas hacer esas horas extra y ganar un poco de dinero. —Miró a Arthur con un dejo de curiosidad—. ¿Supongo que por la tarde tendrá alguna reunión?

—Así es —dijo éste.

—¿En Manhattan?

Arthur asintió.

—¿Por qué no escoge una hora y un lugar conveniente? Jonah puede ir y tomar unas primeras fotos de usted y sus electores. Quiero que colabore conmigo en este proyecto de ensayo fotográfico. Es un chico hábil, y necesitamos su ayuda. Y no hay mejor tiempo que el presente.

Arthur captó el mensaje. Lane se ocupaba de los aspectos más importantes y confidenciales de la tarea y Jonah podía ocuparse de lo más superficial.

—Suena bien. ¿Qué te parece en el exterior de mi despacho hacia las tres? —le sugirió Arthur a Jonah—. Será más o menos la hora en que me reúno con mi equipo. Eso te dará tiempo suficiente para ocuparte de repartir los pedidos de mi padre y recoger el equipo que necesites del laboratorio de Lane.

—Estupendo. Gracias —dijo Jonah, mirando con unos ojos enormes, como si le acabaran de dar un importante premio—. Su despacho está en la calle Lex. Estaré ahí a las tres en punto.

—De acuerdo.

—Jonah, aquí tienes. —Lenny se acercó con dos enormes cajas de polispan bajo los brazos—. Aquí está la primera parte de los pedidos. Es para el viejo antro de Monty, en el este de la ciudad. Y hay más. —Hizo una mueca de dolor al entregarle las pesadas cajas a Jonah—. Están preparando otras dos. Así que mete éstas en la furgoneta, entonces vuelve y espera.

Miró a Johan que salía y luego se miró la mano derecha frunciendo el ceño.

—Diablos —murmuró. Se acercó a una mesa, sacó dos servilletas y se quitó el anillo de oro con su inicial que Rhoda le había regalado para el aniversario de sus veinticinco años de casados. Luego cogió otro par de servilletas y se las envolvió alrededor del dedo índice que sangraba.

—¿Qué ha pasado? —preguntó Arthur.

—Nada, que soy un torpe. Estaba cortando unos pepinillos en vinagre y me corté.

—Ve a vendártelo —le aconsejó Monty cuando vio que la sangre manchaba la servilleta—. Al parecer, te has hecho un buen corte.

—No, lo que pasa es que estaba haciendo demasiadas cosas a la vez. Me pondré una tirita cuando haya menos gente.

—¿Te has hecho el análisis de sangre este mes? —inquirió Arthur, frunciendo el ceño al ver que su padre cogía otra servilleta y se la ponía encima de las otras.

Lenny le lanzó una mirada.

—No, y no empieces. Iré la próxima semana. Ha habido demasiado movimiento aquí y no he podido salir.

—No tanto movimiento. Olvídate de la próxima semana. O vas mañana o se lo diré a mamá.

Su padre lo miró con una mueca.

—Serías capaz. De acuerdo, iré mañana. Ahora deja que me ocupe de los pedidos de Jonah.

Arthur entornó la vista al ver a Lenny que volvía a toda prisa a la cocina para ocuparse de los pedidos que faltaban.

—Es tozudo como un buey. Toma unos medicamentos para

adelgazar la sangre. Se supone que tiene que hacerse un análisis todos los meses. No es más que una rutina, pero son las órdenes del médico. Intenta decírselo. Se cree inmortal.

—Y es que lo es —dijo Lane.

—También piensa que aquí es indispensable —añadió Monty—. Es el trabajo de su vida. No confía en nadie para ocuparse de ello. —Siguió una pausa—. Yo ya lo entiendo.

—Sí. —Arthur asintió con un gesto de la cabeza cuando entendió la analogía de Monty—. Seguro que lo entiende. Ustedes dos se parecen mucho: no creen que haya nadie que pueda hacer mejor su trabajo. Y lo irónico de la cuestión es que es verdad. Nadie puede.

—Por eso seré quien resuelva este caso —dijo Monty, con la mandíbula tensa. Dejó la conversación, cogió la cuchara y tomó unas cuantas saludables cucharadas de sopa de matzá, luego atacó su bocadillo de carne, masticando a gusto—. Pero dejemos de hablar tanto, y comamos. Tengo que volver a ocuparme de una investigación.

Capítulo *13*

La agencia bullía de actividad. Los teléfonos no paraban de sonar, los clientes llamaban para pedir hora, y los que acudían por referencias de terceros llegaban en un continuo goteo.

Morgan nunca había estado tan contenta de estar atareada.

Había bajado a toda prisa al despacho temprano para una consulta con un nuevo cliente. Luego tuvo dos reuniones de seguimiento con otros dos, y después de tomarse una sopa calentada rápidamente en el microondas, había salido a atender otras tres visitas, una tras otra.

La primera de esas citas había sido con Charlie Denton, algo que le agradaba por diversos motivos. En términos profesionales, quería ampliar las posibilidades de Charlie de encontrar a la mujer adecuada. Quería saberlo todo acerca de lo ocurrido el fin de semana. Charlie había salido con Karly Fontaine y con Rachel Ogden, dos mujeres que serían un excelente complemento para alguien como él, cada una a su manera.

También tenía un motivo personal para verlo. Estaba ansiosa por saber si había conseguido sonsacarle información a alguien en la Oficina del Fiscal del Distrito de Manhattan.

Se dieron cita en un Cosi en el centro, a medio camino entre la sede de la agencia en el Upper East Side y la Oficina del Fiscal del Distrito en el centro. Pidieron una comida ligera, una taza de café, y hablaron.

—Pareces cansada —dijo Charlie, mirando a Morgan a la cara.

—Supongo que lo estoy. La vida es un torbellino en todos los frentes, y no consigo dormir bien estos días. —Sacó la carpeta donde aparecía el nombre de Charlie en letra de imprenta, con la intención de tomar unas cuantas notas—. Estoy ansiosa por saber cómo te ha ido con Rachel y Karly. —Siguió un silencio pesado—. Pero antes tengo que preguntarte algo. ¿Alguien de la Oficina del Fiscal del Distrito se ha puesto en contacto contigo? ¿Te has enterado de alguna novedad?

Charlie bajó la vista y se concentró en revolver su taza de café.

—No puedo hablar de eso.

Morgan se quedó muy quieta.

—¿Qué quieres decir?

—Escucha, Morgan —dijo Charlie, con un suspiro—, hago todo lo que puedo. Pero se trata de una situación delicada, y se requiere una buena dosis de diplomacia. Eso no quiere decir que sea yo el que intenta cubrirse las espaldas. Te guste o no, mis fuentes tienen que sentirse seguras de que todo lo que me digan será confidencial.

—En otras palabras: son ellos los que se cubren las espaldas.

—En algunos casos, sí. En otros casos, no tratan con hechos sino con suposiciones y cosas que han oído. Y, en otros, intento abrirme camino en una cadena de mandos donde pueda encontrar a la persona adecuada que me dé respuestas... si es que esas respuestas existen.

—¿Eso significa que todavía no sabes nada, o que sabes algo pero no estás autorizado a compartirlo conmigo?

—Significa que tienes que darme un poco de tiempo. Trabajo siguiendo mi intuición y recogiendo migajas de información por el camino. Cuando tenga algo concreto que decirte, te llamaré enseguida. Te lo prometo.

Morgan aceptó su explicación y sus afirmaciones a regañadientes.

—Te lo agradezco. Entiendo que te prestas a todo esto sobre todo por la presión que ejerce Arthur.

—Te equivocas —interrumpió él—. Las motivaciones de mi oficina son una cosa, las mías, otra. —Charlie se inclinó hacia delante y la miró fijamente—. Es verdad que el congresista Shore tiene mucha influencia. Y también es verdad que el fiscal del distrito tiene muchas ganas de ofrecer su colaboración. Pero esto no lo hago por el congresista. Lo hago por tu padre y... por ti.

Morgan se quedó con la taza de café a medio camino de sus labios. Había una intensidad en el tono de Charlie, algo en sus palabras que la cogió desprevenida. Sabía que Charlie había adorado a su padre, incluso puede que lo tuviera en un pedestal. Pero lo que acababa de decir iba más allá de esa admiración. Sonaba como un asunto personal.

Bebió un sorbo de su café, intentado entrever una manera de abordar el tema. Últimamente había constatado que lo mejor era ser directa.

—Charlie, ¿hay algo que no me hayas contado? ¿Algo que sabías de primera mano hace diecisiete años y que ahora te has repensado?

La pregunta dejó perplejo a Charlie, que entrecerró los ojos.

—¿Qué pretendes insinuar con eso?

—No estoy segura. Es por cómo lo has dicho, eso de hacerlo por mi padre y por mí. Hablabas como si... te sintieras implicado.

—Estoy implicado —respondió él, con voz neutra—. Tenía a tu padre en gran estima. Y contigo me pasa lo mismo. Si hay algo que pueda hacer para poner las cosas en su sitio, lo haré.

—De eso no me cabe duda. —Morgan no estaba dispuesta a echar marcha atrás. La sensación que tenía no había desaparecido. Y su intuición rara vez le fallaba—. No cuestiono tus motivaciones, sino tus sospechas. Tú trabajabas en la Oficina del Fiscal del Distrito cuando mataron a mi padre. ¿Estabas enterado de algo que no era del todo correcto, pero que en su momento descartaste pensando que no estaba relacionado?

La mirada de Charlie se volvió dura.

—No me provoques, Morgan. Soy abogado de la acusación. Se supone que soy yo el que obtiene información de las personas, no al revés.

—De acuerdo. Y trabajas para la Oficina del Fiscal del Distrito. Tu lealtad va más allá de lo que concierne a mi padre o a mí.

—Así tiene que ser. Lo cual no significa que así sea.

—¿Qué quieres...? —Morgan tuvo que reprimir la pregunta. Habría dado cualquier cosa por ir más lejos. Pero percibió algo en la mirada de Charlie que la hizo desistir. Tendría que esperar el momento adecuado. De otra manera, quemaría uno de los pocos contactos internos que tenía.

—De acuerdo —dijo, midiendo sus palabras—. Dejémoslo correr por ahora. Sea lo que sea, me lo contarás... cuando estés preparado.

En la mirada de Charlie asomó una chispa de ironía.

—Cuenta con ello —dijo, y siguió comiendo su bocadillo.

Morgan respiró profundo y decidió cambiar de tema.

—Hablemos del fin de semana. ¿Cómo te ha ido con tus citas?

—Muy bien. —La respuesta de Charlie sonaba forzada, aunque fuera verdad—. Puede que Rachel sea joven, pero es una chica que va a por todas. Admiro su ambición. Vaya, yo soy igual. En fin, fuimos a cenar, y luego a un espectáculo. Tomamos unas copas y estuvimos discutiendo sobre la pena de muerte hasta las tres de la madrugada. En cuanto a Karly, es una chica guapísima, encantadora e intuitiva. Yo andaba con un bajón de energía la noche que salimos. Ella se dio cuenta enseguida y logró que todo fuera muy tranquilo. Cenamos regaladamente en La Grenouille. De hecho, vimos al congresista Shore. Estaba con Daniel Kellerman y otros empresarios. Me habría acercado a saludarlo, pero parecían estar en medio de una acalorada discusión.

Morgan se encogió de hombros.

—Sería a propósito del proyecto de ley que piensa presentar Arthur. Tiene un montón de reuniones hasta enero, cuando se inician las sesiones del Congreso. —Morgan descartó el tema con un gesto de la mano—. Volvamos a Karly y Rachel. ¿Alguna chispa? ¿Te han dado ganas de volver a verlas? Porque tengo la impresión de que me has dado un informe rutinario en lugar de hablar de tus citas con dos mujeres increíbles.

Charlie apenas torció los labios.

—¿Ah, sí? No era ésa mi intención. Las dos eran encantadoras. Puede que no sea otra cosa que mi estado de ánimo en este momento. Quizás esté algo distraído.

—Entonces no estoy haciendo bien mi trabajo —declaró Morgan—. Porque se supone que debo ayudarte a encontrar a alguien que te haga superar esa distracción. —Morgan apartó el plato y abrió la carpeta por una hoja en blanco—. Hablemos de cosas específicas. Estoy absolutamente decidida a encontrar la mujer de tus sueños.

Charlie respondió alzando su taza.

—Brindo por las cosas específicas. Ojalá sean la llave de mi felicidad.

Rachel Ogden y Karly Fontaine nunca se habían conocido.

Por eso, era imposible que supieran que se habían cruzado en Madison Avenue a las dos menos veinte de la tarde.

Rachel se dirigía al Hotel St. Regis para la cita que había programado con Morgan. Acababa de salir de una reunión de toda la mañana con una importante empresa de publicidad con la que trabajaba para definir un plan de posibles adquisiciones. Tenía la cabeza en mil sitios a la vez, y sus pasos por la ciudad iban dirigidos por el piloto automático.

Pensó que debería volver al despacho. En realidad, ya no le quedaba tiempo que dedicar a su vida amorosa. Sin embargo, Morgan tenía una manera de inspirar confianza. Su enfoque prometía buenos resultados. Y por la manera en que la carrera de Rachel se había disparado y le exigía largas horas de dedicación, no le quedaría ni un momento libre para buscar personalmente hombres fascinantes. ¿Por qué no dejar que Winshore hiciera ese trabajo por ella? Ellos eran profesionales y, además, había fracasado estruendosamente intentado administrar su vida amorosa. Sus registros eran de lo peor. Los hombres que conocía estaban absortos en sus propios asuntos, y poco dispuestos a transar y a comprometerse, o estaban casados.

Eso se había acabado. Había llegado la hora de poner las cosas en orden.

Rachel llegó a la esquina de la calle Cincuenta y tres y Madison y esperó a que cambiara el semáforo. En ese momento se acercó Karly Fontaine, que venía en sentido contrario.

El día de Karly había sido igual de agitado: sesiones de fotos inservibles, tratar con egos delicados, tener que calmar a directores de publicaciones indignados... Su agencia de modelos había sido como el escenario de una mala telenovela desde las ocho y media de la mañana. Ahora se dirigía a una estación de metro a coger el *E train* hacia el centro, con la intención de apagar un incendio más.

Las dos mujeres nunca se vieron. La esquina estaba repleta de peatones que se daban de codazos para tener ventaja. Rachel se abrió camino entre dos personas y pisó la calle en cuanto el semáforo se puso verde. Karly estaba a un paso a sus espaldas.

Ocurrió en un instante. Una furgoneta destartalada giró con un chirrido en la esquina y le dio de frente a Rachel, que salió despedida por el aire, aterrizó sobre la calzada y rodó hasta la acera. Varios peatones gritaron. Los coches maniobraron para no embestirla. Incluso los taxis frenaron bruscamente.

La furgoneta no se detuvo.

Sin mirar atrás, el conductor se alejó en medio del tráfico, aceleró por Madison Avenue hasta que fue tragado por el flujo de coches y desapareció.

Capítulo 14

Morgan miró su reloj por quinta vez, y confirmó la hora mirando el reloj en el vestíbulo del hotel. No había error. Eran casi las tres menos cuarto. Rachel llevaba un retraso de cuarenta y cinco minutos.

Al principio, lo había atribuido a un accidente que durante la última hora había colapsado el tráfico. Se había oído el ulular de sirenas que pasaban en rápida sucesión. Preocupada, Morgan había salido. Al ver la baliza de luces rojas más abajo en la calle, esperó que no fuera nada grave. Pero también observó que una parte de la calle había sido cerrada, por lo que Rachel tendría que coger un desvío para llegar al St. Regis.

Por otro lado, no había llamado. Aquello parecía raro, considerando la personalidad ejecutiva de esa mujer.

Abrió el móvil y pulsó rellamada al número de Rachel, puesto que ya había llamado tres veces. El teléfono sonó unas cuantas veces y luego respondió el buzón de voz.

Morgan dejó un mensaje breve y luego colgó. No podía seguir esperando. Tenía miles de cosas que hacer, además de una cita con Karly Fontaine en menos de una hora. Con el ceño fruncido, hurgó en su bolso y sacó su PDA. Buscó hasta encontrar el número del despacho de Rachel. Quizá su secretaria pudiera explicarle a qué se debía el contratiempo y reprogramar el encuentro.

La línea directa sonó dos veces. Luego contestó una mujer. Su tono de voz parecía alterado y casi ni se escuchaba debido al ruido de fondo causado por alguna agitación.

—Despacho de Rachel Ogden.

—Hola, soy Morgan Winter. Rachel y yo teníamos una cita a las dos en el St. Regis. Todavía estoy aquí, esperándola, pero...

—Oh, señora Winter, lo siento mucho —interrumpió la mujer—. Soy Nadine, la secretaria de Rachel. Iba a llamarla, pero la oficina está hecha un caos. Perdóneme. La noticia me ha dejado un poco aturdida, ha sido muy impactante.

—¿Impactante? ¿Por qué? ¿Qué ha pasado?

—Rachel está en urgencias. La ha atropellado un conductor que se ha dado a la fuga cuando se dirigía al St. Regis.

—Dios mío. —Morgan se pasó la mano por el pelo y se dejó caer en un sillón del vestíbulo—. ¿Se encuentra bien?

—No lo sé. Por lo que nos ha dicho la policía, está viva, pero su estado es muy grave. Por suerte, una mujer que se encontraba cerca de ella en la esquina llamó inmediatamente al 911. La ambulancia la ha conducido al New York-Presbyterian. Ahora está en la sala de la UTI o ha pasado a quirófano. Es todo lo que sé en este momento.

Morgan apenas conseguía asimilar todo aquello.

—Ha dicho que el conductor se dio a la fuga. Alguien tiene que haber visto el coche.

El ruido de fondo iba en aumento y era evidente que Nadine estaba distraída.

—Ha sido una furgoneta blanca. Lo siento, señora Winter, pero tengo que colgarle. La policía quiere hablar conmigo.

—Sí, claro. —Morgan puso fin a la conversación—. Por favor, manténgame informada. Rezaré por Rachel.

—Gracias —dijo Nadine, y la voz se le quebró—. Necesitará hasta la última oración.

En cuanto llegó a casa, Lane cogió el paquete que le había enviado la Secretaría Central del Juzgado vía mensajero. Abrió la puerta de su laboratorio de fotografía digital, encendió la luz y desactivó la alarma. Con una inversión de casi doscientos cincuenta mil dólares en equipos y con la información clasificada que guardaba entre sus cuatro paredes, aquel laboratorio era una verdadera caja fuerte, a la que no podía entrar nadie excepto él.

Era una habitación sin ventanas, similar a la de muchos despachos con centrales informáticas, pero a una escala más grande y sofisticada. Eran equipos de última generación que no estaban al alcance de cualquier presupuesto. Por otro lado, la mayoría de los presupuestos no estaban subvencionados por el gobierno, ya que la gran mayoría de los fotógrafos no se dedicaban a llevar a cabo tareas encubiertas para la CIA.

Lane no era como la mayoría de los fotógrafos.

Y su laboratorio no era como la mayoría de los laboratorios.

Sólo el monitor IBM T221 de cristal líquido costaba diez mil dólares, y Lane tenía dos. Con una resolución el doble de fina que otras pantallas de alta calidad, éste permitía ver detalles diminutos en las imágenes digitales, detalles que ni siquiera se verían en otras pantallas. Y aquello era sólo una de las virtudes de aquel sofisticado cuarto oscuro digital.

Encendió el aire acondicionado. Incluso en invierno, con todos los equipos encendidos, el cuarto no tardaría en convertirse en un horno. Uno por uno, fue encendiendo los aparatos en secuencia y, cuando éstos empezaron a funcionar, se giró y abrió un cajón por debajo de la mesa y empezó a sacar los instrumentos necesarios para transformar los negativos en imágenes digitales.

Su cabeza funcionaba más rápido que sus manos, mientras reflexionaba sobre la conversación que tenía lugar cuando él llegó a lo de Lenny.

Se había quedado a unos tres metros de la mesa donde estaba su padre unos cinco minutos largos antes de presentarse. Observando desde detrás del perchero, inclinado sobre su bolsa con las cámaras, de espaldas a la mesa para que no repararan en él. Al oír el nombre de George Hayek, decidió escuchar la conversación.

Había pensado en la conexión entre George Hayek y Lenny todo el fin de semana. Aquello lo había sorprendido y desconcertado. Teniendo en cuenta lo que sabía a través de sus conexiones en la CIA, no conseguía entender cómo encajaba Hayek en la foto. Desde luego, Monty no manejaba la misma información que él. Así que, como buen profesional, perseguía esa conexión como un sabueso busca un hueso. Sin embargo, nada de lo que Lane había oído le había causado alarma. Aún así, considerando los negocios en que Hayek andaba metido actualmente, tenía la intención de seguir las cosas de cerca y, si era necesario, pasar a la acción.

Volvió a lo que lo ocupaba en ese momento y acabó de preparar los equipos. Luego abrió el sobre, extrajo el portanegativos y sacó con cuidado la primera tira de su camisa. Con una pistola ionizadora, eliminó cualquier huella de polvo con chorros de aire eléctricamente cargados. Una vez acabado ese proceso, sostuvo el negativo ante la luz y observó, complacido, que no había demasiadas huellas dactilares. Lo introdujo con cuidado en el tambor vertical del escáner y, con una pipeta, añadió con cuidado unas gotas de aceite entre el negativo y la superficie interior del tambor. Luego introdujo el tambor en el escáner y cerró la tapa. Volvió a la pantalla y, al encender el programa de ScanXact, el escáner cobró vida.

Ansiaba empezar cuanto antes. Por la justicia.

Sí, y también por Morgan.

Aquella mujer se le estaba metiendo bajo la piel, eso era evidente. Algo poderoso estaba ocurriendo entre los dos, algo francamente intenso. Y no era sólo una cuestión de atracción sexual, aunque aquello echaba chispas como un cable pelado. Había algo más que eso, algo completamente nuevo y muy intrigante.

Y, en medio de aquel panorama, Morgan sufría, luchaba contra una pesadilla de la que nunca había salido y que ahora se veía obligada a afrontar nuevamente.

Lane estaba decidido a ayudarla.

Jonah se encontraba en la sala de recepción del despacho del congresista Shore, manipulando el diafragma de la cámara, mientras esperaba que éste acabara. Estaba nervioso. Era la primera tarea en solitario que le encomendaba Lane. Y era una tarea importante. Él sería el responsable de obtener las fotos adecuadas del congresista, fotos que lo retrataran como el congresista de Nueva York, como el personaje carismático y comprometido.

En ese momento hablaba con una de sus colaboradoras, una mujer joven y enérgica cuyo atractivo despertaba una admiración innegable. La mujer miraba al congresista como si se tratara de un superhéroe, y él respondía a su pregunta con calidez e intensidad, dando a entender con su lenguaje corporal el interés que las palabras de ella despertaban en él. El congresista estaba inclinado hacia ella, la cabeza ligeramente torcida, con la frente arrugada en un gesto de concentración mientras escuchaba, asintiendo con la cabeza cada cierto rato, ora escuchando, ora hablando.

Presa de un impulso, Jonah levantó la cámara y tomó un par de fotos. Aquello redondearía el reportaje fotográfico con una imagen de él interactuando con los miembros de su equipo, además de relacionándose con sus electores.

—No te molestes. —Era la voz cansina de una mujer que se encontraba detrás de él—. Hay suficientes fotos como ésa en el *Enquirer*.

Jonah se giró, sorprendido. Reconoció enseguida a la pequeña y atractiva mujer de edad mediana.

—Señora Shore —logró decir, cohibido, viendo la expresión de su rostro, la tensión en su voz—. No era mi intención… Sólo soy un ayudante de Lane Montgomery en su…

—Ya lo veo. —Tenía una mirada vacía, como si acabara de vivir una mala experiencia y ahora intentara desesperadamente quitársela de encima.

Miró fijamente a su marido y tragó saliva.

—Tú sólo estás haciendo tu trabajo. Quieres captar al congresista haciendo lo que hace mejor. Y en ello estás. Pero, créeme, esto no es lo que quiere *Time*. Al contrario, es algo que quieren evitar —dijo, y se dio media vuelta—. Y yo también.

Morgan llamó al hospital para preguntar por Rachel mientras esperaba a Karly en el café del Greenwich Village en el que habían quedado.

Karly entró justo cuando acababa de hablar. Morgan cerró su móvil de un golpe, sintiéndose moderadamente optimista a partir de lo que le habían dicho. Los médicos la habían operado y el diagnóstico era bueno, aunque necesitaría una buena dosis de fisioterapia para volver a ser la misma. Afortunadamente, era una mujer joven y fuerte. Sin embargo, había sufrido lesiones internas, entre ellas perforación del bazo y varias costillas rotas. También hemorragias internas y una fractura pélvica, de modo que la predicción sobre el dolor que padecería se revelaba cierta.

Karly se dejó caer en la silla, con un aspecto tan agotado como Morgan, aunque se obligó a sonreír.

—Hola, te agradezco que hayas dejado tu rutina para verme. Mi última cita era en el centro. Era importante o, sinceramente, la habría dejado y me habría ido a casa. Ha sido un día... —dijo, y sacudió la cabeza—. En cualquier caso, después de que hablemos, me voy a casa. No quiero ni pensar en volver al despacho.

—Te escucho —murmuró Morgan—. Ha sido un día miserable, al parecer, para las dos.

—Ya lo creo. —Karly se masajeaba las sienes—. Pero ninguna crisis comercial parece importar después de lo que he visto hace sólo unas horas. Iba a coger el metro en Madison y la Cincuenta y tres cuando vi que a una mujer joven la atropellaba un tipo que se dio a la fuga. Ha sido horrible, y no puedo quitarme la imagen de la cabeza. Lo más horrible es que yo iba justo detrás de ella. Cinco segundos más tarde y podría haber sido yo. Esa furgoneta salió de la nada. Todo ocurrió en un abrir y cerrar de ojos. Yo no tuve tiempo ni de reaccionar, y mucho menos de impedirlo. La mujer pasó rozando a mi lado y, al instante siguiente, estaba tendida en la calle y sangrando. Casi fui incapaz de mantener la calma el tiempo suficiente para llamar al 911.

Morgan abrió unos ojos como platos.

—¿Te refieres a Rachel Ogden?

—Sí, así se llamaba. —Ahora era Karly la sorprendida—. ¿La conoces?

—Es cliente mía. Se dirigía al St. Regis a reunirse conmigo cuando ocurrió el accidente.

Karly soltó un largo suspiro y entrelazó los dedos.

—No tenía ni idea. Qué horrible coincidencia —dijo, y le lanzó una mirada inquisitiva—. ¿Sabes cómo está? Llamé al hospital, pero no quisieron darme información.

—Acabo de hablar con ellos. La secretaria de Rachel tuvo el gesto de incluirme en la lista de familiares y amigos. —Morgan la miró con una sonrisa triste—. Se pondrá bien... con el tiempo. —Puso brevemente al corriente a Karly de la información que acababan de darle.

—Pobre chica. —Karly tragó con dificultad mientras se esforzaba a todas luces por no dejarse llevar por la emoción—. La vida tiene tantas sorpresas. Como he dicho, sólo unos segundos más tarde y podría haber sido yo la que ahora estuviera en el hospital. Por un lado, me siento afortunada y aliviada, pero también me siento culpable por sentirme de esa manera. Sobre todo, me siento responsable. Si pudiera haberla cogido.

—Pues no pudiste y no eres responsable —dijo Morgan. Se inclinó sobre la mesa y le dio un apretón en el brazo a Karly—. Si algo debieras sentir, es orgullo de ti misma. Según la secretaria de Rachel, le has salvado la vida al llamar tan rápido al 911. Unos cuantos minutos más y puede que no lo hubiera contado.

—Me alegro. Para ser sincera, ni siquiera recuerdo haber llamado por el móvil. Todo está borroso. Sé que hice la llamada, pero en ese momento me quedé paralizada. Todo lo que hacía me parecía irreal. Recuerdo las sirenas y las luces de las balizas. Recuerdo a los paramédicos que hacían su trabajo. Hablé con la policía. Les dije lo que vi, que no era mucho. No cogí la matrícula, ni me fijé en la marca ni el modelo, ni siquiera vi al conductor. Iba como encorvado sobre el volante. Supongo que se dio cuenta de lo que había hecho e intentaba escapar sin que lo vieran. El muy cabrón. ¿Por qué no se habrá detenido?

—Porque es un cobarde —sugirió Morgan—. Porque sabía que lo detendrían por conducción temeraria, o quizá por conducir borracho.

Karly asintió con un gesto de la cabeza.

—Por como giró en la esquina, es muy probable que fuera borracho. Y después de darle a Rachel salió disparado. Iba haciendo eses entre el tráfico como un loco.

—La policía encontrará la furgoneta. Descubrirán quién ha sido. Y darán con su culo en la cárcel —suspiró Morgan—. Pero por ahora, recemos para que Rachel se recupere bien y pronto.

—Ojalá que así sea. —Karly miró la carpeta que tenía Morgan en las manos—. ¿Te importaría si programamos la reunión de seguimiento para otro día? La verdad es que no tengo el ánimo como para hablar de mi vida social en este momento.

—Yo tampoco estoy demasiado fina —reconoció Morgan—. ¿Por qué no lo hacemos por teléfono algún día de esta semana? O, si no, podrías venir a mi despacho. Nunca has estado, y éste sería el momento ideal. Hay más espíritu navideño ahí dentro que en el taller de Papá Noel. Jill lo ha convertido en un escenario extravagante, de Navidad, Hanukkah, Kwanzaa y fiesta del solsticio de invierno, todo en un solo paquete. Le da por las celebraciones de igualdad de oportunidades.

—¿Jill? —Karly arrugó el ceño, intrigada.

—Mi socia. Pero si todavía no la has conocido. Eso lo tendremos que remediar.

—Puede que esa reunión tenga que esperar. Lo mismo con la visita. Tendré que aceptarte la oferta para hacer el seguimiento por teléfono. No tengo ni un minuto entre hoy y Navidad. Pero me encantaría conocer a tu socia. Quizá después de Año Nuevo. ¿O pensáis quitar los adornos enseguida?

—¿Bromeas? En Winshore las fiestas duran hasta mediados de enero. Es la fecha en que Jill comienza a preparar el día de San Valentín.

Karly soltó una risilla por primera vez.

—Esta socia tuya parece ser muy dinámica.

—Lo es —dijo Morgan, sonriendo a su vez—. Lo verás con tus propios ojos. Aunque no puedas ausentarte para venir hasta nuestro despacho, vendrás a nuestra fiesta de Navidad, ¿no?

—Lo tengo anotado en mi PDA. El martes de la próxima semana. A las siete. No me lo perdería por nada.

—Excelente. Entonces conocerás a Jill. Es ella la que ha organizado la fiesta, así que promete ser memorable.

—Me pondré mi vestido nuevo de Chanel. Será perfecto. ¿Y quién sabe? Quizá sea la noche que conozca al Señor Ideal.

—Hablando de eso… —Morgan se inclinó hacia delante, picada por la curiosidad de saber si Karly tenía la misma apreciación que Charlie de la velada—. ¿Qué opinión te merece Charlie Denton?

Karly se encogió de hombros.

—Un tipo simpático. Lo encontré algo introspectivo, pero muy encantador. Sabe escuchar. Y también es inteligente, una personalidad intensa. —Karly arrugó la nariz—. Ya me gustaría que me hubiera dedicado parte de esa intensidad a mí, y no a los empresarios de la mesa de al lado.

Morgan sabía perfectamente a quién se refería Karly, ya que Charlie le había hablado de la reunión de Arthur.

—Charlie me habló de una reunión de altos vuelos que tenía lugar en una mesa vecina. Pero no dijo gran cosa. Sólo la mencionó de pasada.

—Pues estaba muy distraído. Tanto que al comienzo pensé que se trataba de otra mujer. Lo cual no fue muy halagüeño para mi ego, ya que la invitada era yo. Y luego vi que el objeto de su atención eran unos empresarios y políticos. De modo que supuse que tenía algo que ver con su trabajo. Aún así, fue como aguar la fiesta, porque a mí sólo me dedicó la mitad de la atención.

—Seguro que no fue nada personal. Como abogado de la fiscalía, Charlie debe llevar bastantes asuntos entre manos.

—Vale, pero los tipos de la otra mesa no eran asunto suyo. Al menos no mientras estuviera conmigo. —Karly guardó silencio con una expresión triste—. Lo siento. No quiero parecer una mala persona. Sólo que no soy muy buena para compartir. Cuando salgo con un hombre, exijo su atención sin miramientos. Llámalo egocentrismo o llámalo inseguridad —dijo, encogiéndose de hombros—. En cualquier caso, no se lo reprocho. Cenamos estupendamente. Como he dicho, es un tipo simpático. Realmente simpático.

—Sólo que no es el tipo.

—No, al menos para mí.

—No se hable más —dijo Morgan, sin hacer caso de los matices, los que le había transmitido Charlie y que Karly acababa de confirmar—. Veamos lo que podemos hacer para encontrar a El Hombre.

Habían pasado horas. Lane estaba agotado, pero satisfecho con los resultados. Había conseguido la resolución más fina posible de los negativos de la escena del crimen. Estaba a punto de hacer una copia de los archivos en DVD cuando sonó el timbre de su piso.

Justo a tiempo.

Se obligó a dejar su trabajo el tiempo necesario para salir del laboratorio y dejar entrar a su padre.

—Hola, Monty —saludó con una mueca irónica—. ¿Por qué has tardado tanto?

—Corta el rollo —dijo su padre al entrar—. ¿Qué has encontrado? ¿Y qué hacías jugando al señor agente secreto en el restaurante de Lenny, escondiéndote detrás del perchero?

Lane respiró con fuerza. Tendría que haberlo sabido. A Monty no se le escapaba nada.

—Estaba tanteando el terreno, tratando de averiguar de qué aspecto de la investigación hablabais vosotros dos.

—En otras palabras, se trata de Hayek. Perfecto. Ya me lo contarás cuando estés preparado. Pero que sea pronto. —Monty no se inmutó—. Vuelvo a mi primera pregunta. ¿Qué has encontrado?

—Dame un respiro, Serpico —contestó Lane, entornando los ojos—. Acabo de terminar de convertir tus preciados negativos en pepitas de oro. No he tenido tiempo de hacer otra cosa que asegurarme de que el escaneo ha sido de alta calidad.

—¿Cuánto tendremos que esperar para conseguir las respuestas que buscamos?

—Esto no es como las Polaroid, Monty. No se revelan en tres minutos.

—Vale. Te daré cinco.

—Hombre, se agradece. Te diré una cosa. En lugar de acosarme, ¿por qué no haces algo útil? Puedes salir a buscar comida. Y trae tres tazones grandes de café para cada uno. Será una noche larga.

—Estupendo. —Monty volvió a fruncir el ceño, esta vez más pronunciadamente que la anterior—. Será mejor que llame a tu madre y le diga que esta noche no iré a dormir. Estará mosqueada, y será culpa tuya. Tampoco me olvidaré de decirle eso.

—Me perdonará —dijo Lane, como si no le importara—. Soy su hijo preferido.

—Eres su único hijo.

—Es verdad. En cuanto a ti, no sé si tendrás tanta suerte.

—¿Por qué? Soy su único marido.

—Sí, pero si no le llevas su bocadillo de pastrami y el estofado de hígado de Rhoda, te hará dormir en el sofá del salón una semana entera.

—No hay de qué preocuparse. Volví a casa después de comer e hice entrega de los manjares de Lenny. Tu madre los encontrará en la nevera cuando llegue a casa.

—Ah, entonces todavía tienes esperanzas —dijo Lane, señalando la puerta de entrada con el pulgar—. Basta de bromas. Tú, ve a buscar la cena y el café. Yo, volveré al laboratorio. Tenemos mucho trabajo por delante. Cuanto antes empecemos, más pronto tendremos las respuestas.

Morgan acababa de poner un plato de Lean Cuisine en el microondas cuando sonó su teléfono. Cogió el auricular en el momento en que el horno empezó a ronronear.

—¿Hola?

—¿Morgan?

—Sí. ¿Quién es?

—Soy Charlie Denton. Sólo quería cerciorarme de que estabas bien.

Morgan se detuvo cuando iba a coger una manopla.

—¿Por qué no habría de estarlo?

—El atropello con fuga en Madison. Seguro que lo habrás visto en las noticias de la tarde. La víctima ha sido Rachel Ogden. He pedido una copia del informe de la policía. Dice que Karly Fontaine es la persona que llamó para dar aviso.

—Sí, lo sé. Es una situación muy trágica. Rachel ha tenido que pasar por el quirófano y tardará meses en volver a ser la misma. Y Karly, ha quedado muy mal. He hablado con ella, y está bastante traumatizada.

—Seguro que sí. Pero, y tú, ¿qué tal estás?

—¿Yo?

—Morgan, eres el denominador común en esta historia. Eso me preocupa. Piensa en ello. Dos de tus clientes, las dos exactamente en el mismo punto, exactamente a la misma hora. Y no sólo eso, sino que resulta que es exactamente el momento en que un conductor loco aparece a toda pastilla por una esquina y se lleva por delante a una de ellas.

—Es una coincidencia horrible, estoy de acuerdo, pero...

—Coincidencias como ésas no ocurren.

Morgan se dejó caer en una silla.

—¿Qué estás insinuando? ¿Crees que se trata de algo personal?

—Quizá. Puede que haya sido una advertencia.

—¿Una advertencia? —Morgan intentaba asimilar lo que le decía Charlie—. ¿Cómo es posible que una agresión contra una de mis clientas sea una advertencia para mí? ¿Por qué habría de establecer yo esa relación a la que aludes?

—¿Con quién tenía que reunirse Rachel?

Siguió una pausa tensa.

—Conmigo.

—Correcto. Lo cual quiere decir que no tardarías en enterarte del... llamémosle accidente. En cuanto al hecho de que Karly estuviera presente, pienso que alguien se ha tomado mucho trabajo para familiarizarse con los trayectos de las dos mujeres. Su objetivo era enviarte un mensaje. Si eran dos clientes, existía el doble de posibilidades de que te dieras cuenta de que el mensaje iba dirigido a ti.

—¿Y qué mensaje sería ése?

—Que lo dejes correr. Que *yo* lo deje correr. No tengo una respuesta concreta que darte. Pero el momento, las mujeres implicadas, el hecho de que yo haya pasado dos noches con esas mujeres, una después de la otra, sumado a que estoy haciendo averiguaciones en la Oficina del Fiscal del Distrito, haciendo preguntas delicadas, quizás acercándome a la línea roja de alguien... ¿a ti no te parece una extraña coincidencia? Porque a mí sí me lo parece, sin lugar a dudas. Me dice que a alguien no le gusta la dirección que hemos cogido, o que estamos a punto de encontrar.

Morgan había empezado a temblar.

—Entonces, ¿piensas que esto ha sido un plan? Alguien sentado en una furgoneta esperando a que apareciera Rachel para atropellarla. Si así fuera, ¿por qué escoger a una de mis clientas? ¿Por qué no ir a por el oro y atropellarme a mí?

—Porque es un tío listo. Los criminales inteligentes no son tan obvios. Son sutiles. Hacen algo lo suficientemente personal para que se les entienda, y que no sea demasiado explícito como para despertar el interés de la policía. En este caso, habiéndose reabierto el caso de tu padre, atropellarte a ti sería como agitar una bandera roja delante de un toro.

—¿De verdad piensas que...? —A sus espaldas, el microondas inició su rítmico pitido para anunciar que había terminado de cocinar el plato de Lean Cuisine. Morgan casi no lo oyó—. Charlie, me estás asustando.

—No era ésa mi intención. Pero soy un abogado de la acusación. Las coincidencias improbables las veo enseguida. Y si hay una posibilidad de que tenga razón, si alguien intenta intimidarte, tenía que decírtelo para asegurarme de que te encontrabas bien, y advertirte de que tengas cuidado.

—Creo que debo darte las gracias.

—Cierra bien la puerta y conecta la alarma. Entretanto, yo seguiré trabajando en esta línea. Veré qué otras cosas puedo averiguar y te llamaré mañana, ¿de acuerdo?

—De acuerdo.

Charlie percibió el timbre asustado de su voz, y reaccionó.

—Venga, Morgan, tú, aguanta.

—Lo intentaré.

Capítulo 15

Lane y su padre estaban en la cocina terminando de comer los burritos y tragándose uno de los enormes tazones de café cuando sonó el móvil de Monty.

Miró su reloj. Las diez y cuarto. Lo bastante tarde para que la llamada fuera importante. Y no tan tarde como para pensar que hubiera algún problema.

Pulsó la tecla de *Responder*.

—Montgomery.

—Detective Montgomery… hola. Soy Morgan Winter.— Parecía sorprendida de oírlo, en vivo y hablando con ella. Era evidente que esperaba que saltara el buzón de voz.

También parecía nerviosa.

—Espero que no sea demasiado tarde.

—No, es un momento perfecto —le aseguró él—. He estado reposando el culo…, perdón, el trasero, en una silla. Lo tengo entumecido.

—Sentado. Entonces estará por ahí, relajado, con su mujer. Por favor, pídale que me disculpe. No tenía intención de estropearle la velada.

—No hay de qué preocuparse. No estoy en mi casa, sino en la de Lane. Estamos revisando… o, más bien él está revisando los negativos escaneados. Yo sólo miro esperando encontrar algo que esté fuera de lugar.

—¿En casa de Lane? ¿Eso no queda cerca de la mía?

—No demasiado lejos.

—¿Lo bastante cerca como para pedirle que pase un momento?

—¿Ahora?

—Si es posible.

Monty entrecerró los ojos.

—¿Va todo bien?

Siguió una pausa nerviosa.

—No estoy segura. Puede que sea una reacción exagerada. Pero me sentiría mejor si se lo cuento y usted me da su opinión. Y ya que todavía no ha salido de la ciudad... —Siguió otra pausa—. En realidad, es ridículo. Es tarde. Usted y Lane están trabajando, en mi caso, por cierto. Así que olvide que he llamado. Volveremos a hablar mañana por la mañana.

—Voy a coger mi chaqueta —interrumpió Monty—. Me vendría bien un poco de aire. Y Lane estará encantado de no tenerme encima durante un rato. No tardaré en llegar. —Apagó el móvil, alzó la cabeza y se encontró con la mirada de Lane. Su hijo se había girado en el taburete de la cocina y lo miraba con un dejo de perplejidad, y con algo que era más que simple preocupación.

—¿Qué ocurre?

—Ni idea. Pero sea lo que sea, Morgan está asustada. Voy a ir de una carrera y averiguar qué ocurre.

—Iré contigo.

—No, no irás conmigo. Volverás a tu laboratorio y mirarás esos negativos hasta que encuentres algo que me puedas comentar.

Lane iba a protestar cuando sonó el timbre.

—Maldita sea —farfulló, mientras se ponía de pie—. No tiene sentido discutir, porque no puedo salir. Es Jonah. Había olvidado completamente que venía.

—Es un poco tarde para una sesión con el aprendiz, ¿no te parece? —Monty parecía contrariado—. Por lo demás, aunque el chico me cae bien, no quiero que te distraiga del trabajo de escaneo.

—No me distraerá. Será rápido. Ha acabado de revelar las fotos que tomó hoy de Arthur Shore, y tiene muchas ganas de que les eche una mirada —dijo, frunciendo el ceño pensativamente—. Además, tengo la impresión de que alguien le ha contado algo y quiere hablarme de ello.

—Entonces, me voy —dijo Monty, que ya iba hacia la puerta. Cruzó el salón, tiró de su chaqueta que colgaba de una percha y se la estaba poniendo cuando Lane le abrió la puerta a Jonah.

—Hola —saludó Lane—. Adelante.

Jonah se quedó en la puerta, mirando de Lane a Monty.

—Hola, detective Montgomery —dijo, y se movió nerviosamente en su lugar—, si es un mal momento, puedo volver en otra ocasión.

—No es para nada un mal momento —le aseguró Monty—. Tengo que salir. Volveré más o menos en una hora. Eso te dará tiempo de hablar con Lane antes de que yo vuelva y lo arrastre de vuelta al trabajo.

—Gracias.

Monty se subió la cremallera de la chaqueta y le lanzó a Lane una mirada cargada de intenciones.

—No tardaré. Vuelve a esas fotos en cuanto puedas.

—De acuerdo —dijo Lane, y cerró la puerta cuando su padre salió.

—Lo siento —se disculpó el chico, sacudiéndose la nieve de las botas—. Espero que tu viejo no se haya mosqueado.

Lane lo miró con una mueca de sonrisa.

—Ésa no es la voz que tiene mi padre cuando está mosqueado. Era su voz de Dick Tracy. Ha cogido la directa de tienes-que-re-solverlo-ya. No te lo tomes como algo personal —le dijo, y le tendió el brazo—. Dame tu anorak y siéntate dónde quieras, pero que no sea en el laboratorio, que es un caos.

—Y está prohibida la entrada. Ya lo entiendo. —Jonah se quitó el anorak, a la vez que sacaba un sobre y se lo entregaba a Lane—. Aquí están las fotos. Tengo fotos del congresista en sus reuniones, con sus electores, incluso en su despacho. Creo que hay unas cuantas que están bien. Pero quisiera tu opinión.

—No hay problema —respondió Lane, que había cogido el sobre—. Aunque estoy seguro de que has hecho un buen trabajo.

Ahora, hablemos de eso a lo que le estás dando tantas vueltas. Me dio la impresión de que tenías algo en la cabeza que iba más allá de mi opinión profesional sobre tu trabajo.

Jonah asintió y se dejó caer en el sofá.

—Hoy he tenido una experiencia curiosa en el despacho del congresista Shore. Necesito que me aconsejen. Que me den una perspectiva. Algo que me dé certeza.

—Te escucho —dijo Lane, apoyado en la pared y de brazos cruzados.

—Como decía, he tomado unas fotos del congresista en su despacho. Eran sobre todo fotos informales, con su equipo. Y luego hice un zoom de una colaboradora en concreto, Heidi Garber. Tiene unos veintitrés años, es muy fotogénica y tiene una excelente relación con el congresista. Estaban hablando, revisando el programa de trabajo. El momento captaba un aspecto de él que estaba bien. Cálido. Cercano a los miembros de su equipo. Así que tomé unas seis o siete fotos seguidas. Estaba en ello cuando entró la señora Shore. Creo que se molestó; me dijo que escogiera otro ángulo. No soy tonto. Ya sé a qué se refería. Pero no sé bien cómo tengo que manejar algo así. Es mi primera tarea importante, y no quiero estropearla. ¿Crees que la he estropeado?

Lane sintió una oleada de simpatía por Jonah. Esa mirada incierta, su manera de mover la pierna sin parar; todo aquello sólo servía para recordarle que su ayudante no era más que un adolescente inseguro poniéndose a sí mismo a prueba. Y luego iba y se encontraba en medio del drama personal de Arthur Shore, una situación que no era nada fácil.

—No has estropeado nada —le aseguró—. Puede que Elyse Shore sea muy sensible a propósito de ciertos asuntos en torno a la figura de su marido, pero es una buena mujer. Ahora está en plan relajada y optimista. No creas que saboteará tu trabajo ni te lanzará una llave inglesa... a menos que la hayas insultado. ¿La has insultado?

—Eso creo —dijo Jonah, sacudiendo la cabeza—. Estaba tan asombrado que no atinaba ni a hablar. Lo bueno es que creo que ni siquiera se dio cuenta. Se dio media vuelta y salió de ahí en cuanto vio que su marido no paraba de hablar con Heidi.

—Entonces diría que estás a salvo.

—Eso espero. —Jonah se removió en su asiento—. Cuesta imaginarse a la señora Shore como una persona relajada. Se le notaba bastante tensa cuando me dijo que cambiara de perspectiva. Y su manera de mirarme al salir era cualquier cosa menos optimista. Parecía abatida, y no quiero decir físicamente.

—Sé a qué te refieres —dijo Lane, interrumpiéndolo—. Y has hecho lo correcto al mantenerte al margen de la cuestión. Te daré un consejo, válido tanto para el juego como para el trabajo: nunca te metas en medio de una relación. El único que saldrá escaldado serás tú.

—Lo recordaré —dijo Jonah, que parecía aliviado—. En cualquier caso, después de eso, cambié el ángulo. Tomé unas cuantas fotos del congresista en su mesa de trabajo. Son menos vistosas a primera vista, pero mucho más seguras.

—Déjame verlas —dijo Lane, con una risilla. Abrió el sobre y sacó las fotos que Jonah había revelado. El chico tenía talento, eso era evidente. En un par de carretes había captado la esencia del tema «Congresista Shore se gana la fe, el apoyo y los corazones de sus electores».

—Son excepcionales —le dijo Lane a su ayudante—. Tienes verdadero talento, Jonah. No dejes que nadie te diga lo contrario.

—Gracias. —Jonah por fin respiró tranquilo, con una mirada de orgullo y placer en sus ojos—. Que lo digas tú significa mucho.

—También significa que seguirás trabajando en este proyecto, si quieres.

—¡Dices que si quiero! ¿Me estás tomando el pelo? Sólo tienes que decirme lo que necesitas y estará hecho.

—Me gusta tu entusiasmo. Además, creo que estaría bien que desplegaras tus alas. La fotografía es un campo enorme, y sería un error por mi parte no señalártelo. Hay miles de opciones profesionales. El reportaje periodístico es sólo una de ellas, sobre todo teniendo en cuenta los otros talentos que aportas. Tus aptitudes técnicas están por encima de lo normal, no sólo detrás de la cámara, sino también con el ordenador, y en el laboratorio. Tienes que explorar todos los caminos.

En lugar de hincharse con aquellos elogios, Jonah hizo una mueca.

—¿No estarás hablando de apuntarme a más cursos, no?

—No —dijo Lane, pensativo—. No pensaba en una formación en las aulas. Por ahí vas bien. Pero hablando de la escuela, ¿qué horario tienes esta semana? La escuela de Brooklyn Tech hace vacaciones de Navidad, ¿no? —preguntó, y esperó a que Jonah asintiera—. Bien. Porque eso tiene que ver con lo que había pensado. ¿Qué te parecería venir conmigo a andar camino, como se dice? O a volar, en este caso… a Colorado y los Poconos.

Jonah se incorporó de un salto.

—Dime cuándo y ya habré hecho el equipaje.

—Mañana. Pero, desde luego, necesitaré un permiso de tus padres. Sólo serán un par de días, y estarás bajo mi supervisión en todo momento. Y, antes de que preguntes, no saltarás en paracaídas ni irás a hacer heliesquí. Sólo tomarás fotos del congresista en tierra y en el aire cuando se lance conmigo.

—Lo soportaré. —Jonah guardó silencio, y su emoción desapareció cuando algo le vino a la cabeza—. Espero que mis padres digan que sí. Tenemos problemas muy gordos en casa en estos momentos.

—¿Ah, sí? —dijo Lane, arqueando las cejas. Era la primera vez que Jonah mencionaba algo personal acerca de su vida en familia. Lane sabía que los Vaughn vivían en el barrio de Sheepshead Bay, en Brooklyn, que el padre de Jonah era mecánico y la madre empleada en un hospital. No los conocía; sólo había hablado por teléfono, una llamada de cortesía cuando Jonah empezó a trabajar para él. Parecían una pareja normal y cariñosa que hacía preguntas y expresaba el orgullo que sentía por su hijo.

Era evidente que aquello «gordo» que ocurría ahora le preocupaba. Lane no quería portarse como un intruso, pero tampoco quería darle a Jonah la impresión de que no le importaba.

—¿Es algo de lo que quieres hablar? —preguntó, con mucho tacto.

En lugar de cerrarse, Jonah pareció indeciso, como si quisiera abrirse, pero no estuviera del todo preparado.

—Quizá más tarde. —Su respuesta confirmó sus sospechas—. Ahora mismo intento aclararme yo mismo. —De pronto levantó la mirada—. No estoy metido en ningún lío, si eso es lo que te preocupa.

—No es eso. Si quieres que te diga la verdad, lo que me preocupa es que pueda ser un problema económico.

—Gracias, Lane, te lo agradezco mucho. Pero no, no es por cuestiones de dinero. Es acerca de mí, de quién soy. Tengo que asumir unas cuantas historias. Y mis padres también —dijo, y se frotó la nuca—. Pero, oye, tengo muchas ganas de acompañarte en esos viajes. Y de todos modos, un par de días no cambiará nada.

Lane pensó en su respuesta mientras lo miraba. Cualquiera que fuera la crisis de identidad que vivía Jonah, necesitaba algo sólido y real en que apoyarse. Y, en este caso, era la fotografía.

—¿Qué te parece si llamo a tus padres? —sugirió Lane—. Les hablaré de esta oportunidad y les explicaré que un crédito en *Time* podría proporcionarte una beca. ¿Crees que eso serviría?

—Sí —dijo Jonah, respirando hondo—. Sí, creo que sería de gran ayuda. En realidad, creo que con eso me bastaría para que me dieran la luz verde.

—Considéralo hecho —dijo Lane, y miró su reloj—. Diablos, son las once. Tú tienes que volver a casa y yo tengo que volver al trabajo. Tengo muchas cosas que revisar antes de partir a Colorado. Así que llamaré a tus padres mañana temprano.

—Mi padre entra a trabajar a las siete —le informó Jonah—. Mi madre llega al hospital a las ocho. En casa estamos todos despiertos a las seis.

—De acuerdo. Llamaré a las seis y media. Así, tus padres tendrán un rato para despertarse. Y a ti te dará tiempo suficiente para preparar tus cosas. No saldremos hasta las diez.

—Estupendo —dijo Jonah, y cogió su anorak—. Entonces, ¿hablaremos por la mañana?

—Sí, y trae ropa gruesa. En las montañas San Juan hará mucho frío.

Morgan oyó que llamaban a su puerta. Se acercó rápidamente por el pasillo, aunque no tenía la menor intención de quitar el candado hasta saber quién estaba al otro lado.

El detective Montgomery le ahorró la pregunta.

—Soy Pete Montgomery —anunció.

Agradecida, le abrió y lo hizo pasar.

—Le agradezco que haya venido. Me siento como una tonta molestándolo a estas horas de la noche.

—No ha sido ninguna molestia, en caso de que tenga un poco de café —dijo Monty, que ya se había quitado el anorak.

—Ya esta hecho —dijo Morgan, que consiguió sonreír. Colgó la chaqueta de Monty y lo condujo hasta la escalera. Vayamos a la sala de la segunda planta. Es más cómoda y está al lado de la cocina, lo cual significa que está cerca de la Impressa.

—¿La qué?

Esta vez, Morgan sonrió de buena gana.

—La Impressa. Mi cafetera super elite. Prepara cualquier cosa, desde un *expresso* hasta un capuchino. —Morgan iba por delante, y apenas se giró para mirarlo—. No se preocupe. He pensado que usted no era del tipo capuchino, así que he preparado café normal.

—Me parece bien —dijo Monty, siguiéndola escalera arriba. Iba bastante acelerado por el café que ya había bebido, y todavía quería más—. La cafeína es buena para los polis y los investigadores privados. Nos mantiene el cuerpo y la mente sobrerrevolucionados.

—Dudo que lo necesite. Yo diría que en usted es algo natural. —Morgan invitó a Monty a entrar en la sala de estar y se ausentó el tiempo justo para ir a buscar una cafetera humeante—. Aquí tiene.

—Gracias. —Monty se sentó en el borde del sofá y tomó un sorbo—. Negro y fuerte, como me gusta a mí.— Alzó el mentón y la miró como sondeándola—. Cuénteme, ¿qué es lo que la ha asustado tanto?

—Un par de cosas. —Morgan se hundió en el sillón frente a él y cruzó las piernas—. ¿Ha oído lo de la persona que atropellaron en Madison y el conductor que se dio a la fuga?

—Sí, por la radio —dijo Monty, con una mueca—. Cuando eso ocurre en el barrio este de Nueva York, ni siquiera lo dan en las noticias de las once. Ahora bien, cuando ocurre en un barrio elegante del centro, lo ponen en todas las cadenas a las cinco. Vaya uno a saber —dijo, entrecerrando los ojos—. ¿Por qué? ¿Conocía a esa mujer?

—Es clienta mía. Y la mujer que llamó para informar del accidente también.

—Interesante —dijo Monty, sin inmutarse—. Continúe.

Morgan le dio todos los detalles del caso.

—Rachel se pondrá bien. Al principio, era en lo único en lo que pensaba. Jamás se me ocurrió que fuera una coincidencia deliberada. Y luego recibí una curiosa llamada de Charlie Denton.

—¿Denton? ¿Qué tiene que ver él con todo esto?

Fue la pareja que elegí para Karly y Rachel. Estuvo con ellas este fin de semana. El hecho de que fueran precisament estas dos mujeres las afectadas por el mismo accidente, sumado al hecho de que Charlie está investigando algunas cosas para mí, le hace pensar que podría ser una especie de mensaje con el que me advierten que lo deje correr.

—¿O puede que se lo estén diciendo a él?

—¿En este caso, no sería lo mismo?

—No necesariamente —dijo Monty, sacudiendo la cabeza—. Denton es un abogado de la fiscalía. Tiene enemigos, como los tenía su padre. Puede que uno de ellos le haya seguido los pasos y haya decidido atentar contra las mujeres con que sale. Me pregunto por qué no habrá pensado en esa alternativa, a menos que tenga un motivo para no hacerlo.

Morgan contestó enseguida.

—¿Cree que Charlie sabe algo que no está dispuesto a compartir? —No esperó la respuesta—. Yo pienso lo mismo. De hecho, él mismo casi lo ha reconocido. Cada vez que lo presiono, se niega a hablar, me pide que tenga paciencia y que le dé tiempo y espacio.

—Entonces dele el tiempo y el espacio que pide. Mantenga esa relación con él en un plano sólido y positivo. Deje que yo sea el tipo malo. O el congresista Shore, si llegara el caso. Espero que no. Un enfrentamiento directo sería nuestra peor opción. Nos irá mucho mejor si nos lo tomamos con calma. Presionando a Denton sólo conseguiríamos mosquearlo o asustarlo, y lo necesitamos de nuestro lado.

—Pero está reteniendo información confidencial…

—Puede que tenga buenos motivos para hacerlo —dijo Monty, acabando la frase en su lugar—. Recuerde que el tipo anda metido entre todos esos papeles, intentando abrirse paso en un campo minado. Es un trabajo difícil. Por lo que sabemos, es un hombre leal a su padre y a usted… a menos que demuestre lo contrario —dijo Monty, y quedó pensativo—. Veamos si puedo conseguir alguna respuesta de una fuente diferente.

—¿Cómo quién?

—Como que deje usted que yo me ocupe de eso. —Monty alzó la cabeza y paseó una mirada curiosa por la sala, como si se hubiera dado cuenta de que faltaba algo—. Hablando de Jill, ¿dónde está? Creí que había dicho que estaba en casa.

—Y lo está. —Morgan asintió con la cabeza—. Es su hora de yoga. Está arriba, concentrándose —dijo, con un suspiro—. Jill tiene una manera formidable de relajarse. Ya me gustaría poder hacer lo mismo. No tengo demasiado éxito cuando se trata de encontrar la paz interior.

—Ya le entiendo. Mi mujer siempre intenta reformarme. No es del tipo yoga, pero le fascina la vida al aire libre. Se encuentra a sí misma caminando, haciendo cámping o montando a caballo. Desde que volví, salimos a dar largos paseos. Ella dice que son buenos para recuperar la energía, física y mental.

—¿Y?

—Y a mí me gusta. Hacen que me circule la sangre y me dan una oportunidad para salir a la nieve con Sally. En cuanto a lo de recuperarse, sólo me sienta bien físicamente. Mi mente funciona con su propio engranaje.

Morgan sonrió, se inclinó hacia adelante y dejó descansar el mentón en la palma de la mano.

—Lane se le parece bastante, ¿no?

—Me temo que sí.

—Tiene dos aspectos —siguió Morgan, como si se hablara también a sí misma—. Tiene un lado cálido, perspicaz y carismático.

—Y el otro, independiente, testarudo y temerario.

—Exactamente. —Al darse cuenta de lo brusco que había sonado eso, Morgan lo miró como arrepentida—. Lo siento. Ha sido un poco grosero.

—Qué va, es la verdad —dijo Monty, encogiéndose de hombros—. Lane es un tipo complejo, pero conseguirá lo que quiere. Sólo necesita entender el por qué.

Antes de que Morgan pudiera contestar a ese críptico comentario, sonó el móvil de Monty.

—Qué popular soy esta noche —dijo, mirando el número en la pantalla—. Ah, hablando del diablo —continuó, y pulsó la tecla para contestar—. ¿Lane? ¿Has encontrado algo? —Monty entrecerró los ojos—. Ya. No hay grandes sorpresas. Habría que preguntarse si nos muestran algo que sea significativo. Vale, sigue trabajando. Volveré pronto. Sí, está bien. Está un poco asustada por algunos curiosos acontecimientos. Sí, claro, no cuelgues —dijo, y le pasó el móvil a Morgan—. Quiere hablar con usted.

Morgan se llevó el móvil a la oreja.

—Hola, al parecer sigues trabajando.

—Como un esclavo. Sólo quería saber cómo iba todo. ¿Estás bien?

—Sí. Tu padre ha conseguido dominar mi pequeño drama.

—¿No es nada grave?

—Sólo una pieza más del rompecabezas.

—Monty lo resolverá.

—Lo sé. Con tu ayuda.

—Cuenta con ello. —Lane respiró hondo—. Escucha, ¿sabías que mañana me voy con Arthur a Colorado?

—Sí, Jill me lo ha recordado.

—Volveremos el miércoles. ¿Estás libre para ir a cenar?

Morgan apenas sonrió.

—Seré un aburrimiento para ti, después de haberte pasado el día esquiando en las alturas.

—No estoy de acuerdo. Serás una fuente de grata inspiración.

Aquel carisma la desarmaba, se la llevaba por delante. Era casi imposible resistirse a Lane Montgomery cuando estaba en vena.

—En ese caso, sí, estoy libre.

—Ya no. Estás ocupada durante todas esas horas.

—Ah, ¿tú eres el «ocupador»? ¿Es una orden o es una pregunta?

La risilla de Lane le hizo cosquillas en la oreja.

—Tienes razón. Empezaré de nuevo. ¿Te gustaría cenar conmigo el miércoles por la noche? Me agradaría mucho. Incluso puedes elegir el restaurante.

—Es un buen aliciente. Me encantaría.

—Excelente. ¿Te parece bien si te llamó a una cierta hora? Tendré una idea más clara de lo que pasará el miércoles cuando tomemos el avión de vuelta. Entonces me dirás dónde quieres cenar y yo haré la reserva.

—Por mí, bien. Hablaremos el miércoles. Diviértete —dijo, y miró a Monty sin saber qué hacer—. ¿Quieres hablar con tu padre? —preguntó.

—Dile que me llame cuando vuelva. Hablaremos mientras viene de camino.

—¿Hay algo de qué hablar?

—No estoy seguro. Dejaré que te lo explique Monty. Buenas noches, y cuídate.

—Lo intentaré. —Morgan pulsó la tecla *END* y le devolvió el móvil a Monty—. Dice que lo llame en el camino de vuelta a su casa.

—De acuerdo.

—También me ha dicho que me contaría por qué lo ha llamado.

Monty frunció una oscura ceja.

—¿Yo? Qué curioso, me ha dado la impresión de que la llamaba a usted.

Morgan no quiso morder el anzuelo, aunque sintió el rubor de las mejillas.

—¿Qué ha encontrado Lane?

—Otro negativo —dijo Monty, pensativo—. Ya veremos si resulta interesante o no.

—No lo entiendo —dijo Morgan, enseñando las palmas de las manos—. ¿Qué quiere decir otro negativo? ¿De dónde ha salido?

Monty se encogió de hombros.

—Puede que no lo revelaran hace diecisiete años porque no era lo bastante claro, pero ahora la tecnología ha cambiado mucho. También podría ser que se pareciera tanto a otro que pensaran que era un duplicado. O que lo revelaran, pero que la foto se perdiera en otra carpeta, o que algún poli la birlara para su colección privada. Ya sé que parece una locura, pero ocurrió. Lo importante es lo que Lane pueda sacar de él, si es que hay algo.

Morgan no desvió la mirada.

—¿Es una foto de mis padres?

—Sí.

Ella asintió con un gesto tenso pero decidido.

—Tengo que ver esas fotos. Veámoslas mañana, mientras Lane no esté y no tenga que trabajar con ellas.

—¿Está segura?

—Decididamente. Ya es hora de que usted y yo tengamos esa conversación en profundidad que usted sugería. Lo haremos todo de una sentada. Las fotos, la carpeta con los archivos del caso y el sondeo de mis recuerdos de la infancia. Si tengo información que no sé que tengo, ha llegado el momento de descubrirlo.

Monty apretó los labios hasta convertirlos en una línea triste.

—¿Ha hablado con su psiquiatra acerca de esto? ¿Piensa que es una buena idea? ¿Qué está preparada?

—Está de acuerdo en que es necesario. —Morgan sonrió sin ganas—. Estará pendiente por si acaso me desmorono. Pero eso no ocurrirá.

—No lo creo. De acuerdo. Encontraremos un momento mañana.

—Estoy a su disposición. ¿Por la mañana o por la tarde?

—Hagámoslo por la tarde. A lo largo de la mañana, averiguaré algo acerca de ese accidente.— Monty guardó silencio—. Hablando de la noche, entiendo que se verá con Lane el miércoles por la noche.

—Vamos a cenar. Pero no se preocupe. Lo mandaré de vuelta al laboratorio fotográfico.

—Eso no es lo que iba a preguntarle. —Siguió otra pausa mientras él la escudriñaba—. Parece que hay bastante química entre usted y mi hijo.

Aquel comentario la cogió por sorpresa.

—Yo... —balbuceó, y volvió a sonrojarse—. ¿Representa algún tipo de problema?

—Para mí, no. No de la manera que usted insinúa —dijo Monty y despachó su incomodidad con un gesto de la mano—. Lo siento. No he sabido expresar bien mi comentario. Yo no escojo las mujeres con las que sale Lane. Hace siglos que dejé de hacerlo. Tiene treinta y tres años, y hace tiempo que no me meto en su vida personal —dijo, con un amago de sonrisa—. En realidad, es una posición curiosa y un poco paradójica para mí.

—No le entiendo.

—Soy muy protector con mis hijas; las dos le dirían que demasiado. Su madre estaría de acuerdo. Debería ver cómo puse a prueba a mi yerno antes de darle mi aprobación a su relación con Devon. Y mi otra hija, Meredith, tiene un novio y no estoy nada contento. Acaba de cumplir veintidós años, demasiado joven para liarse con un tío.

—Déjeme adivinar —dijo Morgan, con una leve sonrisa—. Ha tenido un doble rasero cuando se trataba de su hijo.

—Más o menos. Tenía los mismos valores, pero me preocupaba menos. Hasta ahora.

—¿Le preocupa Lane porque está saliendo conmigo?

—No, al revés. No es Lane el que me preocupa. Es usted. No

quiero que acabe mal. También se lo he dicho a él, y se lo he dejado muy claro. —La miró con una sonrisa torcida—. Ya le decía que era una situación rara.

Morgan se sintió emocionada de una extraña manera. Las vidas de ella y del detective Montgomery se habían cruzado hacía diecisiete años, y ahora volvían a hacerlo. Sin embargo, él había tenido un comportamiento paternal con ella desde el primer día. Y lo curioso era que ella no sólo le entendía, sino que le correspondía en ese sentimiento. El vínculo que habían forjado la noche en que habían matado a sus padres, su manera de confiar en él y de respetarlo, su manera de buscarlo cuando necesitaba ayuda... Pete Montgomery era decididamente una figura paterna para ella. No como Arthur, quien la había criado desde los diez años, sino de una manera diferente y difícil de describir.

—Entiendo —dijo, escueta. Pensando en lo que había dicho Morgan, le preguntó—: ¿Y consiguió asustarlo?

Él le respondió frunciendo el ceño.

—Usted ha hablado con él. ¿Le ha dado la impresión de que lo asusté?

—Supongo que no.

—Y supongo que se alegra de ello —siguió Monty, decidiendo que no era necesaria una respuesta—. De acuerdo. Me siento aliviado de saber que las vibraciones que he captado son mutuas. Así que yo me aparto —dijo, y siguió una pausa—. Casi. Antes, un consejo. Mantenga los pies en la tierra. También tiene una mente rápida y una lengua afilada. Con eso pondrá a mi hijo en su lugar.

—Vale —dijo Morgan, divertida—. ¿Alguna otra cosa?

—No, eso lo cubre todo.

—Entonces, está a salvo. No soy del tipo que se deja arrebatar. Ni siquiera por un seductor como su hijo. —Morgan se volvió pensativa—. Para ser franca, creo que el miércoles por la noche me sentará bien. Lane sabe cómo distraerme para no dejar que me obsesione en mis momentos más negros. Y pensando en la tarde que nos espera a usted y a mí mañana, en las cosas que indagaremos, creo que una distracción no sólo nos vendrá bien, sino que será indispensable.

La frente de Monty se pobló de arrugas.

—Todavía puede cambiar de opinión respecto a volver a mirar las fotos de la escena del crimen.

—No —dijo ella, negando enérgicamente con la cabeza—. Los dos sabemos que si no escarbamos en el pasado, no conseguiremos las respuestas que necesitamos. Y para mí esa idea es más aterradora que cualquier cosa que tenga que ver mañana.

—Eso no se lo discutiré. —Monty acabó su café y se incorporó—. Tengo que volver a casa de Lane. Nos espera una larga noche.

—Detective... —Morgan no quería que se fuera sin que le prometiera una cosa—. ¿Me llamará si encuentra algo importante?

—Sí, pero no espere milagros en una sola noche. Lane me lo ha dicho varias veces: su trabajo es un proceso largo, preciso y detallado. Así que usted y yo tendremos que armarnos de paciencia. Si descubrimos algo, lo sabrá de mí más temprano que tarde. También la llamaré por la mañana si averiguo alguna cosa acerca del accidente. —Se giró y la miró—. En cuanto a lo de mañana, ¿quiere que nos reunamos aquí, o en un terreno más neutral?

—Más neutral y con menos ajetreo —murmuró Morgan y se cruzó de brazos—. ¿Por qué no voy a su despacho?

—Si puede escaparse, sería más sensato.

—Allí estaré.

Monty asintió y se dirigió a la escalera.

—Y duerma un poco —dijo, por encima del hombro—. Y empiece a comer, o tendré que chivarme a Lenny, lo cual significará que mandará un camión con embutidos y budín de fideos.

—Demasiado tarde. —Morgan lo siguió hasta abajo, sacó su anorak del colgador y se lo pasó—. Arthur ya se ha chivado. Tengo la nevera tan llena que cruje cuando la abro.

—Entonces vacíela comiendo —dijo Monty, con una mirada larga y severa—. Tiene que mantenerse fuerte. No sólo emocional, sino también físicamente.

—Lo sé, detective. Prometo hacer lo que pueda.

—Hágalo. Por cierto, ahora que he metido la nariz en su vida privada y la he reñido por su salud, ¿podemos cortar las formalidades? Llámeme Monty.

Ella se removió en su sitio.

—Será difícil. Es policía y detective. Lo conocí cuando era una niña. Era un personaje de tamaño gigante. Y todavía lo es.

—Interesante. La crió un famoso político. ¿Le llama usted congresista Shore?

Morgan sonrió ligeramente.

—Ya le entiendo. De acuerdo, usted gana, probaré con Monty.

—¿Ve lo fácil que es? —dijo él, poniéndose el anorak—. Cierre con llave cuando salga. Lea un libro. Escuche música. O suba y hable con Jill. Póngase en la posición del sapo, o como se llame. Nos veremos mañana.

En cuanto salió de la casa, Monty no perdió ni un minuto. Marcó el número de Lane mientras caminaba ágilmente hacia su casa.

—Hola —lo saludó su hijo—. ¿Ya vienes?

—Sí. Háblame de ese negativo que has encontrado.

—Como te he dicho, es una foto de los cuerpos de Lara y Jack Winter. Lo bueno es que es bastante nítida, está enfocada en los dos cuerpos, y los técnicos la tomaron antes de que tocaran ni movieran nada. Lo cual significa que tenemos una buena posibilidad de encontrar algo. Si tuviera que escoger un negativo que se hubiera pasado por alto, sería éste.

—En principio, no tendrían por qué haberlo pasado por alto —murmuró Monty—. Fue un estúpido descuido. Lo metieron todo en una caja y la guardaron una vez que Schiller confesó. Eso no debería haber ocurrido nunca.

—No cojas ese camino, Monty. Es una estupidez y un despilfarro de energía. Aunque hubieras seguido cavando, no habrías llegado a ningún sitio. Por aquel entonces no existía esta tecnología para recuperar imágenes. Ahora sí. El caso ha sido reabierto hace menos de una semana y tú ya estás metido hasta el fondo. Deja de repensar el pasado. Lo estás reparando. Acabaremos lo que empezaste entonces.

—Diecisiete años demasiado tarde. Han quedado cicatrices para siempre.

Siguió una breve pausa y Lane carraspeó.

—¿Morgan está bien? ¿Cuál era el pequeño drama del que hablaba?

—Una coincidencia y una manipulación —dijo Monty, y le explicó los detalles—. No tendré problemas para averiguar lo del atropello y la fuga y saber si de verdad fue sólo una coincidencia. En cuanto a Charlie Denton, sabe algo. Sea lo que sea, se lo tiene muy guardado. Eso me molesta, pero no tanto como saber por qué lo hace. Es evidente que protege su propio empleo, y por eso no lo culpo. Pero lo demás está en una zona más turbia. ¿De verdad está de nuestro lado? ¿Qué pretende con todo este secretismo? ¿Minimizar las consecuencias? ¿O se trata de algo mucho más personal, y más feo?

—¿Qué significa eso?

—Quiere decir que Denton trabajaba en la Oficina del Fiscal del Distrito cuando mataron a los Winter. ¿Aquello que esconde tiene relación directamente con él? ¿Lo que quiere es salvar el empleo o salvar el pellejo? —De pronto, Monty cambió de tema—. Hablando del bienestar de Morgan, he oído que le has pedido salir. Así que me he tomado la libertad de darle unos cuantos consejos a propósito de ti. Ahora el terreno está más nivelado, así que me siento mejor.

—¿Qué le has dicho? —preguntó Lane, con un gruñido.

—Que se mantenga un paso por delante de ti. Que mantenga la pelota en su terreno. Que no te deje salirte con la tuya bajo ningún concepto. Lo básico.

—¿Acaso intentas sabotear esta relación?

—No. Sólo quiero asegurarme de que Morgan sepa en qué se está metiendo. Al parecer, lo sabe —dijo Monty, con una risilla—. Tú, por otro lado, te llevarás unas cuantas sorpresas. Despídete de tu ego.

—Gracias por el consejo, pero que sea el último. No te metas.

—Hecho. —Monty dio la vuelta a la esquina—. Casi he llegado a tu casa. Lo cual me recuerda que espero que estés solo.

—Sí, Jonah se ha ido hace un rato. Estaba bastante preocupado. Al parecer, Elyse Shore entró en el despacho de Arthur esta tarde mientras él tomaba fotos del congresista flirteando con una jovencita de su equipo, y no reaccionó demasiado bien. Le soltó un par de cosas a Jonah. La severidad de su reacción me ha sorprendido.

—¿Por qué? No debe de ser muy agradable para ella ver siempre a su marido persiguiendo a otras mujeres, la mayoría de ellas lo bastante jóvenes como para ser hijas suyas.

—De acuerdo. Pero Elyse sabe con quién se ha casado. Además, he visto lo suficiente de ella como para tener una idea de cómo es. Es un espíritu libre, como su hija. También es una mujer tranquila y de trato fácil. Hablarle mal a Jonah no se corresponde con su carácter.

—¿Y él, qué respondió?

—Nada. Ella se dio media vuelta y salió. Lo cual también es raro. Jonah dijo que parecía emocionalmente abatida.

—Primero hostil, luego abatida. Suena como si necesitara un poco de Prozac. —Mientras hablaba, una idea empezó a insinuarse en la mente de Monty—. ¿A qué hora tomó las fotos Jonah?

—No sé, a las tres y media o a las cuatro. ¿Por qué?

—Sólo preguntaba.

Capítulo 16

Conseguir el informe de la policía sobre el atropello con fuga fue la parte más fácil del día de Monty. A la hora en que Lane y Jonah se reunían con Arthur Shore en el jet privado que éste había contratado, él ya se había informado sobre todos los hechos.

La revisión de esos hechos arrojaba datos interesantes.

Según habían averiguado, la furgoneta que atropelló a Rachel Ogden pertenecía a una floristería situada cerca de Union Square. En un momento de descuido, el hombre del reparto la había dejado estacionada en doble fila, con las llaves puestas y el motor encendido, el tiempo necesario para entrar corriendo en un edificio de oficinas y dejar una flor de pascua en la mesa de recepción. Cuando salió, dos minutos y medio más tarde, la furgoneta había desaparecido.

En ese momento, los policías lo habían tratado como un robo de coche. Interrogaron a unas cuantas personas que circulaban por el lugar, ninguno de los cuales había visto gran cosa. Todos habían pensado que el tipo que se llevaba la furgoneta era el mismo que la había conducido hasta allí, hasta que el conductor empezó a gritar que le habían robado la furgoneta. Dos trabajadores de la construcción dieron una descripción no muy feliz del ladrón. Llevaba un anorak con capucha y botas de soldado, era de constitución ligera y ágil.

Para Monty, eso significaba que se trataba de una mierdecilla de chaval, un ladrón más del montón o, si el incidente estaba relacionado con el caso de los Winter, un hombre pagado.

La furgoneta no aportó respuestas. La habían encontrado, abandonada y vacía, en un sórdido barrio del Bronx. La policía había buscado huellas dactilares, pero no encontraron nada que pudiera servirles.

Eso le dejaba a él varias posibilidades de actuación.

Podía interrogar a Rachel Ogden y Karly Fontaine, suponiendo que el médico de Rachel lo dejaría hablar con ella. Apoyarse en sus contactos y entrar a averiguar qué sabía Charlie Denton, suponiendo que supiera algo. O parar y tener una charla con Elyse Shore y ver si su peregrina hipótesis sobre esa curiosa conducta suya tenía algún mérito.

Decidió hacer las tres cosas. La cuestión era saber qué haría primero. Le quedaban cuatro horas antes de que Morgan llegara a su despacho. Cuanta más información pudiera darle, mejor. Por lo tanto, la mejor manera de emplear el tiempo era dedicarlo a asuntos en los que podía avanzar rápido.

Karly Fontaine y Rachel Ogden tendrían que esperar. Y también Charlie Denton. Antes de hablar con las mujeres, sería preferible que Morgan le informara acerca de sus antecedentes y perfiles. Y meterse en los asuntos sucios de Charlie Denton requeriría precaución y sigilo. Además, le llevaría mucho más tiempo, pues habría muchas más capas que pelar.

Pero lo de Elyse Shore, eso era algo que parecía intrigante.

Una vez montada la agenda, hizo unas cuantas llamadas para echar a rodar una bola que llegara a Charlie Denton y luego se dirigió al gimnasio de Elyse Shore, en la Tercera Avenida.

El timbre de la puerta de entrada sonó cuando Monty entró. Pero no había nadie para oírlo. Había demasiado ruido que llegaba del pedaleo de todas las bicicletas estáticas y del rodar de las cintas andadoras, además de la música de fondo de sonoros bajos que marcaba un paso rápido y hacía secretar adrenalina a un grupo de clientes que practicaban aeróbic en una sala acristalada.

Monty paseó la mirada por el lugar y parpadeó. Se sentía como si hubiera entrado en un balneario. Un espacio dedicado a los ejercicios, abarrotado de gente que saltaba, giraba o daba patadas de kickbox, ocupaba la parte trasera del gimnasio. Había un centro de hidromasajes, una sala de yoga, una barra minúscula, y suficientes aparatos para aumentar el ritmo cardiaco y de levantamiento de pesas de todo un equipo olímpico. En el gimnasio dominaban el mármol blanco, los tonos suaves, el blanco ostra, la moqueta para practicar el aeróbic, las esteras de yoga color arena y las paredes de un relajante color aqua.

La clientela parecía salida de las páginas de una revista de moda. Las mujeres eran delgadas y de contextura firme, los hombres tenían marcados músculos abdominales, y los instructores y monitores eran auténticos personajes de una publicidad para un programa de mantenimiento físico.

Monty pensó que se alegraba de haberse mantenido en forma y de que todavía cumpliera a diario con su régimen de ejercicios. A un tipo con barriga probablemente lo habrían abatido de un disparo nada más entrar.

Miró por la sala y vio a Elyse Shore, de pie junto al largo mostrador curvo de la recepción, hablando con un cliente. Llevaba pantalones negros de yoga, un body de licra que hacía juego, y una toalla húmeda alrededor del cuello. Al parecer, acababa de terminar una clase. Estupendo. Había calculado el momento a la perfección.

Ella no lo vio enseguida, lo cual le dio la oportunidad para observarla durante unos minutos.

Jonah no se había equivocado. Se le veía tensa. Y también cansada, con unas marcadas ojeras que asomaban por debajo de su maquillaje perfecto. No era sólo cansancio. Era algo más, y permanecía bien oculto. Dolor. Resignación. Si él tuviera que adivinar, diría que había estado llorando. Los ojos le brillaban y la piel alrededor estaba ligeramente irritada.

Ella debió de sentirse observada, porque giró la cabeza en su dirección y parpadeó, como sorprendida. La fachada volvió a adueñarse de su semblante, aunque seguía revelando algo de tensión y ansiedad. Se disculpó con el cliente y se acercó a Monty.

Su primera pregunta le reveló a éste la fuente de su ansiedad.

—Detective... ¿A qué se debe su visita? ¿Morgan se encuentra bien?

La preocupación de una madre. Aquello era perfectamente comprensible, dadas las circunstancias.

Tal vez algo más que natural, dependiendo de lo críticas que fueran las circunstancias.

—Morgan está bien —le aseguró él—. Sólo quería hablar con usted un momento, si es posible.

—Desde luego. —Elyse no vaciló. Señaló hacia un espacioso despacho en la entrada, un espacio que con su mezcla de mármol y cromo atraía la mirada, y le hizo un gesto para que la siguiera—. Podemos hablar en mi despacho.

Una vez dentro, Elyse cerró la puerta.

—¿Agua? —preguntó, abriendo una pequeña nevera y sacando dos botellas.

—Con mucho gusto. —Monty cogió la botella que le ofrecía, la abrió y tomó un trago.

Elyse lo imitó y luego se sentó en el borde de la mesa.

—¿En qué puedo ayudarle?

—Puede contestarme a una pregunta. —La mirada y las palabras de Monty fueron directas al grano—. Desde que se reabrió el caso de los Winter, ¿ha notado algo fuera de lo normal? ¿Cartas? ¿Llamadas telefónicas? ¿Amenazas a su familia?

Elyse palideció bruscamente, y sólo con eso él obtuvo la respuesta que buscaba.

—¿Por qué lo pregunta?

—Porque entiendo que ayer por la tarde no las tenía todas consigo. Y porque la hora en que se observó su curiosa conducta, coincide con un accidente provocado por un conductor que se dio a la fuga y que ocurrió cerca del St. Regis. Seguro que habrá oído algo. Lo que ocurre es que hay un común denominador entre la víctima y la testigo de ese crimen, y es Morgan. De modo que si a usted le estaba ocurriendo algo en el momento en que atropellaban a Rachel Ogden como, por ejemplo, que estuvieran amenazando a su familia... puede que ese accidente no fuera del todo un accidente.

—Ay, Dios. —Elyse se dejó caer en una silla detrás de su mesa y bebió un trago de agua como si aquello fuera su salvación—. No paraba de decirme a mí misma que estaba paranoica, que tenía los nervios destrozados. Pero si nos basamos en lo que usted dice y en lo que ocurrió ayer, me estoy engañando a mí misma. Todo ha sido planeado y es deliberado.

—¿A qué se refiere?

Elyse se pasó las dos manos por el pelo, intentando a todas luces conservar la calma.

—He recibido algunas llamadas telefónicas; luego cuelgan. Aquí. En mi casa. A mi móvil.

—Dígame cosas concretas —dijo Monty, que había sacado una libreta y empezado a tomar notas—. ¿Hay algo característico en las llamadas? ¿La persona que llama dice o hace algo antes de colgar? ¿Tiene alguna manera de saber si es un hombre o una mujer? ¿Qué datos aparecen en su pantalla? Cuéntemelo todo, desde el comienzo.

—Es un hombre. La única razón por la que lo sé, es porque cuando llama al gimnasio pregunta por mí. Y cuando yo respondo, cuelga. Ni una palabra. Sólo una respiración, profunda y regular. Se asegura de que dure lo suficiente para que yo sepa que es él. Es como si me amenazara con su silencio. En cuanto a mi móvil, siempre llama cuando estoy sola, caminando o conduciendo. Lo mismo en casa. Llama únicamente cuando estoy sola. Es como si conociera mis horarios. En la pantalla siempre aparece «numero privado».

—¿Desde cuándo recibe esas llamadas?

Siguió una breve pausa.

—Desde el día después de que Morgan lo contrató.

Monty dejó de escribir y alzó la mirada.

—¿Y usted no ha dicho nada? ¿Ni siquiera a su marido?

—¿Qué iba a decir? —Elyse apoyó la cabeza en el respaldo de la silla—. Ni siquiera estaba segura de que significaran algo. Arthur es congresista. No sería la primera vez que algún chalado lo persigue. Recibe llamadas telefónicas, correos electrónicos, cualquier cosa. Y ahora que piensa presentar un importante proyecto de ley, es muy posible que esté relacionado con eso.

—Excepto que no es a él a quien acosan, sino a usted.

—Lo sé —dijo Elyse, y apretó los labios—. Pero mi familia está sometida a una gran presión en este momento. Eso usted lo sabe mejor que nadie. Y si yo revelara que recibo esas llamadas, sólo empeoraría las cosas. Y sin una prueba concreta de que el que llama no es más que un chalado…, pensé que era preferible guardar silencio.

—Hasta ayer. Ayer mencionó que algo ocurría.

Elyse asintió con un gesto de la cabeza.

Fui a pasear por la Quinta Avenida al mediodía. Esperaba que caminar, el aire frío y mirar los escaparates me calmaría los nervios. Desde el momento en que salí del gimnasio, tuve la extraña sensación de que me seguían. Me giré una media docena de veces, pero no había nadie. Empecé a pensar que era el estrés que me empezaba a pasar factura. Volví al gimnasio. Cuando llegué, tuve la sensación de que alguien me observaba. Era una sensación tan intensa que me di media vuelta y miré a mi alrededor. Vi a un hombre en la calle, en diagonal, apoyado en una furgoneta, que me miraba. Cuando se dio cuenta de que lo había visto, dejó de actuar como si fuera una coincidencia. Giró la cabeza, abrió la puerta de la furgoneta, subió y se alejó.

—¿Una furgoneta? —repitió Monty, y miró fijamente a Elyse—. ¿Qué tipo de furgoneta?

Ella se encogió de hombros.

—No lo sé. Vieja. Nada especial. Como cualquier otra furgoneta que circula por Manhattan.

—¿Era blanca?

—Sí —dijo ella, con una mirada de inquietud—. ¿Es importante?

—Podría ser. El vehículo que atropelló a Rachel Ogden era una furgoneta blanca. ¿Qué aspecto tenía el hombre?

—No distinguí sus rasgos. Llevaba un anorak con capucha y tejanos. Pero era delgado, y no demasiado alto.

—¿Recuerda usted qué hora era?

Elyse se lo pensó un momento.

—Cerca de la una y cuarto, más o menos.

Monty apretó los labios con gesto serio.

—El atropello de Rachel Ogden ocurrió a la una y cuarenta, en la esquina de la Cincuenta y tres y Madison.

—Tiene que haber sido el mismo coche —dijo Elyse, con un susurro de voz—. Lo cual significa que los dos incidentes son intencionados. Pero ¿con qué objetivo?

—Darle un susto de muerte. Conseguir que Morgan abandone la investigación de este caso —dijo Monty, y cerró su libreta con un golpe seco—. Es una táctica extrema. Además, dudo que el tipo quisiera infligirle heridas tan graves a Rachel Ogden. Es probable que lo contrataran sólo para que la derribara, quizá para que le provocara algunos cortes y magulladuras. A Rachel o a Karly Fontaine.

Elyse enseñó las palmas de las manos, como dando muestras de su sorpresa y confusión.

—No entiendo. ¿Acaso está diciendo que Rachel no era la víctima indicada?

—Digo que cualquiera de las dos podría haber servido, si el objetivo era hacerle una advertencia a Morgan. Quien sea el responsable de todo esto, ha hecho bien los deberes. Conocía los itinerarios de las dos mujeres. Tiene que haberlo verificado varias veces. No es nada difícil saber a qué hora pasan las dos por esa esquina, que se encuentra en el centro mismo de la ciudad, y dónde trabajan. El tipo encontró un momento en que aumentaban las probabilidades de que ambas se acercaran a esa esquina, lo cual maximizaba la ocasión de que su hombre le diera a una de ellas. Una cosa sí es segura. Tengo pruebas más que suficientes para confirmar que el doble asesinato de los Winter no fue un robo cualquiera que salió mal. Fue un asesinato, lisa y llanamente. Y quien sea que los mató todavía anda por ahí, y está decidido a no dejarse atrapar.

El vuelo de cuatro horas y media desde Teterboro hasta Telluride transcurrió sin incidencias.

Arthur trabajó ininterrumpidamente, revisando papeles y llamando a personas influyentes intentando conseguir apoyo para su proyecto de ley. En un par de ocasiones, se levantó a estirar las piernas, beber un trago de agua y charlar con el piloto.

Lane durmió las primeras dos horas, agotado después de haber trabajado toda la noche con Monty. Se despertó a tiempo para disfrutar de un almuerzo de zumo de naranja fresco, croissants recién salidos del horno, carne de cangrejo salteada, espárragos a la parrilla y tortilla de provolone. Después sacó su Canon EOS 5D, miró por la ventana del jet Gulf Stream V y tomó varias fotos espectaculares. También tomó unas cuantas fotos de Arthur, con la frente arrugada en un gesto de concentración, hablando animadamente por teléfono o reclinado en el mullido asiento de cuero mientras revisaba sus notas.

Viajar con los ricos y poderosos era toda una experiencia.

En lugar de ser tratado como una maleta, a Lane y Jonah los habían escoltado al aeropuerto de Tentenboro en una limusina. Nada de soportar colas interminables en el registro, ni pases de seguridad. Nada de sentarse, apretujado, entre un niño gritón y algún pasajero maloliente que se descalzaba cinco minutos después de despegar. Nada de retrasos eternos ni de carreras para coger el vuelo de enlace que los llevaría a un rincón tan apartado de Oregón como las montañas San Juan.

Sí, pensó Lane, no le costaría nada acostumbrarse a aquello.

Miró al otro lado del pasillo, donde se había sentado Jonah. El chico se había quedado mudo de asombro durante el viaje en limusina. Luego, boquiabierto al subir al jet privado prestado por uno de los socios de Daniel Kellerman. Y así se había quedado al ver el lujoso interior, la suavidad del vuelo, la velocidad y el suntuoso almuerzo que les estaban sirviendo.

En ese momento, estaba pegado a la ventana mirando el paisaje.

Y qué paisaje.

Al ver las primeras cumbres allá abajo, Lane entendió por qué la gente se refería a ello como las tierras de Dios. Las montañas San Juan eran sobrecogedoras, un puñado de picos blancos que asomaban en el cielo azul cobalto.

—Jolín —dijo Jonah, respirando hondo, mientras cogía su cámara—. Hablando de paisajes impresionantes.

—Eso no se puede discutir —murmuró Lane—. Es lo más cerca del cielo que se puede llegar.

Ante sus ojos se desplegaba la naturaleza en su versión más milagrosa. Era un regalo para los ojos, sobre todo porque durante el otoño en Colorado había nevado copiosamente, dejando las zonas alpinas cubiertas de un polvoreado manto blanco. Aquello había favorecido una apertura temprana de la temporada. La influencia del congresista Shore y el hecho de que sus aventuras serían publicadas en *Time* inclinó la balanza. La empresa de heliesquí cedió sin problemas a abrir incluso antes de lo previsto. Aquello era una publicidad que ningún dinero podía pagar.

—¿Hoy practicaremos heliesquí? —preguntó Jonah.

—¿Practicaremos? —Lane arqueó una ceja.

Jonah lo miró sonriendo tímidamente.

—Hoy he oído a mi madre hablar contigo por teléfono. Sé que te habló de lo bien que esquío y de los años que llevo esquiando. Empecé con mi grupo de exploradores cuando tenía ocho años. A los doce ya bajaba pistas negras.

—El resto me lo sé —dijo Lane, interrumpiéndolo con un gesto—. Tu madre ya me lo contó todo. Y ya que estabas escuchando, seguro que sabes que accedí a incluirte en lo del heliesquí. Siempre y cuando escuches a nuestro guía y no hagas tonterías.

—Lo escucharé, y nada de tonterías —dijo Jonah, con la ilusión pintada en la mirada—. Piensa en las excelentes fotos que haré de cerca, cortando aquella nieve en polvo, bajando a toda pastilla por esas montañas contigo y el congresista Shore.

Arthur había acabado una conversación telefónica y alcanzó a oír las últimas palabras.

—Suena como si le hubiera picado el bicho, Lane —dijo, con una risilla—. Otro potencial fanático de la nieve en polvo. —No te lo puedo reprochar. Cuando tenía diecisiete años, nadie podría haberme impedido que me lanzara a una aventura como ésta.

—Gracias, señor —dijo Jonah, mirando del uno al otro—. ¿Partiremos enseguida?

—No —dijo Arthur, negando con la cabeza—. No hay suficiente luz de día. La seguridad y la empresa de heliesquí nos dicen que esperemos hasta mañana. No te decepciones —dijo, viendo la expresión de Jonah—. También tenemos algo especial para hoy. La empresa nos llevará a conocer desde el aire las montañas donde esquiaremos. Eso significa una excursión en helicóptero y un adelanto de lo que veremos mañana.

—Y un montón de fotos —agregó Jonah, que volvía a animarse. Miró por la ventana y arrugó la frente mientras paseaba una mirada por el paisaje—. Los de *Time* fliparán con el material que les llevaremos.

Capítulo 17

Morgan era un atado de nervios cuando se presentó en el despacho de Monty a las dos y media.

Había dedicado la mañana a prepararse para lo que la esperaba. Se había sometido a la rutina de su día, había llamado al hospital para enterarse del estado de Rachel (que, por fortuna, había mejorado), y se había obligado a comer un bocadillo en la cocina del despacho con Jill y Beth.

El hecho de que Monty no hubiera llamado significaba que no había nueva información, lo cual añadía presión a la sesión que iban a tener. A medida que transcurrían los días, cada vez estaba más segura de que sus recuerdos serían decisivos para resolver el asesinato de sus padres.

Monty la miró como dándole ánimos cuando le abrió la puerta. Ella no se engañó pensando que era otra cosa que apoyo emocional. Le entregó su abrigo, enderezó los hombros y entró en su despacho como un preso ante un pelotón de fusilamiento.

—Relájese. Ya verá como todo saldrá bien —dijo Monty, y le pasó una taza—. Esto le ayudará. Mi famoso chocolate caliente, con crema batida y todo. Perfeccioné la fórmula cuando mis hijos eran pequeños. Y créame, ya no querrá tomar más mi café. Sally dice que sabe a sellador de asfalto. Además, usted ya está bastante tensa. Esto la calmará; se lo garantizo.

—Gracias... Monty. —Esta vez pronunció su nombre sin problemas—. No sólo por el chocolate caliente, sino por intentar tranquilizarme. Aunque reconozco que el chocolate es mi debilidad; es lo mejor que hay para consolarse. —Morgan probó un sorbo y lo miró con el pulgar hacia arriba—. Hmmm, decididamente se merece su reputación.

—Ya se lo había dicho —dijo Monty, señalando hacia un sofá raído—. Siéntese.

Morgan asintió y se hundió en el cojín forrado de tweed.

—Supongo que esta mañana no ha averiguado nada —aventuró.

—En realidad, sí. —Monty se sentó en el sillón frente a ella. Las carpetas que iban a revisar estaban esparcidas por la mesa de centro rectangular, entre ellos dos—. Pero no es lo que usted se esperaba.

Morgan se detuvo con la taza a medio camino de los labios.

—Entonces, ¿de qué se trata? —Miró con ojos demesuradamente abiertos cuando escuchó los detalles que Elyse le había dado a Monty—. No tenía idea de nada de esto.

—Nadie lo sabía. Al parecer, Elyse se lo tenía bien guardado.

—Pobre Elyse. Siempre cuidando de todo el mundo, siempre intentado proteger a su familia. Pero ahora que sabe que las llamadas y el seguimiento eran parte de una trama más grande, debe estar destrozada.

—Parecía bastante tocada, sí.

Morgan tragó con dificultad.

—Y esa trama más grande tiene que ver conmigo. Charlie tenía razón. Todo, incluso el accidente de Rachel, eran mensajes de advertencia para mí.

—Hablemos de Rachel —sugirió Monty, apoyando el codo en el brazo del sillón—. Cuénteme lo que pueda de sus antecedentes, sus intereses, incluso de sus gustos en materia de hombres. Y luego haga lo mismo con Karly Fontaine.

—¿Por qué?

—Porque quiero saber si fueron seleccionadas al azar de entre la gente que usted conoce, o si una o las dos eran un blanco específico.

—Ya entiendo adónde quiere llegar. Pero es un asunto engorroso. Las entrevistas con mis clientes son confidenciales.

—Sí, y el asesino de sus padres anda suelto por ahí. —Monty no pretendía andar con rodeos. Y tampoco iba a dejar que la ética profesional de Morgan fuera un obstáculo—. Mire, no pregunto porque quiera enterarme de aspectos de la vida personal de esas mujeres. Necesito saber algo antes de hablar con ellas. Sólo dígame algunas cosas básicas.

—De acuerdo. Las dos son atractivas. Rachel es más bien bajita, pelo oscuro, unos veinticinco años. Es probable que sea la asesora más joven de su empresa en un puesto ejecutivo. Eso se debe a que es muy inteligente y muy agresiva. Prefiere a los hombres maduros. Los jóvenes no saben cómo reaccionar ante su fuerza o su éxito. Y los hombres maduros que le parecen bien suelen estar casados. Mi trabajo consiste en encontrar uno que no lo esté. Karly es alta y delgada, tiene treinta y cuatro años, pelo rubio rojizo. Empezó su carrera como modelo en una agencia de Los Ángeles, en revistas y pasarelas. Ahora es la directora administrativa de la sede de la Agencia de Modelos Lairman en Nueva York.

—De acuerdo. —Monty no paraba de escribir—. Y supongo que las dos buscan una relación de larga duración.

—No sólo de larga duración. Buscan un hombre con sustancia y carácter, con una diversidad de intereses y una gran ambición. Por eso acordé citas para ambas con Charlie Denton. Había correlaciones significativas en sus perfiles. Además, mi intuición me decía que las correspondencias eran buenas.

—¿Elyse conoce a Rachel o a Karly?

La pregunta cogió a Morgan desprevenida.

—No lo creo. ¿Por qué? ¿Acaso es importante?

—Sólo si nos lleva en la dirección correcta. Intento ver si hay coincidencias entre su clientela y la de Elyse.

—Absolutamente. Ella nos ha hecho mucha publicidad, lo cual es impagable, tanto en su empresa como en la mía. En cuanto a Winshore, las personas que llegan por referencias de terceros son la base de nuestro negocio. En este momento tenemos varios cientos de clientes. La verdad es que necesitaría tiempo para recordar quién ha referido a quién —dijo Morgan, con una sonrisa grave—. La mitad de las veces, pasan meses antes de que Jill o yo conozcamos a nuestros clientes. Y una vez que se establece una relación con un nuevo cliente, quien quiera que haya sido el contacto inicial de ese cliente intenta crear un terreno de confianza. Es conveniente no presentarle a todo el equipo de sopetón. Además, la mayoría de los encuentros con clientes tienen lugar fuera del despacho, en restaurantes, hoteles, incluso en el despacho del cliente, si viven y trabajan en los suburbios. Intentamos dar todas las facilidades posibles.

—Interesante. —Monty seguía escribiendo—. No le importa que mantenga una conversación con Rachel y Karly.

—No, ningún problema. No sé que dirá el médico de Rachel; tendrá que consultarlo con él. Le daré sus datos de contacto y el número del móvil de Karly.

—Bien —dijo él, y dejó su libreta—. ¿Cómo está su chocolate?

—Se ha acabado. —Morgan dejó la taza vacía sobre un posavasos—. Vayamos al principal motivo de nuestra reunión mientras todavía me queda valor. —Se sentó en el borde del sofá, con la espalda del todo recta y señaló el sobre de fotos en la mesa—. ¿Son las originales o los detalles ampliados?

—Las originales. Lane sigue trabajando en los detalles. Estuvo hasta que amaneció.

—¿Y ahora está practicando heliesquí?

Monty apenas sonrió.

—Está acostumbrado a un régimen de poco sueño y de alto rendimiento. En su trabajo tiene que ser así. Pero no se preocupe. No sólo es resistente, también sabe adaptarse. Es probable que haya dormido en el avión. —Monty cogió el sobre con las fotos y se desvaneció todo humor de su semblante—. Voy a distribuirlas en un orden específico. No es para protegerla de nada, sino para extraer de sus recuerdos el máximo de detalles.

—Entiendo —dijo Morgan, y siguió una pausa—. Estoy preparada.

Monty se la quedó mirando un momento breve. Luego sacó las fotos y puso dos delante de ella. Saltaba a la vista que la habitación estaba vacía.

—¿Recuerda la habitación?

—Sí. —Una tensión familiar le presionó el pecho, pero ella arremetió contra ese pánico que empezaba a enroscarse en su interior—. El sótano donde ocurrió. Yo estaba arriba, poniendo unas cintas brillantes en la decoración de Navidad. Estábamos esperando que llegara la comida. Mis padres bajaron a buscar los objetos de papel. Los invitados tenían que llegar pronto. —Morgan lo veía tan claro como si la escena se estuviera reproduciendo ante sus propios ojos—. Mi madre había puesto un villancico: «Feliz Navidad»; por eso no oí el ruido de… los disparos.

—Vale. ¿Qué la hizo bajar?

—Hacía tanto rato que habían bajado que me entró miedo. Y, en realidad, nunca vi la habitación desde este ángulo que usted me enseña. Bajé por estas escaleras. —Señaló el extremo izquierdo de las fotos—. Y, cuando llegué abajo, lo único que vi fueron sus cuerpos. No podía apartar la mirada. Así que, ¿por qué no me enseña esas fotos? Es posible que puedan despertar más recuerdos que haya reprimido.

—Es lo que voy a hacer. —Monty sacó otras cuantas fotos y las miró. Morgan vio por su expresión que ésas eran *las* fotos.

Entonces las dejó en la mesa, mirando hacia ella.

—Éstas las tomaron desde el pie de la escalera. Es el ángulo que vio usted. —Monty hablaba con calma, pero tenía la mirada fija en ella.

Los cuerpos de sus padres. Sangrando. Inertes.

Morgan los miró un momento largo, incapaz de apartar la mirada. Se sintió arrastrada de vuelta a la pesadilla viva, no de esa manera irreal que esperaba, sino de una forma palpable. Volvía a estar ahí, al pie de la escalera, mirando lo impensable, presa del terror y la negación. Unos ruidos en el sótano —una tubería que sonaba, el vapor del calentador— ahogaron su primer grito. Y el olor —ese hedor insoportable a sangre y residuos corporales— le dio náuseas.

Tuvo una arcada al ir hacia ellos. Tropezó un par de veces, con un cubo y con una tabla.

Se acercó primero a su madre. Estaba hecha un ovillo, de costado, con el vestido blanco empapado de sangre, con trozos de sus órganos interiores asomando por la herida. Tenía los brazos abiertos y el rostro girado, los ojos abiertos pero ciegos.

La llamó, una y otra vez. *Mamá, Mamá...*, pero sin respuesta. Tenía miedo de tocarla, miedo de empeorar las cosas. Y había mucha sangre, todo un charco a su alrededor que crecía y se extendía. Ella no podía repararlo. Sólo había una persona que podía hacerlo.

Papá. Se arrastró hasta donde estaba su padre. Estaba tendido cuan largo era, boca abajo. Tenía el pelo mojado con la sangre que le seguía brotando de dos agujeros en la nuca. Su cuerpo parecía intacto, así que lo sacudió. Pero estaba raro, rígido, y no se movía ni se despertaba.

De alguna manera, ella sabía que no se despertaría.

Se alejó a rastras y se cortó las rodillas con el rugoso suelo de cemento, y luego consiguió ponerse de pie, tropezó con una silla volcada, resbaló sobre una piedra y casi acabó sobre un charco de sangre. Y había salpicaduras por todas partes... y el bolso de su madre, con los contenidos tirados por el suelo, la polvera roja y pegajosa...

Empezó a gritar, a gritar sus nombres, a gritar pidiendo ayuda.

El resto era una nebulosa.

—Morgan. —Había vuelto al despacho de Monty y él la estaba abrigando con una manta de lana. Parecía preocupado, como si quisiera consolarla y no supiera cómo hacerlo—. ¿Se encuentra bien?

Tenía el rostro húmedo. Unas lágrimas llegaron hasta sus labios, pero ella no recordaba haber empezado a llorar. Y temblaba violentamente. La manta era cálida, suave y absorbía su frío interior.

—¿Morgan?

Ella respondió con un gesto tembloroso de la cabeza.

—Estoy bien. Sólo que... sabía que sería un golpe duro. Me lo esperaba. Sólo Dios sabe la de veces que lo he recordado. Pero esto es diferente. Mirar esas fotos... ha sido como si me hubiera transportado de vuelta a la escena, como si estuviera ocurriendo ahora. Lo siento. No quería flaquear.

—No ha flaqueado —dijo él, con la mandíbula tensa. Ha regresado al infierno. ¿Quiere que lo dejemos?

—No. —Su tono era firme—. Hemos llegado hasta aquí. Continuemos.

—De acuerdo. —Monty respiró hondo—. Mientras está vivo en su recuerdo, descríbame exactamente lo que acaba de revivir.

Presa de una gran tensión interior, ella describió la escena.

—Ha dicho que cuando cruzó la habitación la primera vez, tropezó con un cubo y una tabla.

—Sí, supongo que el cubo y la silla se volcaron durante la pelea entre mi padre y el asesino; y la tabla era la tabla de dos por cuatro pulgadas con que mi madre intentó darle al asesino para salvar a mi padre.

—Es lo que pienso yo también. ¿Recuerda los objetos con que topó... el cubo, la silla, la tabla...? ¿Se movieron cuando usted tropezó con ellos?

Morgan intentó recordar.

—No lo creo. Pesaban mucho. Recuerdo el dolor en la pierna y el pie cuando tropecé con ellos. Yo era una niña ligera y delgada. Serían más bien los objetos los que me pararon a mí, no al revés. —Morgan guardó silencio un momento, y cuando volvió a hablar su voz fue un murmullo tembloroso—. Ese olor que recuerdo, era la muerte, ¿no?

—Sí. —Monty sacó otras cuantas fotos y se las pasó—. Ha dicho que se movió alrededor de los cuerpos de sus padres cuando intentó despertarlos. A ver si alguna de éstas le trae algún recuerdo. —Monty siguió hablando, centrándola y, a la vez, apoyándola—. Sé que los charcos de sangre parecen grandes, y a usted le tuvieron que haber parecido aún más grandes en ese momento. Pero tienen menos de un metro de diámetro. En cuanto a las salpicaduras que recuerda, sirvieron para calcular la distancia de los disparos. Que fue corta. Murieron en el acto.

—Y sin demasiado dolor... ¿Es eso lo que quiere decir?

—Exactamente.

—A mi padre lo mataron al estilo de una ejecución, a bocajarro. A mi madre le dispararon de... ¿cuánto? ¿Un par de metros?

—Como máximo. El objeto en que usted casi resbaló era un casquillo de bala. Recuperamos los tres.

—Dos para mi padre, uno para mi madre. Recuerdo los dos agujeros en la nuca —dijo Morgan, y tragó saliva—. ¿Qué hay del arma?

—Era una Walther PPK. Nunca la encontraron.

—Otro callejón sin salida. Y, como es de esperar, no había huellas dactilares en la escena del crimen.

—Sólo las de sus padres. Sobre todo las de su madre en la tabla.

—¿Y qué hay del ADN? —inquirió Morgan, incapaz de apartar la mirada de las fotos—. Hurgaron en la cartera de mi madre, mi padre luchó con el asesino, así que tenía que tener huellas en la ropa.

—Ninguna lo bastante clara para que sirviera. Y nada que coincidiera con nuestra base de datos. Créame, ya he llamado a mi antigua comisaría y les he dicho que vuelvan a buscar muestras de ADN en los objetos personales de sus padres. Tendrán que pasar por un montón de trámites y papeleo antes de conseguir lo que quieren.

—Papeleo. —El tono de Morgan era amargo—. Manhattan y Brooklyn todavía estarán enzarzados en una guerra de feudos cuando usted ya haya resuelto el caso.

—De eso se trata. Que se peleen ellos. Eso los mantendrá ocupados y no se meterán conmigo.

—¿No cree que las pruebas de ADN arrojen gran cosa?

—No descartaría nada —dijo Monty, encogiéndose de hombros, pero las pruebas en los años ochenta no eran ni la mitad de lo sofisticadas de lo que son ahora. Además, los plazos de espera eran un desastre. Lo mismo pasaba con el número de laboratorios capaces de realizarlos. Hablando de dificultades, había que enviar las pruebas a un laboratorio en Massachusetts, y tardaban dos semanas en dar una respuesta. Ahora todo es diferente...

—Y entonces...

—Todo depende de lo que tengamos para empezar.

La vaguedad de la respuesta no le pasó inadvertida a Morgan.

—En otras palabras, tendríamos que exhumar los cuerpos para encontrar algo concreto. Aún así, sería como buscar una aguja en un pajar. Es probable que mi madre no lo tocara. Y puede que mi padre lo golpeara, pero eso no significa que encontraríamos células de piel o cabellos, sobre todo después de diecisiete años.

—Ha estado mirando los programas de medicina forense por la tele —dijo Monty, intentando dar un toque de humor seco.

—Sólo he estado leyendo acerca de un tema fundamental en mi vida.

—Tiene razón. Pero no, no creo que nuestras respuestas estén ahí, sino en la carpeta y en las fotos. Sobre todo en los negativos y el análisis experto de Lane. —Monty la observó mientras ella miraba las fotos—. Y en usted.

Morgan tendió la mano con la palma hacia arriba.

—En ese caso, déjeme ver el resto de las fotos.

—No.

—El tono tajante de Monty sorprendió a Morgan, que alzó la cabeza.

La mirada de Monty no daba pie a ningún tipo de discusión.

—¿Por qué no?

—Porque no es necesario. No añadiría nada a la investigación. A usted la habían sacado del sótano cuando los técnicos tomaron las fotos. No hay nada positivo que pueda salir de ellas ahora.

—Dígame qué es lo que no me deja ver.

—No es necesario.

—Lo es para mí.

La mirada de Monty era penetrante, y no auguraba negociaciones.

—No hay nada en estas fotos que sea tan horrible como lo que usted vio cuando entró en ese sótano. Le doy mi palabra. Pero usted ya ha hecho sus deberes; ya sabe cómo funciona esto de las fotos en la escena del crimen. Después de las primeras fotos, a los cuerpos se les manipula para fotografiar diferentes ángulos.

—¿Y? ¿Mi padre fue brutalmente golpeado durante la pelea? ¿A mi madre le hicieron algo que yo no sepa?

—La respuesta es no y no. —Monty respiró hondo y se pasó la mano por la cara—. Mire, Morgan, lo que sucede durante el procedimiento en la escena del crimen parece muy poco humano, sobre todo para alguien que amaba a las víctimas tanto como usted amaba a sus padres. No es ningún secreto que todos somos polvo en el viento. Pero no hay necesidad de pasárselo a nadie por la cara. Recuerde a sus padres como fueron: seres humanos cariñosos y llenos de vida.

—Como lo contrario de objetos, de cuerpos sin alma. —Morgan bajó la mirada y se quedó mirando la alfombra mientras intentaba lidiar con el dolor indescriptible que la embargaba—. Ya le he entendido. En ese caso, no sé para qué más puedo servir. He descrito todo como lo vi. Después de eso, el cuadro se me borra. Es probable que usted se acuerde mejor que yo de lo que ocurrió después.

—Y ¿qué ocurrió antes?

—¿Antes?

—Antes de los preparativos para la fiesta. Antes de esa noche. ¿No le viene ningún recuerdo? Piense en ello. —Monty se levantó, fue hacia la cocina y volvió con una botella de agua—. Aquí tiene.

—Gracias —dijo Morgan, con una sonrisa forzada—. ¿Está seguro de que no es terapeuta? El mío me hace el mismo tipo de preguntas. Incluso me convida a agua cuando quiere que recupere la calma para pensar.

—¿Ha dado resultados? Quiero decir, no con su terapeuta sino conmigo.

Siguió un silencio largo.

—Era la noche de Navidad. Todo giraba en torno a la fiesta de Navidad que mi madre había organizado en el centro de acogida. Ella y yo pasamos el día comprando adornos y pequeños regalos para poner bajo el árbol, suficientes para todas las mujeres que vendrían. Preparamos ponche de huevo y galletas de Navidad. Habríamos cocinado algo, pero Lenny nos regaló toda la comida.

—¿Su padre se quedó en casa para ir de compras y cocinar con ustedes?

—No, tenía que ir a trabajar. Pero vino a casa temprano. No recuerdo a qué hora. Recuerdo que la fiesta empezaba a las ocho y media. Mis padres y yo llegamos dos horas antes para prepararlo todo. Nuestro único desvío fue al penthouse de los Kellerman, que celebraban una fiesta en honor a Arthur. No nos quedamos mucho rato. Recuerdo que me molestó porque quería jugar con Jill, a la que no había visto en mucho tiempo. Pero no era la noche indicada. Mi madre estaba ansiosa por llegar al centro de acogida. Ella, mi padre y yo partimos directamente hacia allí desde casa de los Kellerman. Habría sido una noche mágica para esas mujeres. Y no sólo por las cosas que compramos, sino por mi madre.

Morgan alzó la cabeza con los ojos bañados en lágrimas y se encontró con la mirada de Monty.

—Me hubiera gustado que la conociera. Era una mujer asombrosamente comprensiva. Incluso en las anotaciones de su diario, se percibe su manera de implicarse personalmente con las mujeres que venían a verla. Me siento como si las conociera. Cuando una de ellas lograba dar un vuelco a su vida, la vida de mi madre también daba un vuelco. Y cuando una de ellas se daba por vencida, o se sentía atrapada e incapaz de escapar de su propio infierno, mi madre se negaba a tirar la toalla. Se quedaba junto a ellas hasta que encontraban una solución. Hacia el final, ayudó a una mujer y a su hija a empezar de nuevo. También defendió a una chica adolescente que había sido víctima de abusos sexuales de pequeña, que se destrozó la vida y acabó embarazada y abandonada.

—Su madre era una gran persona —dijo Monty, reclinándose en su sillón—. Dígame, ¿cómo reaccionaba su padre ante todo eso? Tener una mujer cuyo corazón está en tantos sitios debe pasar factura.

A Morgan le vinieron más recuerdos. Conversaciones en la mesa durante la cena. Simpáticas discusiones sobre quién estaba más casado con su trabajo.

—Estaba orgulloso de ella —murmuró Morgan, recordando mientras hablaba—. A veces se enfadaba. Pensaba que se aprovechaban de ella. Se preocupaba por ella. Mirando retrospectivamente, me doy cuenta de que él era más escéptico que mi madre. Él era un abogado de la fiscalía, ella, una idealista.

—En las semanas que precedieron a los asesinatos, ¿se produjo alguna situación en especial que tuviera que ver con él?

Morgan se obligó a pensar. Retazos de recuerdos. Unas conversaciones a puerta cerrada. Más apasionadas que acaloradas.

—Mi madre estaba preocupada por algo. Creo que ella y mi padre tenían ideas diferentes acerca de la mejor manera de solucionarlo. No fue una pelea a gritos. Pero estaban tensos. Ninguno de los dos dormía. No sé por qué. Puede que tuviera que ver con el trabajo de mi madre. O podría haber estado relacionado con uno de los casos de mi padre. Mi madre siempre sufría mucho con los casos más peligrosos que le tocaban a él. Por eso le entregué esos recortes de periódicos. Mi padre llevó a juicio a algunos criminales peligrosos, de altos vuelos. Quizás estuviera trabajando en uno de esos casos cuando murió. Pero sencillamente no lo sé. En cuanto a la tensión que había en casa, no sé si se debía a algún caso que ocupara a mi padre en ese momento. En sus diarios, mi madre habla de una adolescente a la que intentaba ayudar en el centro de acogida. Quizá fuera eso. O quizá fuera algo relacionado con cosas que yo ignoraba del todo. He estado leyendo los diarios de mi madre toda la semana. Percibo la urgencia que hay en sus palabras. Por otro lado, mi padre…

Morgan se interrumpió y escondió la cara entre las manos.

—Estoy dando vueltas a lo mismo. Ya no sé lo que digo. Quizá ninguna de estas especulaciones signifique nada. Yo tenía diez años. No entendía qué presiones existían en el matrimonio de mis padres. Tampoco me invitaban a entenderlo. Cuando se trataba de discusiones privadas, hablaban a solas en su habitación, por la noche. Lo que ahora recuerdo son fragmentos. Y lo que intento hacer es rescatar recuerdos de la infancia e interpretarlos con una mente adulta. No estoy segura de que eso sea posible.

—Oiga, lo ha hecho muy bien —dijo Monty, y le dio un leve apretón en el brazo—. Escuche, hemos cubierto más que suficiente por un día. Déjeme reflexionar sobre lo que he escuchado. Además, tengo que ir a ver a Rachel Ogden y a Karly Fontaine. Usted tómese la noche libre. Quédese con Jill, mire un poco la televisión. Y duerma bien. Mañana por la noche tiene planes. Y mi hijo es un pájaro nocturno.

Capítulo *18*

Con su techo de vigas rústicas y su iluminación tenue y cálida, la gran sala en el Inn en Lost Creek era el lugar perfecto para relajarse y disfrutar de unas copas después de un largo día.

Eran las cinco de la tarde y Arthur, Lane y Jonah estaban sentados en torno a la enorme chimenea chisporroteante. Con un vaso del mejor whisky de malta de la región, Arthur se instaló cómodamente en el mullido sofá de terciopelo marrón. Por el momento, su teléfono móvil estaba felizmente silencioso, y él aprovechó para reclinarse, saborear su copa y relajarse frente al fuego.

Al otro lado, tumbado sobre un sillón del mismo estilo, Jonah vegetaba, sorbiendo su coca-cola y mirando a las atractivas personas que pasaban por el vestíbulo.

Y, en el sofá opuesto, Lane mimaba su propio whisky, acariciando el vaso entre las palmas de las manos y pensando en lo agotado que estaba, en lo excitado que se sentía por la excursión a las cumbres que harían al día siguiente, y en las ganas que tenía de saber qué pasaba en Nueva York.

Lo último era lo primero para él.

Su ciudad nunca lo acompañaba en aquellas aventuras en busca de emociones fuertes. Sus encuentros con la naturaleza siempre tenían que ver con vivir el momento, por lo que el resto de su vida quedaba aislado, en un segundo plano. Por lo tanto, nada, ni nadie, penetraba en su abstracción.

Pero esta vez era diferente. Y esa diferencia tenía un nombre.

Morgan Winter.

Decididamente había algo entre ellos dos. En parte debido a la función que él cumplía en la nueva investigación sobre la muerte de sus padres. Y en parte debido a la propia Morgan.

Sí, sorprendentemente, había algo. Y era todavía más sorprendente que él quisiera profundizar en ese algo.

Miró su reloj. Eran las siete en la costa este.

Sacó su móvil y marcó el número de casa que ella le había dado.

El teléfono sonó dos veces antes de que Morgan contestara.

—¿Hola?

—Hola, soy Lane.

—Hola. —Morgan sonaba sorprendida y emocionalmente vacía. No esperaba saber nada de ti hasta mañana. ¿Hay algún cambio en los planes? ¿Tienes que anular nuestra cena?

—De eso, nada. —Lane se quedó sorprendido por lo acelerado de su respuesta. Pero no se retractó—. Estoy aguantando la respiración esperando el momento.

Un amago de risa.

—Eso lo dudo. No en medio de esas majestuosas montañas que esperan ser conquistadas.

—Estoy muy ilusionado con lo del heliesquí. E igual de ilusionado con la cena de mañana. Tengo ganas de verte.

Ella guardó silencio un momento.

—Lo sé. Yo también tengo ganas de verte.

Su reconocimiento produjo en él una ola de placer.

—Al parecer, acabaremos de esquiar hacia las cuatro. Y después, a casa. Calculo que estaré aterrizando en Teterboro entre las nueve y las diez, hora del este. Sé que es tarde, pero...

—Me gusta cenar tarde.

—Vale, te llamaré durante el vuelo. Pero no es por eso por lo que te llamo ahora. Te he tenido presente durante el día, a ti y tu reunión con Monty. Tiene que haber sido duro. Quería saber qué tal estabas —dijo, cambiando bruscamente de velocidad—. También quería oír tu voz. Es muy sexy.

Esta vez la risa fue natural.

—Siempre sabes exactamente lo que hay que decir.

—Quizá. Pero lo digo desde el fondo de mí.

—Yo... —Morgan carraspeó—. Gracias. Y gracias por llamar para saber de mí. Ha sido muy amable de tu parte. En cuanto a lo de la reunión, tienes razón. Mirar esas fotos, volver a revivirlo todo, ha sido más brutal de lo que esperaba. He recordado todo tipo de cosas que había enterrado. Pero tu padre ha sido increíble, me ha ayudado. Y lo ha hecho soportable.

—Me alegro. —Lane se reclinó hacia atrás y tomó un trago de whisky—. Mañana me lo contarás. Pero esta noche, no quiero que pienses en ello. Quiero que lo guardes, la reunión con Monty, los recuerdos, todo. Relájate. Sírvete un vaso de vino. Métete en la cama con un buen libro o una película. Piensa en mí. No por ese orden, desde luego.

—Desde luego. —Lane la oyó sonreír—. En realidad, Jill y yo tenemos una noche de chicas. Acabamos de pedir un millón de calorías en comida para consolarnos. En cuanto al vino, hemos abierto una botella de Chianti hace veinte minutos. Voy por la mitad de la primera copa. Y hemos alquilado dos pelis de chicas, así que lo de las películas ya está solucionado. —Morgan hizo una pausa y luego bajó la voz—. Para que lo sepas, yo también he pensado en ti. Pero prometo que seguiré haciéndolo.

Lane sintió que se sacudía de arriba abajo.

—Eso. Y no pares hasta que baje del avión. A partir de ahí, tomaré el relevo en persona.

—Cuento con ello.

Al otro lado de la sala, el momento de soledad de Arthur llegó a su fin abruptamente con el zumbido de su móvil. Lo había puesto en modo vibrador y se lo había metido en el bolsillo, pero no por eso dejaba de estar ahí.

Con una mueca, lo sacó y lo miró, esperando que fuera alguien que pudiera ignorar.

Vio el nombre de la persona que llamaba. Era imposible ignorarla. Encendió el móvil.

—Hola, cariño.

—Hola. —El tono de Elyse era seco—. ¿Estás seguro de que sabes con cuál «cariño» hablas?

Era evidente que Arthur no lo tendría fácil.

—Venga, Lysie, sólo tengo un «cariño», y eres tú. Así que sí, sé perfectamente con quien hablo.

—Buen comienzo. Sigamos. ¿Con quién has pasado la noche?

—Tú sabes la respuesta a esa pregunta. Cené con Larry Cullen para asegurarme su apoyo a mi proyecto. Me reuní con él en Jersey porque su despacho queda cerca de Teterboro. Pasé la noche en el Marriot y a las diez de la mañana ya estaba en el avión que me trajo aquí. ¿Qué problema hay?

—El problema son las horas vacías. Ya sabes, entre la cena y la hora del vuelo. ¿Quién era esta vez, una de las habituales o es una nueva?

—Estaba solo, Elyse. Por favor, no entremos en esto. Te quiero y te añoro. Sólo a ti.

Ella dejó escapar un suspiro de resignación y Arthur entendió, con cierto alivio, que el asalto había acabado. Aún así, no era propio de Elyse mostrarse tan agresiva. Algo estaba ocurriendo.

—¿Elyse?

—No era mi intención portarme así —dijo ella—. No ha sido un día demasiado grato. En realidad, no ha sido una semana grata.

El vaso de whisky quedó a medio camino de los labios de Arthur.

—¿Por qué? ¿Qué ha ocurrido?

—El detective Montgomery apareció por el gimnasio hoy. Cree que el accidente de ayer cerca del St. Regis ha sido una clara advertencia a Morgan para que desista de su investigación. Sobre todo después de que le conté lo que me ha ocurrido esta semana.

Arthur se puso tenso.

—Será mejor que te expliques.

Elyse se lo explicó.

Arthur tensó la mandíbula mientras escuchaba a su mujer contarle los incidentes de esa semana y la posterior conversación con el detective Montgomery.

—Dios mío, Elyse, deberías habérmelo contado a mí, no a Montgomery. ¿Por qué no hablaste antes conmigo?

—¿Antes? ¿Para que pudieras darle a mi versión el giro que quisieras? ¿Qué me habrías sugerido que le contara?

—Desde luego, nada de detalles que atrajeran más atención hacia nosotros. Intento controlar las filtraciones a propósito de esta investigación. Por eso evito las preguntas sobre el tema, y por eso dirijo los esfuerzos para que la investigación de Montgomery vaya por el camino indicado y yo lo pueda tener controlado. Quiero mantener un perfil discreto en este asunto, y concentrarme en el proyecto de ley. Ya hay bastante basura sobre mí en los periódicos, tal como están las cosas. No necesito otra revelación personal que distraiga la atención de mi programa.

—¿Una revelación personal? Se trata de una amenaza a Morgan. Y, posiblemente, a nosotros. Es un acto criminal, no un escándalo social.

—Exactamente. Y por eso corremos el riesgo de que se filtre. Yo he mantenido cerrada la tapa de mis declaraciones públicas en relación con la reapertura de la investigación por doble asesinato. Todo el país sabe que Jack y Lara eran nuestros mejores amigos. Si ahora hago una declaración apasionada, se enfadará la policía o la Oficina del Fiscal del Distrito. No me puedo arriesgar a eso. Sobre todo por el bien de Morgan, porque todos los medios de comunicación irían por ella. Además, sería añadir dificultades a la investigación, y yo quiero que acabe rápido y sin más alborotos personales o políticos.

—¿Sobre todo por el bien de Morgan? —Las palabras de Elyse estaban cargadas con algo más que un dejo de ironía.

—Sí, maldita sea. No quiero que la acosen. Y no quiero que sufra más de lo que ya ha sufrido. Pero si lo que me preguntas es si también lo hago por mi propio bien, la respuesta es afirmativa. No necesito polémicas en este momento de mi vida política. Los de la prensa se portan como una bandada de buitres. Mantener esta historia tapada ya ha sido como aguantar una represa con mis propias manos. De modo que si esta nueva información se filtra...

—La gente sabrá que somos humanos, vulnerables. Puede que eso suscite comentarios favorables en la prensa. ¿O quizás el verdadero motivo de tu preocupación son los detalles de esos comentarios favorables? Dime una cosa, Arthur, ¿estás más preocupado de que se sepa lo de las amenazas o de que se dé a conocer el perfil de la víctima del atropello? He oído que era una mujer joven y bella, y que le atraen los hombres mayores y exitosos. ¿Hay algo que quieras contarme?

Arthur se bebió de un trago lo que le quedaba del whisky.

—No seas ridícula, Elyse. No hay ninguna relación entre esa mujer y yo. Nunca la he conocido. Ni siquiera sé su nombre. Y te aseguro que no tengo ni la menor idea de quién la atropelló.

—Se llama Rachel Ogden. Y la mujer que fue testigo del atropello, Karly Fontaine. Las dos son clientas de Winshore. Y, como he dicho, Rachel es decididamente de tu tipo.

—Gracias por el despacho de prensa. Pero no me acuesto con ella. Ya te lo he dicho: ni siquiera la conozco. Ni a la otra... Karly Fontaine.

—Me parece bien. Porque el detective Montgomery las va a interrogar mañana.

—Mierda. —Arthur se pasó la mano por la cara—. ¿Por qué pierde su tiempo con eso? Esas mujeres no le ayudarán a resolver el caso, no si Morgan es el vínculo que tienen en común. Lo único que conseguirá es hacer ruido mediático.

—Lo dudo. Montgomery es un hombre discreto. Pero también es prolijo. Por eso Morgan lo contrató.

—Lo sé. —Arthur no paraba de pensar—. Sólo espero que sepa por dónde pisa. Una de las virtudes que no posee Pete Montgomery es la corrección política.

—Pero tiene fama de saber manejarse en la calle. Sabe que eres una figura pública. Estoy segura de que sabrá actuar en consecuencia. —Elyse calló un momento—. Arthur, si hay algo que yo deba saber sobre Rachel Ogden, dímelo ahora. Te puedo proteger mejor si estoy al corriente de los hechos.

—Te he dicho que no hay nada que saber —respondió él, con tono cortante, pero procurando bajar la voz—. Si no me crees a mí, pregúntale a uno de esos detectives tuyos tan bien pagados. Ya sabes, esos tipos que me han estado siguiendo durante los últimos treinta años, sabiendo dónde voy a cada paso.

Elyse emitió un bufido que sonó mitad a risa y mitad a disgusto.

—Lamento decepcionarte, pero renuncié a sus servicios hace muchos años. En parte porque las publicaciones baratas hacían tan bien el trabajo de seguirte que no necesitaba investigadores privados. Y en parte porque estaba emocionalmente agotada. Yo te quiero, Arthur, más que a nada. Pero estoy cansada, resignada. Tú eres quien eres. Por muy eficaces que sean los investigadores privados y por muchas fotos que tomen, nunca cambiarán eso.

Él guardó silencio un momento.

—No soy perfecto, Lyssie. Pero tampoco estoy mintiendo. Esta vez no. No tengo ninguna relación con esa víctima del atropello. Nunca la he conocido. Y no me acuesto con ella —aseveró, y acabó con una nota algo cáustica—. Pero nada de eso impedirá que el *Enquirer* diga lo contrario.

—Es verdad, pero, por si te interesa, yo te creo.

—Eso tiene mucho valor —dijo él, y siguió otra pausa—. ¿Cómo se lo está tomando Morgan?

—No demasiado bien. Ella y Jill pasarán la noche comiendo pizza y mirando películas. Espero que le sirva de algo. Pero no piensa rendirse. Con o sin amenazas, volverá a lo mismo mañana, siguiendo todas las pistas hasta que ella y el detective Montgomery encuentren al asesino de Jack y Lara.

Arthur suspiró ruidosamente.

—Es lo peor que podría hacer. Entre los recuerdos y la prensa, esto podría ser la gota que colmara el vaso. Y si las amenazas son reales, podría estar en peligro. Tú también. Las llamadas anónimas, la persona que te seguía, la furgoneta blanca… No me gusta. Voy a llamar a Montgomery para que contrate más seguridad, para ti y para Morgan. Y para Jill también, desde luego.

—Gracias. —Había auténtico alivio en la voz de Elyse, y una pizca de nostalgia—. Cuando eres así... digamos... que ése es el hombre del que me enamoré.

—Entonces guarda esa imagen en tu cabeza. Yo cuidaré de ti. Me ocuparé de todo. Ahora mismo. Ya verás. Pondré las cosas en marcha. Y estaré de vuelta en casa antes de que te hayas dado cuenta.

Arthur se quedó mirando su móvil un buen rato después de colgar, con la mente acelerada. Miró al otro lado de la sala para ver qué hacían Lane y Jonah. Los vio sentados junto al fuego en animada conversación. A juzgar por los gestos que Lane hacía con sus brazos y su cuerpo, era evidente que le hablaba a Jonah de algunos movimientos del esquí con nieve en polvo.

Aprovechándose de ese pequeño momento de privacidad, Arthur se alejó a una sala más tranquila. Se sentó en uno de los sillones del vestíbulo, bebiendo de su copa, y esperó para asegurarse de que nadie se le acercaría. Ya había sido un error bastante grave discutir con Elyse en medio de la sala, aunque calladamente y con pocos clientes alrededor. Pero era imprescindible que en lo sucesivo las conversaciones las mantuviera sin que hubiera posibilidad de que lo escucharan.

Aquella situación era un potencial desastre. Estaba preocupado. E irritado. Tenía que proteger a su familia. Y tenía que proteger su carrera.

Había llegado el momento de apretarle las clavijas al detective Montgomery. Y luego, también había llegado el momento de llamar a alguien que le diera unos toques.

Morgan bebió un trago de Chianti y dejó que su efecto calmante se apoderara de ella.

—¿Es una sonrisa lo que veo? —inquirió Jill, con tono provocador, mientras cruzaba la cocina para servirse otra porción de pizza—. Hmmm, ¿podría tener algo que ver con esa llamada de Lane Montgomery?

—Has adivinado bien. —Morgan dejó su copa y se reclinó hacia atrás en su silla—. Es una ironía. Lo veo tal cual es. Ya sabes qué pinta tiene el conjunto: una seguridad en sí mismo a prueba de fuego, un atractivo sexual natural y suficiente magnetismo como para levantar una viga de acero.

—Has olvidado un par de cosas —añadió Jill de buena gana—. Un cuerpo estupendo, una carrera excitante y ese halo masculino que atrae a las mujeres como moscas.

—Valga la corrección. Sin embargo, la parte que más miedo da es que yo he aconsejado a docenas de mujeres, a mis clientas, que se mantengan alejadas de ese tipo de hombres. Así que, ¿qué hago ahora? Camino directamente a la línea de fuego. Veo todos sus defectos, veo todas las técnicas que utiliza para atraerme y, aún así...

—Aún así, funcionan.

—Me gustaría saber por qué. Lo único que sé es que, de alguna manera, es diferente. *Él* es diferente.

—Quizá Lane Montgomery tenga algo más que no estás dispuesta a reconocer, incluso ante ti misma.

—O quizá me siento tan atraída por él que no puedo pensar con claridad.

—No tiene sentido negar que entre vosotros dos hay química.

—Demasiada química —dijo Morgan, con un suspiro—. Sólo espero que haya algo más allá de eso.

—Las relaciones no son una ciencia exacta, Morg. Eso lo sabemos mejor que mucha gente.

—También sabemos que las relaciones duraderas requieren mucho más que una atracción física y excelentes relaciones sexuales. Lane y yo somos totalmente opuestos. Yo soy una persona muy cauta. Él es un temerario y un jugador. Debo estar loca.

—Sólo hay una manera de saberlo. —Jill volvió a llenar las dos copas—. ¿Vas a cenar con él mañana por la noche?

—Más bien una cena de medianoche. Su avión no llegará hasta alrededor de las diez.

—Vale, una cena tarde. —Jill tomó un trago de vino y lanzó una mirada distraída en dirección a Morgan—. ¿Hay alguna posibilidad de que esa cena tardía acabe en un desayuno?

—Qué sutil eres —dijo Morgan, arqueando las cejas.

—No, nunca he sido demasiado sutil. Nunca lo seré. Ahora, contesta a la pregunta.

—Quizás. Es probable que no. Depende —dijo Morgan, y bebió un buen sorbo de Chianti—. No tengo ni la menor idea.

—Tajante. Así me gusta.

Morgan se levantó del sillón.

—En este momento sólo estoy segura de una cosa. Necesito un poco de helado de Ben & Jerry. ¿Quieres un poco? —preguntó, yendo hacia la nevera.

—No pierdas ni tiempo ni traigas platos. Esta conversación pide medio litro cada una, dos cucharas y nada de arrepentimientos.

Cinco minutos más tarde, alternaban los tragos de Chianti con las cucharadas de helado.

—Hoy he revisado las fotos de la escena del crimen —dijo Morgan, de pronto.

Jill se quedó con la cuchara a medio camino de la boca.

—Por eso estuviste tanto rato en el despacho del detective Montgomery. ¿Por qué no me lo dijiste? Habría ido contigo.

—Créeme. No te habría gustado verlas.

—Por lo menos te podría haber ofrecido apoyo moral.

—Gracias, pero es algo que tenía que hacer sola —dijo Morgan, con la mirada fija en el recipiente de su helado—. Pensé que estaba preparada. No lo estaba. Fue como si me tragara un agujero negro.

—Cuánto lo lamento. Tiene que haber sido realmente horrible para ti. —Jill cogió la cuchara y la hundió en el helado.

—Estoy bien. Aguanto. —Morgan se inclinó hacia adelante y le apretó ligeramente el brazo a su amiga. Por su carácter amable y generoso, se parecía a Elyse.

Aquello hizo sentirse a Morgan doblemente culpable por el tema que iba a tratar.

—¿Tú y tu madre habéis hablado hoy?

Jill parecía sorprendida.

—Hace un rato, sí. Pero sólo unos diez segundos. Se iba a casa de mis abuelos para pasar la noche. Me pareció raro. Espero que no sea una reacción suya ante alguna de las indiscreciones de mi padre.

—Esta vez, no.

El tono grave de Morgan hizo que Jill alzara la mirada.

—Está claro que sabes lo que está ocurriendo. ¿Qué te ha contado mamá?

—Nada. Lo que he oído ha sido por parte del detective Montgomery. —Apesadumbrada, Morgan le describió el panorama a Jill.

—¿Esto ha venido ocurriendo toda la semana? —Jill la miró con un dejo de ansiedad—. No nos ha dicho ni una sola palabra.

—A nadie. Ni siquiera a tu padre. Aunque ahora que sabe que hay una relación entre el atropello de Rachel y los siniestros episodios que ha vivido ella, seguro que se lo cuenta a Arthur.

—Y él se volcará por completo sobre el asunto —dijo Jill, como si aquello la tranquilizara—. Es imposible que las dos furgonetas no hayan sido las mismas. Lo cual quiere decir que quien sea que haya hecho esto fue desde Union Square hasta el Upper East Side, y luego de vuelta al centro, sólo por decir algo.

—No sólo por decir algo. Ha sido un mensaje. Destinado a mí y entregado a través de la familia.

Jill volvió a buscar la mirada de Morgan con un dejo de ansiedad.

—¿No habrá intentado hacerle daño a mamá? ¿Estás segura de eso?

—Absolutamente. Esto es una táctica para infundir miedo, nada más. Si fuera... —Morgan cruzó una mirada con Jill, y unas lágrimas brillaron en sus ojos—. Después de perder a mis padres de esa manera, jamás podría... nunca... poner en peligro a Elyse o a cualquiera de vosotros.

—Eso lo sé. ¿El detective Montgomery tiene alguna hipótesis?

—Sí. Además de asustar a tu madre, también cree que hirió a Rachel mucho más de lo que le habían ordenado. Cree que la orden consistía en darle de refilón, derribarla. Pero esos hombres que contratan son inexpertos, y los inexpertos fallan. De modo que Rachel ha sido una víctima inocente —afirmó Morgan, y apretó los labios con expresión sombría—. Hay una sola persona a la que este maniático quiere llegar, y ésa soy yo. Intenta asustarme para que abandone. Pero eso no ocurrirá. Sobre todo ahora. Acaba de confirmar lo que el detective Montgomery y yo ya sospechábamos. No se trata de un ladrón cualquiera. Mató a mis padres a sangre fría. Y todavía anda suelto por ahí.

Capítulo 19

Monty ansiaba que llegara la mañana del miércoles.

Se levantó al amanecer y salió de su casa a las siete. Aprovechó el trayecto de dos horas entre su casa en el condado de Dutchess y el Hospital New York-Presbyterian para hablar por el móvil y organizar unas cuantas cosas.

Cuando se presentó para el encuentro de quince minutos con Rachel Ogden, un encuentro que su médico había aceptado a regañadientes, ya había contratado a suficientes hombres para que cuidaran de la seguridad de Jill, Elyse y Morgan.

La llamada de Arthur Shore, la noche anterior, le había traído recuerdos de aquel hombre irritado que no le había dado respiro después del doble homicidio, hacía diecisiete años. En esta ocasión, el congresista había despotricado por la vulnerabilidad de sus «chicas» y le había dado a él carta blanca para contratar y pagar lo que fuera para que Elyse, Jill y Morgan estuvieran protegidas las veinticuatro horas del día.

No se podía negar que Arthur Shore se preocupaba por su familia. Monty lo entendía. Había tomado todas las medidas necesarias y puesto a trabajar a un equipo de seguridad.

Ahora tenía dos encuentros por delante. Rachel Ogden y Karly Fontaine.

De ninguna de las dos esperaba revelaciones que fueran a sacudir el mundo. Después de una investigación bastante detallada de sus antecedentes, seguía creyendo que las dos mujeres no eran más que peones circunstanciales.

El nombre verdadero de Karly Fontaine era Carol Fenton. Ella lo había sofisticado al mudarse de Nueva York a Los Ángeles y convertirse en modelo. No había nada de raro en eso. Lo que le extrañaba a Monty era el momento del cambio, hacía poco más de dieciséis años, sólo seis meses después del homicidio de los Winter. Merecía la pena abordarlo en una conversación.

En cuanto a Rachel Ogden, aquella mujer era la encarnación misma de lo que a Arthur Shore le agradaba en sus mujeres, incluyendo el dato de que a Rachel le atraían los hombres exitosos y casados. Además, en su agenda, que su secretaria amablemente había compartido con él, figuraban una media docena de encuentros recientes con clientes, todos impersonales, apuntados sin nombres ni números, y todos celebrados en el restaurante de algún hotel. Curiosamente, todos los hoteles en cuestión estaban situados en un radio de pocas manzanas del despacho de Arthur Shore en la avenida Lexington, y todas las citas correspondían a días en que Arthur Shore se encontraba en Nueva York, según sus pesquisas, entrando y saliendo de su despacho durante el día.

No había pruebas reales de que los dos compartieran lecho, pero eso no significaba que no ocurriera. Y eso, desde luego, despertó la curiosidad de Monty, sobre todo a la luz de lo que Elyse le había contado el día anterior.

Su primera impresión era que ella le había contado la verdad. Sin embargo, había un par de detalles que seguían rondándole la cabeza.

El primero era la hora del accidente.

El tío que había atropellado a Rachel Ogden había corrido un grave riesgo. Había robado la furgoneta en la calle Diez, se había desplazado hasta el Upper East Side para acechar a Elyse Shore, y luego había bajado hasta el centro para derribar a Rachel, después de lo cual había abandonado el vehículo en el Bronx. Hablando de tiempos y territorios, ese tipo había apurado ambos hasta el límite. El que lo había contratado debía saber que cuanto más tiempo llevara ausente la furgoneta, más probabilidades había de que la policía la encontrara. Era un riesgo considerable, sólo para poner nerviosa a Elyse y darle un buen susto a Morgan.

Y luego estaba la cuestión de la cobertura de la noticia.

Las cadenas locales habían informado sobre el accidente y el conductor que se dio a la fuga en las noticias del final de la tarde y a las once de la noche, junto con los nombres de Rachel y Karly. Sin embargo, por la sorpresa que Elyse había manifestado aquella mañana, no sabía nada acerca de la identidad de la víctima ni de la testigo, e ignoraba que las dos eran clientes de Winshore. Tratándose de una mujer perspicaz, casada con un político muy poderoso, parecía raro que estuviera tan mal informada sobre los acontecimientos del día.

¿Era posible que Elyse estuviera mintiendo? Quizá. Pero ¿por qué?

A Monty sólo se le ocurría un motivo por el que Elyse se podría haber inventado algo tan intrincado, y era que quizás ella fuera la culpable, no la víctima.

Era una idea peregrina. Pero tenía que tenerla en cuenta, sobre todo a la luz de lo que había averiguado sobre Rachel Ogden. Al fin y al cabo, ¿cómo era aquel dicho? Guárdate de la furia de una mujer despechada. Jonah había dicho que Elyse estaba de un humor de perros cuando apareció por el despacho de su marido. Era posible que montar una maniobra destinada a amedrentar a un rival —maniobra que había ido más allá de lo planeado— pudiera ponerlo a uno en ese estado.

Si, y ese si condicional seguía siendo enorme para Monty, pues si Elyse se había inventado el episodio que le había contado para vincularlo con el momento del atropello, eso explicaría por qué parecía ignorar el nombre de las mujeres involucradas, y descartaría la peripecia de la furgoneta por el barrio alto de la ciudad, y los tiempos y la ruta escogida serían más plausibles.

Al contrario, si Elyse decía la verdad, había que considerar otro factor, más inquietante, algo que no le había mencionado a Morgan. Y ese factor era que, en el papel, la descripción de Rachel Ogden se parecía a la de Morgan como dos gotas de agua. Constitución ligera, traje de ejecutiva, pelo largo hasta los hombros, ojos verdes. Esperada en los alrededores del St. Regis a la hora del accidente.

Según esa lógica, existía una posibilidad muy real de que el error cometido por el ladrón de la furgoneta no fuera haber herido de gravedad a Rachel Ogden, sino haber atropellado a la mujer que no debía. Y si eso era lo que había ocurrido, puede que tuviera la orden de matar a Morgan, no de herirla.

Eran muchas hipótesis, e igual el número de increíbles respuestas, algunas más sombrías que otras.

Monty entró en el área de estacionamiento del hospital. Estaba impaciente por hablar con Rachel Ogden.

Jill acababa de ordenar unos archivos en su mesa de trabajo cuando sonó su teléfono móvil. Miró el identificador de llamada y respondió con la velocidad del rayo.

—Papá… hola. Esperaba la salida del sol en las Rocosas para llamarte. Ahora me has ganado.

—¿A qué viene tanta urgencia? —La tensión de su padre era palpable a través del teléfono.

—Todas estamos bien. Sólo que anoche Morgan me contó lo que le ha ocurrido a mamá. La llamé a casa de los abuelos justo antes de acostarme, y todavía parecía cansada, pero menos estresada. Es evidente que le ha sentado bien hablar contigo. No sé qué le has dicho, pero la has calmado.

—Así es. Y también debería calmarte a ti. Acabo de hablar con el detective Montgomery. Ha organizado un sistema de seguridad las veinticuatro horas del día para cuidar de tu madre, de Morgan y de ti. Nadie se os acercará, a ninguna de las tres.

Aunque la reacción de su padre era predecible, Jill sintió un gran alivio.

—Estupendo. Gracias, papá. Eso al menos nos dará tranquilidad —dijo, y siguió una risa forzada—. Aparte de que mamá renunciará a pasar otra noche en casa de los abuelos. Sé que el abuelo es uno de tus aliados más leales, pero a mamá la vuelve loca. La conversación con el detective Montgomery tiene que haberle asustado mucho para decidir dormir en casa de ellos.

—Estoy seguro de que tendría sus motivos.

—La invité a quedarse aquí con Morgan y conmigo.

—¿Y?

Jill suspiró.

—Morgan y yo habíamos planeado una noche de chicas. Y ya conoces a mamá. Aunque le dije que era una de las chicas, ella decidió que teníamos nuestras cuestiones personales de qué hablar, de los tíos, por ejemplo. En especial del tío con que tú has ido a esquiar.

—¿Lane?

—Sí. ¿Te ha dicho que saldrá a cenar con Morgan en cuanto aterricéis? Claro que no —dijo, sin esperar la respuesta—. Los hombres nunca cuentan nada. Así que te informaré. Hay unas chispas clarísimas entre esos dos. Esta noche salen a cenar tarde.

—Nada nuevo bajo el sol —dijo Arthur, con una pizca de humor seco—. A pesar de que crees que los hombres no comunican nada, ya me había dado cuenta de lo que ocurre entre Morgan y Lane. Anoche, en el salón del hotel, lo vi hablando por el móvil y no parecía una llamada de negocios. Así que no me sorprende que tengan planes.

—Le irá bien —dijo Jill, mordiéndose el labio—. Morgan está más tensa ahora que antes de contratar al detective Montgomery. Las cosas ya estaban mal cuando tuvo que asimilar el impacto y el dolor de saber que se reabría la investigación. Pero ahora sabe que está afectando directamente a sus seres queridos. En lugar de asustarla, la enfurece. Ni pienses que se echará atrás. Si consigue lo que quiere, estará ahí, en el centro mismo del escenario, solucionando este caso con el detective Montgomery.

—Es lo peor que puede hacerse a sí misma —dijo Arthur, convencido—. Ya está sufriendo demasiado emocionalmente. Si sigue obsesionándose con esta investigación, se pondrá enferma.

—Es por eso que no podría haber mejor momento para que apareciera Lane. Espero que esta noche se diviertan mucho. Lo menos que se puede decir es que será una excelente distracción. Aunque yo tengo la sospecha de que será más que eso, que veremos un romance en toda regla. En cualquiera de los dos casos, estaré encantada. Cualquier cosa que distraiga a Morgan.

—Estoy de acuerdo. —Siguió un silencio pensativo—. Quizá debieras pasar la noche en nuestra casa. Con o sin seguridad, no me gusta nada la idea de que tú y tu madre estéis solas. Yo no estaré de vuelta hasta tarde, lo cual significa que Morgan y Lane estarán fuera hasta las tantas. Me sentiría mucho mejor en todos los sentidos si tú te quedaras con nosotros. Y Morgan también, ya que estamos. No me agrada la idea de que entre en casa sola. Hablaré con Lane y le pediré que la lleve a nuestro apartamento cuando acabe la cita.

—Yo que tú no haría eso —aconsejó Jill.

—¿Por qué?

—Papá, ¿acaso tengo que hacerte un dibujo? Es posible que su cita dure más de lo esperado. Si le dices a Lane dónde tiene que dejar a Morgan estás lanzando un cubo de agua fría en cualquier plan romántico que pueda tener.

Arthur carraspeó.

—Ya entiendo. ¿Cómo sugieres que lo haga, entonces?

—No hagas nada. Yo le diré a Morgan dónde estaré y que será bienvenida a casa si su cena acaba antes del amanecer. En cualquier caso, no estará sola.

Rachel Ogden estaba sentada en su cama del hospital, pálida y de aspecto decididamente cansado en el momento en que entró Monty. Aún así, había en sus grandes ojos verdes algo más que curiosidad cuando lo invitó a sentarse.

—Gracias por recibirme —dijo Monty—. Siento lo de su accidente.

—Mi aspecto es peor que mi estado de ánimo —dijo ella, con una débil sonrisa—. Acabo de terminar mi sesión matutina de fisioterapia. Estoy convencida de que lo que pretenden es distraer mi atención de mis heridas infligiéndome dolor —dijo, y tomó un trago de agua—. Mi médico me ha dicho que es usted investigador privado. No hay muchos investigadores que pidan hablar conmigo.

—Seguro que no —dijo Monty, como escrutándola, mientras se sentaba en el sillón frente a su cama. A pesar de los golpes y de la cirugía a la que la habían sometido, estaba muy atractiva. Sin maquillaje, parecía joven, aunque él se dio cuenta de que tenía una presencia que la hacía parecer mayor, más sofisticada. Me jugaría cualquier cosa a que como ejecutiva, Rachel Ogden era una mujer implacable.

—¿Morgan lo ha contratado para que investigue el accidente? —preguntó—. ¿Por qué? ¿Hay alguna otra cosa que la policía no me haya dicho?

Ahora le tocaba a Monty sonreír.

—Siempre hay más cosas de las que cuenta la policía. Y yo debería saberlo. Fui uno de ellos durante treinta años —dijo, y abrió su libreta de notas—. ¿Sabe que tanto usted como Karly Fontaine, la mujer que informó del accidente, son clientes de Winshore?

—Me lo dijo mi secretaria. Le pedí que le enviara flores a Karly para agradecérselo. Nunca nos habíamos conocido pero, al parecer, estaba justo detrás de mí en esa esquina —dijo, con una mueca triste—. Dos habitantes de Nueva York que se dirigen corriendo a sus citas con la cabeza en otra parte. Típico.

Morgan convino con un gruñido.

—Permítame que comience con lo más obvio. Que usted sepa, ¿hay alguien que quiera hacerle daño?

—¿En cuestiones de negocios? Hay un puñado de personas que harían cualquier cosa si con eso consiguieran quitarme el puesto en la empresa. En la realidad, no se me ocurre nadie.

—Es una opinión bastante dura.

—Ella se encogió de hombros.

—Soy asesora en cuestiones de gestión empresarial, detective. La asesora más joven en una empresa brillante y de competencia feroz. Mis colegas no tienen precisamente la reputación de ser corazones blandos. Pero eso no significa que llegaran al extremo de atropellarme.

—¿Y fuera del trabajo? Personas con las que haya tenido conflictos. ¿Ex novios?

—¿O sus mujeres? —Rachel lo miró con ojos agudos—. Estoy segura de que ha hecho sus deberes. Sabe que no soy una santa. Es una de las razones por las que acudí a Winshore, para cambiar el perfil de los hombres con que entablaba relaciones. En cuanto a los hombres casados de mi pasado, créame, o se sentían lejos de sus mujeres o habían olvidado que estaban casados.

—¿Uno de esos hombres es una importante figura política?

Por un momento, fue como si Rachel se hubiera quedado en blanco. Y luego alzó las cejas.

—¿Se refiere al congresista Shore?

—Lo ha dicho usted, no yo.

—Porque probablemente lo demandaría o lo mandaría a cierta parte, si lo hiciera. Pero estoy dispuesta a contestar a la pregunta porque estimo mucho a Morgan. No, detective, no me he acostado con Arthur Shore. Puede que no sea brillante en las parejas que escojo, pero no soy tonta. ¿Por qué? ¿Se sospecha de alguna de sus amantes?

A Monty le cayó bien aquella chica. Decía las cosas como eran, aceptaba sus defectos, pero no se disculpaba por ellos.

—No hay sospechosos. Tal como están las cosas, se trató de un accidente causado por un idiota, un cobarde. Yo sólo cubro todo lo que hay que cubrir —dijo, y anotó un par de cosas—. En su opinión, ¿cree que es casual que la víctima haya sido usted? ¿Cree que podría haber sido también Karly Fontaine?

—Claro, si hubiera llevado más prisa y se me hubiera adelantado, habría pisado la calle antes que yo. Por eso dudo que se trate de algo premeditado. Era demasiado incierto.

—Entiendo lo que quiere decir —dijo Monty. Anotó unas cuantas cosas más y se levantó de su asiento—. No quiero cansarla demasiado. Tal como están las cosas, el médico no estaba demasiado entusiasmado con que la visitara tan pronto después de su paso por el quirófano.

—No le mentiré —dijo ella—, pero duele mucho. Aun así, yo soy una luchadora. Mi secretaria vendrá con mi BlackBerry. Hacia mediodía, me atrapará la máquina. Así que si tiene más preguntas y mi médico le pone las cosas difíciles, escríbame un correo. Le contestaré enseguida.

—Gracias. Cuídese. Le espera el mundo de los escualos de los negocios.

Capítulo 20

La sede de la Agencia de Modelos Lairman, unas oficinas elegantes situadas en un edificio de negocios en el corazón del centro, hacía honor a las historias de sus éxitos. Estaba apenas amueblada, y la mirada del visitante se veía atraída enseguida por las brillantes paredes blancas, cubiertas de fotos y de páginas dobles de todas las bellas modelos que representaba.

Karly Fontaine era la mujer ideal para dirigir aquel negocio.

Con sus treinta y cinco años, su pelo rubio rojizo, su constitución delgada y unos rasgos que parecían esculpidos, se veía que ella también había sido modelo, probablemente uno de los éxitos más sonados de la agencia. De modelo a directora. No se necesitaba una mente demasiado brillante para entender por qué.

Monty estaba enterado de todo aquello, no sólo por sus primeras impresiones, sino también por sus investigaciones. Karly Fontaine había empezado prácticamente como una desconocida, trabajando de camarera para pagar su formación como modelo. Al enterarse de que un importante fabricante de champú buscaba una cara desconocida que representara la nueva línea de cuidado integral del cabello que querían lanzar, se presentó sin más para hacer unas pruebas.

Y lo había conseguido.

Después, la Agencia Lairman se había mostrado más que complacida con la idea de conservarla como cliente. Lanzaron la nueva línea de cuidado del cabello y a Karly se le abrieron puertas para posar en todo tipo de catálogos y anuncios de revistas. Al cabo de un año, Karly Fontaine se había convertido en una modelo sumamente cotizada y con una carrera muy próspera. El resto, como dicen, es historia.

En ese momento, Karly se acercó, le tendió la mano y sonrió al estrechársela.

—Detective Montgomery. Soy Karly Fontaine —dijo. Echó una mirada alrededor y vio que el puesto de recepción detrás del mostrador estaba vacío—. ¿Quiere que le traiga algo? ¿Café? ¿Té?

—En realidad, su recepcionista se está ocupando de eso. Ha tenido la amabilidad de poner una cafetera. No soy un experto, pero soy adicto. Un poco maniático. Me gusta el café fuerte y sin sarro.

—Ya le entiendo. —Esta vez la sonrisa fue menos estudiada, más espontánea—. Vamos a mi despacho, estaremos más cómodos. Cindy traerá el café cuando esté listo.

Monty siguió a Karly al despacho de dirección que quedaba al fondo del pasillo. Sillones de cuero color crema. Madera escandinava. Una alfombra art déco. Muy ecléctico.

—Gracias por tomarse el tiempo para atenderme.

—No hay de qué. —Karly le hizo un gesto para que se sentara y él tomo asiento en la mullida silla al otro lado de la mesa, justo cuando Cindy llamó y luego entró con dos tazas de café caliente y aromático. Karly se lo agradeció con un gesto de la cabeza y esperó a que la recepcionista saliera y cerrara la puerta antes de girarse hacia Monty.

—¿Es adicto a la cafeína o simplemente al café?

—Las dos cosas. No conozco a muchos polis o investigadores privados que no lo sean —dijo Monty, y tomó un sorbo para probar.

—Lo mismo vale para todos los adictos al trabajo —corrigió Karly, con una sonrisa grave—. Es la segunda taza que tomo hoy, sin contar la pepsi light que bebo entre las llamadas telefónicas, y sólo es la hora de la comida.

—En ese caso, gano yo. No tomo pepsi. Pero sí cuatro tazas de café, una de ellas de tamaño gigantesco —dijo Monty, torciendo la comisura de los labios—. Si yo fuera usted, con su trabajo necesitaría el doble. El encanto y el tacto no son mi fuerte. Necesitaría toda la ayuda que pudieran prestarme.

Al ver que Karly respondía con una risilla, y observando que se relajaba, Monty se dio por satisfecho con su maniobra de romper el hielo y hablar de negocios. Así que abrió su libreta de notas.

—No le robaré más de diez o quince minutos de su tiempo. Sólo tengo unas cuantas preguntas que hacer a propósito del accidente de Rachel Ogden.

—Me ha dicho que Morgan lo contrató —dijo Karly, asintiendo con la cabeza—. Espero que no le preocupe alguna cosa absurda, como una demanda. Ella no es responsable de que sus clientes estén en una esquina y de repente pase un loco en coche.

—No, no es nada de eso. Aunque es verdad que Morgan se siente muy mal. Es evidente que las estima mucho, a usted y a Rachel. Y quiere asegurarse de que este accidente ha sido estrictamente fruto del azar —dijo Monty, y la miró mientras hacía girar el boli entre los dedos—. Usted es una mujer de éxito. Ha sido una modelo muy cotizada y buscada. Ahora dirige toda una oficina regional. ¿Hay alguna posibilidad de que alguien le guarde rencor?

—Vaya. —Karly respiró profundo—. Es verdad que es muy directo —dijo, y entrelazó los dedos—. No negaré que se trata de un negocio donde hay muchas jugadas sucias. Estoy segura de que muchas chicas me envidiaban. Sé que yo misma envidiaba aquellas historias de éxitos en el mundo de las modelos cuando era yo la que apenas tenía para comer. Pero eso fue hace siglos. No he trabajado de modelo en seis o siete años. En cuanto al puesto de dirección, no fue coser y cantar. Tuve que escalar. Peldaño a peldaño. Y no, no me creé el tipo de enemigas que me odiarían lo suficiente como para atropellarme.

—¿Y qué hay de los hombres? ¿No ha vivido situaciones de acoso? Ya sabe, algún chalado que creía que había algún tipo de relación entre ustedes. ¿Quizás alguien que la seguiría hasta aquí desde Los Ángeles?

En lugar de parecer preocupada, Karly miraba más bien divertida, y de alguna manera complacida.

—Me siento halagada de que me encuentre lo bastante joven y deseable como para pensar en un acosador. Pero no he tenido admiradores de ese tipo desde los veinte años. E, incluso entonces, no se parecía en nada a *Atracción fatal*. Nada de psicosis.

—¿Y qué hay de los hombres normales en su vida? Hombres con que sale, o con que ha salido.

—Es una lista poco abultada. Paso la mayor parte de mis horas trabajando. Por eso me hice cliente de Winshore en cuanto me vine a vivir al este. En este momento todas mis citas comienzan ahí. Y estoy segura de que Morgan sabe muy bien cómo eliminar a los chalados de esas listas.

—Seguro que sí —dijo Monty, y anotó un recordatorio—. ¿Su verdadero nombre es Carol Fenton?

Ella asintió con un gesto de la cabeza.

—Me lo cambié cuando llegué a Los Ángeles. A los diecisiete años, quería un nombre más llamativo, un nombre que anunciara a una estrella. Carol Fenton parecía demasiado normal para la fabulosa profesión de modelo que yo estaba decidida a forjarme.

—Tiene sentido. ¿Y qué hay de su familia? ¿Cómo la llaman, Carol o Karly?

Una expresión de tristeza asomó en su rostro.

—No tengo familia. Mis padres murieron cuando era adolescente. Y soy hija única.

—¿Es por eso que dejó Nueva York y se marchó a Los Ángeles?

—En parte, sí. No había nada que me atara a Nueva York, nada excepto el dolor y la pérdida. Quería volver a comenzar desde cero. Y eso fue lo que hice.

—Ha dicho en parte. ¿Cuál es la otra parte del motivo por el que se marchó?

—Para conseguir que mi carrera de modelo saliera adelante.

—Ya. Entiendo la necesidad de comenzar desde cero. Pero ¿quiere decir que la moda no tiene su sede principal en Nueva York?

—En algunos aspectos, sí. —Era evidente que el estilo del interrogatorio de Monty empezaba a molestarla, quizá porque le traía recuerdos muy duros—. Nueva York es donde tienen su sede las revistas de moda. Sin embargo, en Los Ángeles está la industria del cine, la televisión, la publicidad y la escuela de modelos donde yo quería estudiar. —Karly bebió un trago de café y Monty advirtió que la mano le temblaba—. Me perdonará, señor Montgomery, pero en aquella época yo era una chica muy confundida. Había perdido a todos mis seres queridos. Actué siguiendo un impulso, y fue una decisión absurdamente dramática. Aún así, no lo lamento. He acabado teniendo una vida bastante asombrosa.

—Así es —convino Monty, y cerró su libreta—. Lo siento. No era mi intención despertar recuerdos dolorosos.

—Lo entiendo. Sólo está haciendo su trabajo. —Karly bebió otro sorbo de café. Esta vez, la mano no le tembló—. ¿Puedo hacerle yo una pregunta a usted?

—Adelante.

—¿Todo esto es de verdad una conversación relacionada con unas simples medidas de precaución? ¿O hay alguna razón por la que Morgan piensa que este accidente ha sido intencionado y que tenía como blanco a una de sus clientes?

—No hay ninguna prueba que nos permita afirmar que no se trata de un simple accidente. Si lo que quiere saber es si creo que alguien la tenía a usted, específicamente, como blanco, la respuesta es no. Lo que le he dicho es verdad. Morgan me contrató para que comprobara la coincidencia de que usted y Rachel se encontraran en el mismo lugar y a la misma hora en que se produjo el atropello y fuga, porque cuida a sus clientes. Además, para serle sincero, yo mismo insistí en que se llevara a cabo la investigación. Cuando se trata de una familia de alto perfil, sobre todo de un perfil político, todo... y todos deberían ser investigados.

—No le entiendo —dijo Karly, abriendo las manos, como desconcertada—. ¿La familia de Morgan tiene algo que ver con la política?

—¿No lo sabía? —preguntó Monty, arqueando las cejas para

dar a entender su sorpresa—. No, supongo que no, si sólo lleva tres meses en Nueva York. Además, Morgan y Jill no suelen hablar demasiado de las conexiones de su familia con el Congreso. De hecho, por lo que he visto, han trazado una línea muy clara entre su empresa y su vida privada. Dicho eso, no es ningún secreto que el apellido de Jill es Shore. Así que supongo que la mayoría de sus clientes saben quién es. Y ahora que el proyecto de ley de su padre está todos los días en las noticias… como he dicho, no se puede ser demasiado precavido.

Karly abrió desmesuradamente los ojos para mostrar su asombro.

—¿Shore? ¿El padre de Jill es el congresista Arthur Shore?

—El mismo. Y Morgan ha vivido con los Shore desde que sus padres fueron asesinados hace diecisiete años. Los Shore y los Winter eran grandes amigos.

—No tenía ni idea. —Karly pensó en ello un momento—. Eso arroja una nueva luz sobre el motivo de su visita. Por lo que he leído en algunos periódicos, la reputación del congresista va más allá de su escaño en la Cámara de Representantes.

Monty se encogió de hombros, como quitándole importancia.

—No leo los periódicos. Y no presto atención a los rumores.

—Con los años he aprendido que allí donde hay humo suele haber fuego. —Katy reclinó la cabeza en el respaldo de la silla, mirando a Monty con aire pensativo—. Permítame que le pregunte algo, detective. Antes le he preguntado si lo habían contratado para cubrirse ante posibles demandas. Usted dio a entender que la mentalidad de Morgan no funciona así, y estoy de acuerdo. Pero ¿qué hay del congresista? ¿Se trata de eso? ¿No es Arthur Shore el verdadero motivo de esta reunión? ¿No será porque Arthur Shore quiere tapar cualquier publicidad perjudicial que este atropello con fuga pudiera generar?

Puede que Karly Fontaine no tuviera la misma formación que Rachel Ogden, pero sin duda estaba a su altura en inteligencia y sentido común.

La respuesta de Monty fue breve y amable.

—El congresista Shore no pidió esta reunión. Tampoco fue él quien me contrató. Fue Morgan Winter. El motivo por el que he venido no es para mitigar daños. Es para asegurarme de que el accidente de Rachel fue, de verdad, un accidente. ¿Queda contestada la pregunta?

—Muy suscintamente. —El tono de Karly era seco, pero parecía algo más que sorprendida—. Usted no se anda con historias, ¿no, detective?

—No, no soy un tipo que se ande con cuentos.

—Ya entiendo.

Cuando Monty recordó que Karly Fontaine era una persona acostumbrada a modos más elegantes, suavizó su manera de abordar el problema.

—Perdón, no quería sonar como un poli de Brooklyn. Es difícil renunciar a las viejas costumbres. Su pregunta era legítima. Así que, para que lo sepa, el congresista es un hombre dedicado a su carrera política. Pero aún está más dedicado a su familia. Cualquier inquietud que tenga a propósito del atropello con fuga tiene que ver con cuestiones de su seguridad, no con la política. ¿Entendido?

—Entendido. —El tono de Karly había perdido su crispación. Sin embargo, se le notaba la tensión en el rostro.

—Ya he abusado demasiado de su tiempo. —Monty cerró la libreta y se levantó de la silla. Metió la mano en el bolsillo de su chaqueta y sacó una tarjeta de visita, que deslizó sobre la mesa de Karly—. Si piensa en algo que quizá no hayamos tocado, llámeme.

Karly se tragó un Valium en cuanto Monty salió. Aquel atropello con fuga de pronto había cobrado un sentido del todo diferente, y ella estaba en la encrucijada. Sobre todo a la luz de la reunión confidencial que había tenido el lunes.

Haber regresado a Nueva York empezaba a parecerle un grave error.

Nada más salir de la Agencia de Modelos Lairman, Monty recordó lo que había anotado mentalmente cuando Karly señaló que Morgan tenía poder de veto sobre quién se convertía en cliente de Winshore.

Había pensado en Charlie Denton.

Era el tercer elemento de su plan de acción inmediato. Además, Charlie Denton era ciertamente un cliente de Winshore, y muy relevante. No sólo era el común denominador entre las dos mujeres que acababa de interrogar, sino que también estaba presente en la vida de Morgan y de Jack Winter, una presencia que Monty no alcanzaba a discernir del todo.

El tipo era un enigma.

Como ayudante del fiscal, sabía moverse, y decididamente tenía el ojo puesto en el premio, a saber: ganar posiciones para el ascenso en la Oficina del Fiscal del Distrito. Monty entendía que aquello de provocar marejadas no encajaba en los planes de Denton. De modo que tenía sentido pensar que al ayudante del fiscal del distrito no le agradaba en lo más mínimo verse presionado para remover tanta historia, a pesar de tener la autorización de su jefe.

Aún así, había otra faceta en Denton, una faceta que a todas luces tenía un interés personal en el caso Winter. Monty no podía quitarse de encima la sensación de que el interés de Denton se debía a algo más que quererse marcar unos puntos con Morgan o con asegurarse de que se haría justicia en el caso de Jack.

Pero estaba impaciente por obtener respuestas. Ya había repartido unas cuantas tareas entre su hombres el día anterior, y sus contactos eran los mejores.

Era hora de empezar a cosechar los resultados.

Abrió su teléfono móvil y empezó a marcar mientras iba hacia su coche. Cuando llegó el momento de pagar al cajero, justo antes de salir, ya tenía suficiente información.

A las dos y media, Monty estaba en su despacho revisando algunos aspectos concretos de las carpetas con los casos antiguos que había reunido cuando sonó el timbre.

«Bien. Justo a tiempo.»

Dejó las notas que estaba revisando, y que estaba a punto de comenzar a utilizar, se levantó de su silla y se dirigió a la puerta.

Con un movimiento suave, la abrió. Su expresión era inescrutable.

—Denton —saludó—, adelante.

Ahí estaba el ayudante del fiscal del distrito, con las manos en los bolsillos del abrigo, y con aspecto agobiado y cabreado. Echó una mirada cauta a su alrededor y obedeció, entrando a grandes zancadas en el despacho con un aire de irritación no disimulado.

—No me gusta nada lo de reunirnos aquí —empezó diciendo. Se quitó el abrigo y lo lanzó sobre una silla—. Mi participación en este caso tiene que ser muy discreta. Si me ven, estoy acabado. Pero me pareció que hablaba de algo muy importante.

—Así es. En cuanto a lo de que lo vean, ninguno de mis vecinos sabría quién diablos es, aunque tropezaran con usted. Y, créame, le aseguro que más le vale tener esta conversación aquí y no en la Oficina del Fiscal del Distrito. Allá, las paredes oyen. Además, no ha venido porque le haya parecido que yo hablaba de algo importante. Ha venido porque quiere saber de cuánto estoy enterado. Siéntese —dijo Monty, señalando los asientos donde reinaba el desorden.

Charlie se quedó donde estaba un momento, mirando a Monty con expresión de cautela. Luego, se acercó y se sentó en el borde del sofá.

—De acuerdo, su táctica de sorpresa ha funcionado. Le escucho. Vaya al grano. ¿De qué va esto? ¿Pretende interrogarme hasta que le cuente todo lo que sé, como hace con sus delincuentes del tres al cuarto? Trabajo con el fiscal del distrito, Montgomery. Y soy bueno. No intente jugármela. Sólo dígame qué quiere saber y por qué.

—Me parece justo —dijo Monty, y abrió las manos en un gesto afable—. Empecemos por hablar de su lealtad profesional hacia el padre de Morgan. Es muy fuerte, si uno piensa que el hombre lleva diecisiete años muerto.

—Eso no es precisamente un despacho de última hora. Usted ha sabido desde el primer día cuánto admiraba y respetaba a Jack Winter. Era todo un modelo para mí. Yo aprendí con él cuando era un novato y acababa de licenciarme en la Facultad de Derecho. Me acogió bajo su ala, como lo hacía con todos los miembros de su equipo.

—Pero en su caso también fue una relación confidencial.

Algo brilló en la mirada de Charlie.

—Todos los casos que llegan a la Oficina del Fiscal del Distrito son confidenciales.

—Algunos más que otros.

—No pretendo jugar al gato y al ratón con usted, Montgomery —dijo Charlie, con una mirada dura—. Si tiene algo que preguntar, pregúntelo.

Monty señaló con el pulgar hacia el grueso montón de carpetas sobre su mesa.

—Es el archivo del caso Angelo. En la Secretaría Central del Juzgado me han hecho el favor de rescatarlo de su encierro. Lo he estado revisando, documento por documento, desde la detención inicial hasta la acusación y la condena. He prestado una atención especial a la transcripción del juicio, que he analizado minuciosamente. Estoy seguro de que se acuerda del juicio. Concluyó sólo unos meses antes de que Jack y Lara Winter fueran asesinados.

—Lo recuerdo. También recuerdo que fue uno de los casos que Morgan sugirió que revisáramos para encontrar al asesino de su padre. Es evidente que lo tienen en la mira por algún motivo.

—Sí. —Monty se incorporó, se acercó a la mesa y hojeó los contenidos de las carpetas—. En su nómina, Angelo tenía a pistoleros y camellos por todo el país. Unos cuantos todavía andan por ahí, y es gente de muy altos vuelos. Además, aún siguen obedeciendo las órdenes de su jefe en prisión. Uno de ellos podría haber arreglado sin problemas que alguien robara esa furgoneta y atropellara a la hija de Jack Winter, sobre todo si ella empezaba a entender que Angelo tenía algo que ver con el asesinato de sus padres.

No era lo que Charlie esperaba oír, y enseguida captó toda su atención.

—¿Cree que era Morgan a quien querían atropellar?

—Es posible. Los detalles de su descripción física son idénticos a los de Rachel Ogden. Y ese día tenía que ir al St. Regis, igual que Rachel.

—Dios mío —dijo Charlie, pasándose la mano por la mandíbula—. Creía que el incidente era una amenaza, no como un atentado. —Le lanzó a Monty una mirada—. Aunque tuviera razón, ¿qué le hace pensar que Angelo es el que está detrás de todo esto? Jack mandó a la cárcel a muchos criminales bien relacionados.

—Sí, pero en este caso hay un dato que no existe en los otros. Uno de los testigos contra Angelo era un informante confidencial de la Oficina del Fiscal del Distrito. Un confidente de mucho tiempo, alguien que tuvo un papel clave a la hora de ayudar a Jack Winter a encerrar a Angelo. —Monty agitó un papel—. Aquí hay una transcripción de su declaración como testigo. Según él, Angelo lo contrató cuando tenía veintiséis años, es decir, hace treinta años, y trece antes del juicio, para transportar alijos de armas. Un asunto delicado. Al tipo lo pillaron con las manos en la masa y fue detenido. Lo curioso es que se renunció a la acusación y el caso fue cerrado, a pesar de que no se podría decir que se trataba de un delincuente juvenil.

—¿Y qué? El fiscal del distrito hizo un trato. El tipo quedó limpio y se convirtió en informante.

—¿Para Jack?

—Para Jack, sí. ¿Y qué?

—Dígamelo usted. Quiero el nombre de ese confidente.

A Charlie se le tensó la mandíbula.

—Si lo que sugiere es que yo le consiga esa información, olvídelo. No tengo acceso a los archivos maestros que vinculan los nombres de los confidentes con sus números de registro, y usted lo sabe. Los funcionarios encargados guardan esa información como el oro de Fort Knox.

—Tranquilo. No pretendo que entre en los archivos clasificados. Como le he dicho, tengo la transcripción del testimonio de este testigo, con el número de registro y todo lo demás. Ahora lo único que necesito son unas cuantas gestiones de papeleo que me ayuden a darle un nombre a ese número. Eso es un dato al que se puede acceder en los archivos de Jack Winter. Documentos. Impresos. Registros de relaciones entre Jack y ese tío, además de las fechas de esas reuniones. Cualquier cosa que encuentre con el mismo número de identificación del informante. Fotocopie los documentos y hágamelos llegar. Comparando lo que vea, podré saber si el tipo es quien creo.

—¿Y de quién se trata?

—Se lo haré saber más tarde, si estoy en lo cierto —dijo Monty, y miró fijamente a Charlie—. Usted no trabajó por casualidad con Jack Winter en la lista de testigos para este caso, ¿no?

—No. Ni tampoco conocía las identidades de sus informantes —dijo Charlie, irritado—. No sé adónde quiere llegar con esto, pero si lo que pretende es sonsacarme cosas porque sospecha que sé algo, no se moleste. No sé nada. Yo no era más que un recién llegado. No hay ninguna posibilidad de que estuviera enterado de una información restringida de alto nivel.

—Sin embargo, trabajaba codo con codo con Jack Winter. Él tenía muy buena opinión de usted. Usted era su protegido.

—¿Y?

Monty se inclinó hacia adelante.

—De modo que oculta algo. Sospecho que es algo personal acerca de Jack, o algo que es potencialmente una pesadilla política. ¿Cuál de las dos cosas es?

Charlie se incorporó.

—Esta conversación ha acabado. Sea lo que sea que usted crea saber de mí, adelante. Pero acabará con las manos vacías.

No hubo respuesta.

—Siéntese, Denton —dijo Monty, con una voz sin inflexiones. Fue hasta la nevera, sacó dos botellas de agua y le lanzó una a Charlie. Abrió la suya, bebió un trago largo y se lo quedó mirando fijamente.

—En primer lugar, no lo acuso de nada excepto, quizá, de tener un sentido equivocado de la lealtad cuando se trata del poder —dijo Monty, y se encogió de hombros—. Pero, claro, ¿quién soy yo para juzgar? Yo me reía del poder, y para los de arriba el día que me jubilé fue una fiesta para ellos. Así que beba un trago de agua y relájese.

Con la duda pintada en la cara, Charlie volvió lentamente a sentarse.

—Tiene razón. Camino por la cuerda floja. Eso no significa que mi lealtad esté tan definida como usted la pinta.

—Lo entiendo. —Siguió otro trago de agua—. Vale, se lo diré claro. Yo ya no soy poli. Ya no formo parte de la jodida competencia entre el Departamento de Policía de Nueva York y la Oficina del Fiscal del Distrito. Tampoco es mi intención estropearle su ascenso ni clavarlo por algo que no haya hecho. Como he dicho, mis fuentes me han revelado que usted es un hombre honrado. Mi intuición me dice lo mismo. Mis objetivos son sencillos. Sólo quiero saber quién mató a los padres de Morgan. Creo que usted quiere lo mismo. Es evidente que tiene un problema, y creo que tiene que ver con Jack Winter, no con su oficina. Cuénteme lo que sabe para que pueda ayudarle.

Charlie se quedó mirando su botella aún precintada. Luego hizo girar la tapa y se reclinó en la silla.

—Yo no sé nada —dijo, después de unos cuantos tragos—. Pero no creo en las coincidencias.

—Yo tampoco.

Siguió otro silencio largo.

—He pensado en esto cientos de veces. Aquí no hay nada más que hechos circunstanciales y suposiciones.

—Siga.

—Tiene razón. Tiene que ver con Jack. No era el mismo de siempre aquellas últimas semanas. Estaba de mal ánimo y saltaba a la primera. Era evidente que tenía algún problema.

—¿Uno de sus casos?

—No —dijo Charlie, y sacudió la cabeza—. Jack era como una apisonadora cuando se trataba de encerrar a los acusados, pero no era el tipo de persona que comunicara los aspectos sensibles de los asuntos a los más jóvenes del equipo. Además, aquello no tenía que ver con el trabajo. Lo sé, porque lo oí hablar por teléfono, no una sola vez sino varias. Hablaba con la puerta cerrada, pero mi cubículo estaba cerca de su despacho. Oía su tono de voz y cogía una que otra palabra. Las conversaciones no eran agradables. Eran más bien duras, acaloradas y personales. Estaba irritado cuando colgaba. Yo lo oía dar pasos de un lado a otro, tirar carpetas. Y cuando salía, tenía un aspecto horrible.

—¿Sabe con quién discutía?

—Con su mujer.

Era una respuesta que Monty no se esperaba.

—¿Con Lara? ¿Está seguro?

—Sí. Dijo su nombre unas cuantas veces. Además, la discusión también la mantuvieron en persona. Ella vino al despacho. Su aspecto era tan lamentable como la voz con que él hablaba. Aquella vez tampoco escuché nada concreto. Jack cerró la puerta. Pero a juzgar por el tono de sus voces, era un asunto serio. Lara salió llorando. Y oí que Jack le decía algo a propósito de los principios; que debían estar por encima de los sentimientos personales, por muy profundos que fueran esos sentimientos.

—Interesante. —Monty frunció los labios, pensativo—. ¿Cree usted que se trataba de problemas de pareja?

—Es posible, pero no estoy seguro. Lo único que puedo decir es que entre ellos dos había una fricción innegable, y que tenían opiniones diferentes a propósito de cómo debían tratar el asunto en cuestión. Era un problema gordo.

—Pero, fuera lo que fuera, fue algo sobre lo que discutieron apasionadamente. Lo cual quiere decir que si no era una cuestión personal era un asunto profesional que les afectaba en el plano personal.

—¿Cómo qué?

—Como un caso de alto riesgo que hiciera a Lara temer por la seguridad de su marido.

Charlie se quedó con la botella a medio camino de su boca.

—Vuelve a hablar del caso Angelo.

—Es lo que me dice mi intuición. Lo cual significa que necesito que me consiga esos documentos. Le daré el número de registro del tipo. Cójalo. Saque cualquier documento cuyo número coincida. Fotocopie todas las comunicaciones de Jack con él. Hágalo rápido. Si este tipo es quien creo, puede que hayamos encontrado un sólido motivo de venganza. Lo cual explicaría muchas cosas. Porque va más allá de la sala del tribunal, y toca a las personas más cercanas a Jack y Lara Winter.

Capítulo 21

Eran la una y media pasadas cuando Lane, Arthur, Jonah y Rob, el guía, se calzaron los anchos esquís con la nieve que les llegaba a las rodillas y comprobaron sus equipos de seguridad antes de la última bajada del día.

Lane miró a su alrededor, con todos los sentidos despiertos. Estaba absorto en la belleza de las montañas recubiertas de nieve, poderosas, desafiantes y libres de la presencia del hombre, con la excepción de aquellos surcos insignificantes trazados por sus esquís en la enorme extensión de blanco que se desplegaba a su alrededor. Pero incluso esas huellas quedarían borradas en cuestión de un día, y todas las demás de su paso por allí también desaparecerían, sepultadas bajo las próximas nevadas.

Quizá ésa fuera la manera que tenía la naturaleza de limpiarse de la presencia de los intrusos.

Deseoso de guardar esas imágenes, tomó unas cuantas fotos. Después se giró y se concentró en Arthur, que en ese momento estaba dando unos consejos a Jonah. Era una escena natural y entrañable. Un hombre de mediana edad y un adolescente codo con codo, en la misma postura, y con sus mentes conectadas. Uno enseñaba, el otro aprendía. Desde una perspectiva artística y humana, era evocadora. Y desde un punto de vista práctico, el congresista Shore mostraba así un lado mucho más humano, compartiendo sus conocimientos y su experiencia con un joven en la flor de la vida.

Ese material destinado a *Time* iba a dejar a sus lectores embelesados.

La técnica de Jonah esquiando iba progresando cada vez más, sobre todo con los consejos que Arthur le daba continuamente. Su falta de experiencia comenzaba a convertirse en seguridad. Hasta ese momento, Jonah se había abstenido de dar rienda suelta a esa nueva destreza, recién adquirida. Pero ahora... la jornada estaba a punto de acabar. Sus posibilidades de disfrutar plenamente de la experiencia se agotaban, y poco importaba el dolor de las articulaciones y el cansancio que empezaba a acusar.

En la última bajada, habían decidido que él iría por delante.

Había llegado el momento de mostrar lo que era capaz de hacer.

Con la adrenalina latiendo poderosamente en las venas, Jonah se lanzó montaña abajo. Ayudado por los palos, se dio los primeros impulsos.

Al principio, su ritmo calzó a la perfección con la pendiente. Jonah era capaz de ignorar las punzadas y la debilidad de los músculos. Pero a medida que transcurrieron los segundos y el descenso se prolongó, la debilidad se hizo notar. Jonah empezó a sentir que las piernas se le debilitaban y no respondían.

Y aunque no quería ceder, en la siguiente curva su cuerpo no respondió al dictado de su mente.

La pendiente aumentó, y también aumentó la velocidad.

Entonces perdió el equilibrio.

Lanzado hacia adelante, el impulso lo hizo rodar cuesta abajo, dando tumbos en la nieve profunda hasta que un árbol pequeño detuvo la caída. Jonah se dio contra el árbol y rebotó. Temblando y tragando aire desesperadamente, quedó ahí tendido, sepultado en la nieve, medio aturdido, cogiéndose un lado, y gimiendo de dolor.

Los demás no tardaron en llegar.

—Jonah, ¿te encuentras bien? —Lane ya estaba arrodillado a su lado.

—Creo… creo que sí —dijo, a duras penas.

—¿Puedes ponerte de pie? — le preguntó Arthur.

Todos le miraron mientras intentaba responder, sin conseguirlo, y con una mueca de dolor.

Rob, el guía, que también era paramédico, con una sólida formación, no tardó en tomar la iniciativa. Le abrió el traje para cerciorarse de que no estuviera herido. Jonah gimió cuando Rob le palpó el lado izquierdo.

—Hay que examinarlo —dijo éste.

—Estoy bien. —Jonah hizo un esfuerzo para incorporarse, visiblemente avergonzado e irritado por su caída y la escena que había provocado.

—Es probable —convino Lane, ayudándolo a ponerse de pie—. Pero no correremos ningún riesgo. Y, para que lo sepas, todos nos hemos caído alguna vez. Hoy te ha tocado a ti. No ha sido la mejor bajada del día, pero aguantaste durante un buen trecho.

—Y con bastante agilidad —añadió Arthur, ayudando al chico por el otro lado mientras Rob llamaba al helicóptero y le daba al piloto sus coordenadas—. Tengo que confesarte, Jonah, que estoy impresionado. Tienes una aptitud y unas condiciones innatas. Para tratarse de un novato, han sido unas bajadas impresionantes.

—Gracias, señor. —A Jonah comenzaba a volverle el color y se le acompasaba la respiración.

—Que no se te suban los humos —siguió Lane—. Lo que has hecho no deja de ser una imprudencia.

—Y los dos habríamos hecho lo mismo —añadió Arthur, serio—. ¿No es así, Lane?

Lane se lo quedó mirando.

—Eso no se dice, congresista.

—Lo sé —dijo Shore, sonriendo—. Pero, bueno, puedo darme el lujo de ser franco. No soy yo el que tendrá que vérselas con sus padres.

El ruido del helicóptero llegó hasta sus oídos.

—Vamos —ordenó Rob.

Se quitaron los esquís y Rob le hizo señas a Arthur para que lo ayudara con Jonah. Lentamente lo transportaron cuesta abajo, con Lane por detrás llevando los equipos.

Después de lo que pareció una eternidad, llegaron a una extensión más plana y se dirigieron hacia el helicóptero. Lane subió y, con la ayuda de Rob y Arthur desde el suelo, levantaron a Jonah y lo instalaron en el asiento más cercano. Luego subió Arthur, mientras Rob tiraba dentro los equipos y luego trepaba para acompañarlos hasta abajo. Cuando ya habían emprendido el vuelo, el piloto llamó por radio para pedir una ambulancia.

—Me siento como un estúpido —murmuró Jonah—. Sólo estoy un poco magullado y hemos montado todo este despliegue. Además, los he obligado a acortar la jornada.

—Ya estábamos acabando —le aseguró Lane—. El sol se estaba poniendo. Y no nos importa. Éstas son cosas que pasan. Te examinarán y regresaremos a casa.

El médico en el Centro Médico Telluride examinó minuciosamente a Jonah. Como era de esperar, tenía el costado izquierdo magullado y sensible al tacto. Pero el dolor agudo había remitido, una señal positiva que daba a entender que no había lesiones internas. Cuando Arthur informó al médico de que que tenía un jet privado en el aeropuerto regional de Telluride esperando para llevarlos a casa, éste les dio luz verde para que se marcharan, con la condición de que si se agravaba, lo ingresaran inmediatamente en un hospital de Nueva York para que le hicieran un TAC que descartara cualquier lesión interna. Lane y Arthur le aseguraron que estaban totalmente de acuerdo.

Una hora después, ya volaban rumbo a Nueva York. Arthur había llamado antes para que transformaran el sofá en una cama. A Jonah lo sacaron del coche, lo llevaron hasta el avión, y lo aseguraron con un cinturón de seguridad al sofá.

El médico le había puesto una dosis de oxicodona, de modo que cuando el aparato despegó, ya dormía. Durante el vuelo, Lane llamó a sus padres y los puso al corriente de lo ocurrido con todo detalle y muy calmadamente. También les dijo que Arthur ya había llamado para que un coche los fuera a buscar a casa y los llevara a Teterboro para que pudieran ver con sus propios ojos que Jonah estaba perfectamente, después de lo cual podrían llevárselo a casa. Al principio, los padres se pusieron nerviosos, pero Lane consiguió calmarlos. También le agradecieron al congresista su generosa ayuda.

Con todo controlado y los preparativos ya montados, Lane se instaló en uno de los mullidos asientos de cuero para hacer la llamada personal que ansiaba hacer desde hacía un buen rato.

Morgan y Jill acababan de poner fin a la logística de la noche. Habían elaborado planes alternativos según las diferentes posibilidades y, teniendo en cuenta cómo podía acabar la cita de Morgan, Jill había subido a poner en una bolsa de viaje lo necesario para ausentarse una noche, antes de instalarse para su ritual de yoga, y Morgan estaba apagando su ordenador por esa noche.

La interrumpió el pitido de su móvil.

Mientras miraba la pantalla del ordenador para asegurarse de que se apagaba, palpó en busca del teléfono, lo encendió y se lo puso en el hueco del hombro.

—¿Hola?

—¿Qué tal? —saludó Lane—. ¿Preparada para nuestra cena?

Una sonrisa le curvó los labios y se inclinó sobre el borde de la mesa para hablar.

—Todavía no. Aquí sólo son las siete y veinte. Tengo mucho tiempo para prepararme —dijo, y calló al darse cuenta de que el ruido de ese zumbido era el motor del avión—. ¿No crees?

—Eso depende de tu definición de «mucho tiempo». Yo diría que tienes un poco más de dos horas. Hace ya un rato que volamos. Tenemos viento de cola, así que estaremos llegando hacia las nueve y media.

—Es más temprano de lo que esperaba.

—Resulta que hemos acortado un poco la jornada. Jonah tuvo

una caída en la última bajada. El médico dice que está bien, pero quiere que vuelva a casa y se lo tome con calma.

—Has dicho que está bien —dijo Morgan, frunciendo el ceño—. Espero que no se haya roto nada.

—Por suerte, no. Sólo una contusión en un lado. Un poco de descanso y estará como nuevo. —Siguió una pausa—. A mí me llevará Arthur. Su chófer me puede dejar en mi piso o puedo ir directamente al tuyo. Como prefieras.

—En realidad no depende de mí sino de Arthur. Quiere que Jill y yo estemos en su apartamento dentro de una hora, acompañadas por nuestros respectivos guardaespaldas anónimos.

—¿Guardaespaldas? ¿Por qué? —Toda la compostura de Lane cambió, y en su tono se adivinaba la tensión—. ¿Ha pasado algo desde el lunes por la noche de lo que yo no me haya enterado?

Ella soltó un suspiro.

—Pensé que quizás Arthur te lo mencionaría. Supongo que no lo ha hecho. Le pidió a tu padre que contratara guardaespaldas para Jill, para Elyse y para mí. Por lo visto, el tipo que atropelló a Rachel con esa furgoneta robada anduvo siguiendo a Elyse antes de bajar al centro. Ella lo vio desde su gimnasio, al otro lado de la calle. Además, la llaman por teléfono, la llaman y cuelgan. Y tiene la sensación de que la siguen.

—Arthur no me ha dicho ni una sola palabra. —Lane ya había echado a andar el engranaje—. Ya no hay duda de que el factor común aquí eres tú. ¿Qué ha dicho Monty? ¿Cree que el atropello con fuga fue intencionado?

—Cree que ha sido una táctica de amedrentamiento que no salió bien. Está muy pendiente de todo, aunque Arthur no se lo exija. Pero lo cierto es que Arthur se siente más seguro con las nuevas medidas de seguridad.

—No se lo reprocho. —Siguió otra pausa; esta vez más tensa—. ¿Preferirías dejar nuestra cita para otro día?

—No —respondió Morgan, sin dudarlo—. He estado pensando todo el día en ella. Necesito abstraerme de ciertas cosas. ¿Te sentirías muy incómodo si te hago pasar a buscarme por el apartamento de Arthur y Elyse?

—No, para nada. Sólo que no tendré tiempo de cambiarme. ¿Habías pensado ir a algún lugar donde se exige llevar chaqueta?

—La verdad es que me muero por una ensalada griega y una tarta de queso en Gracie's Corner. Queda cerca, es delicioso y está abierto toda la noche. También es lo bastante informal como para que vengas tal como estás y yo con unos vaqueros y un jersey. —Morgan suspiró—. Cuanto más lo pienso, más me apetece.

—Gracie's Corner —dijo Lane, haciendo chasquear los labios—. Ahora sí hablas en serio. Yo podría tragarme un plato con dos cheeseburgers y un trozo de tarta de chocolate. He esquiado todo el día, y estoy muerto de hambre.

Morgan rió.

—Por lo visto, te ha gustado mi idea.

—Has acertado. Pasaré a buscarte por el apartamento de Arthur. ¿Cómo está el tiempo?

—Frío, pero despejado.

—Vale. Podremos caminar. Así que lleva algo para abrigarte.

Morgan subió y se dio una ducha caliente, dejando que el agua disipara la tensión del día que le agarrotaba los músculos. Lo que le había dicho a Lane iba en serio. Necesitaba una noche para olvidarse de la locura de la última semana. También a Jill le había hablado en serio cuando le dijo que no tenía ni idea de cómo acabaría aquella noche. Pero tenía muchas ganas de averiguarlo.

Eligió unos jeans Citizens y un jersey de cachemira color lavanda escotado en uve, lo bastante bajo para ser atractivo, y no tan bajo como para ser evidente. Se maquilló un poco y se dejó suelto el pelo, que le llegaba hasta los hombros y le dejaba la cara despejada. Por el momento, iba de un lado a otro en calcetines gruesos. Sus botas Ugg Fluff Mamas estaban en el armario de la entrada con su anorak. Se las pondría al salir.

Sacó su maletín de fin de semana y metió una muda y algunos

útiles de aseo. Aunque la insistencia de Arthur de que ella y Jill pasaran la noche allí le parecía un poco exagerada, tenía que reconocer que quedarse en su piso sola en esos momentos la ponía un poco nerviosa.

Echó una mirada al reloj. Eran pasadas las ocho. La música de la flauta dulce que salía de la habitación de Jill había sido reemplazada por un alegre silbido y por el ruido de las cosas que metía en la bolsa.

—¿Estas lista, Morg? —le preguntó al cabo de un momento.

—Lista —dijo ésta. Cogió su maletín y su bolso y salió de la habitación.

Como por reflejo, miró hacia el estudio. Iba a ser la primera noche en semanas que no se dedicaría a leer viejos periódicos ni a mirar fotos. Pensar en ello era un alivio. Al mismo tiempo, se sentía como si dejara tras de sí una parte importante de sí misma.

Antes de que pudiera seguir pensando en ello, entró en el estudio, cogió esos montones de recuerdos y los metió en el maletín. «Es lo que hace una niña con sus animales de peluche», pensó, entornando los ojos. Necesitaba tenerlos cerca; ella, una mujer adulta con una manta de seguridad adulta.

Llegaría un momento en que tendría que renunciar a ellos, en que *podría* renunciar a ellos.

Pero ese momento todavía no había llegado.

Afortunadamente, tuvieron un potente viento de cola y Arthur le pidió al piloto que hiciera lo que fuera necesario para llegar pronto a casa. También le dio instrucciones al auxiliar de vuelo para que dejara las atenciones rutinarias y dedicara todos sus cuidados a la comodidad de Jonah.

El avión aterrizó a las veintiuna horas y veintisiete minutos.

El servicio de coches los esperaba con los padres de Jonah, que se abalanzaron sobre su hijo aún medio dormido y lo ayudaron a instalarse en el coche. Les dieron las gracias a Arthur y a Lane y se marcharon. Minutos más tarde, ya iban nuevamente de vuelta a Brooklyn.

La limusina de Arthur también esperaba. Cuando las luces del coche donde iba Jonah desaparecieron en un recodo, el congresista y Lane subieron al coche oficial y el chófer lo puso en marcha.

Lane le lanzó una mirada a Arthur.

—He hablado con Morgan. Me ha contado lo que le ha sucedido a Elyse.

—¿Ah, sí? —Arthur no parecía sorprendido—. Supuse que te lo contaría, si no durante el día, esta noche, mientras cenarais. En realidad, te lo habría contado yo mismo, pero no quise estropear la euforia allá arriba —dijo, con un suspiro de cansancio—. Alejarse del mundo durante unas horas se convierte en algo esencial para sobrevivir. Porque, después de eso, la realidad tiene su manera de ponerse al día e hincarte los dientes en el culo.

—Si lo sabré yo —asintió Lane, con semblante grave—. Me alegro de que haya contratado a los guardaespaldas. Es evidente que este atropello con fuga ha sido algo personal. Alguien le ha mandado un mensaje a Morgan, alto y claro.

—Quiero que un guardaespaldas la acompañe en todo momento —dijo Arthur, y miró de reojo—. Esta noche, ese alguien serás tú. No sé si te lo habrá dicho, pero ella y Jill se han ido a mi apartamento para estar con Elyse antes de que yo vuelva.

—Me lo ha dicho. Ahí es donde pasaré a buscarla.

—Y donde la dejarás esta noche. A menos que... —Arthur carraspeó, con una mirada tímida—. Escucha, Lane, no quiero que creas que soy uno de esos padres autoritarios que se meten donde no los llaman. La vida personal de Morgan es asunto suyo. Sólo que, en las actuales circunstancias, estoy un poco preocupado. Sobra decir que si estáis juntos, ningún problema. Pero si por algún motivo la velada decayera...

—La acompañaré hasta la puerta y la dejaré sana y salva —le aseguró Lane—. Y no me iré hasta que Morgan esté dentro y con el cerrojo echado.

—Gracias —dijo Arthur, y frunció el ceño con gesto de curiosidad.

—¿Cuándo vais a revisar tú y tu padre las fotos con que has trabajado?

—Mañana. Trabajaré exclusivamente con Monty el resto de esta semana, salvo cuando vaya a hacerle fotos a usted en sus diversos actos públicos y, tampoco el viernes, pues es el día que usted y yo iremos a los Poconos a hacer caída libre. —Lane frunció el ceño—. Espero que Jonah esté en condiciones de venir con nosotros. El pobre chaval se ha desvivido para trabajar en este reportaje fotográfico de *Time*.

—Sí, eso ya se ve —convino Arthur, con una sonrisa nostálgica—. He disfrutado de verdad viendo la emoción y las ganas que tiene de descubrir cosas nuevas. Puede que suene melodramático, pero parece que fue ayer cuando tenía su edad. Es agradable vivir vicariamente a través de él, y recordar cuando todo era nuevo y virgen.

A Lane le sorprendió la emoción descarnada en la voz del congresista.

—No hable de sí mismo como si estuviera relegado a una mecedora —le advirtió—. Goza del mejor estado físico que he visto jamás.

—No hablaba del esquí, sino de la vida. —De pronto, Arthur se acomodó y apoyó la cabeza en el respaldo—. Pero basta de filosofar. Echémonos una siesta de unos cuarenta y cinco minutos. Los dos la necesitamos. Sobre todo tú. Créeme, no ganarás puntos si te quedas dormido la noche de tu estreno.

Quedarse dormido hubiera sido lo último que Lane habría hecho estando sentado frente a Morgan en el restaurante.

Ella estaba tensa, de eso no cabía duda. Tenía los rasgos endurecidos y unas ojeras que ningún maquillaje podría disimular. Los hechos eran hechos. Los acontecimientos de la última semana le habían pasado factura.

Aún así, estaba encantadora, y de ella emanaba esa seductora combinación de dulce feminidad y penetrante energía que a él le había excitado desde el primer día. Morgan tenía un cuerpo de ésos que hacen girarse las cabezas y, ahora, al tenerla frente a él, con el escote de su jersey, que le llegaba justo hasta el comienzo de la hendidura, le resultaba casi imposible quitarle los ojos de encima. Por otro lado, ella remedió su problema siendo ella misma. Además, si no se mantenía atento a su conversación y con los ojos apartados de su escote, nunca llegaría a ser el interlocutor que ella se merecía. Sus comentarios eran agudos y sus opiniones personales tenían el filo de una navaja e iban al corazón del asunto. Lo mantenía casi en vilo, lo desafiaba a cada vuelta, y se sentía tan excitado como cuando había esquiado en la montaña.

Quizá más.

Pero aparte de la excitación, tenían una ingeniosa manera de bromear entre los dos, cosa que a Lane le parecía única y estimulante. Y respetaba su naturalidad, la pasión de su conversación y la profunda sensibilidad que demostraba tener en sus diálogos más serios.

Además, la deseaba más de lo que recordaba jamás haber deseado a una mujer.

—Entonces —dijo Morgan, dejando de lado su ensalada griega, inclinándose hacia delante con los dedos entrelazados y mirándolo con curiosidad e interés—, por lo poco que me has contado, tú y Arthur habéis abierto nuevos senderos en las Montañas San Juan.

—Así es. —Lane dejó el cheeseburguer, con la mirada encendida por la emoción mientras intentaba describirle la experiencia—. Es una sensación difícil de describir. El paisaje era sobrecogedor. No había ni una sola huella en la nieve, así de prístino era. Y las bruscas pendientes, la velocidad, la técnica necesaria para dominar tus movimientos... ha sido asombroso.

Morgan asimiló hasta el último matiz de su respuesta.

—De verdad te fascina, ¿no? El subidón de adrenalina, el riesgo... todo.

—Sí, me fascina.

—¿Nunca tienes miedo? ¿No te sientes vulnerable? ¿Mortal?

Supongo que me sentiría así si dejara que mi mente llegara a pensarlo. Pero no llega. En realidad, no pienso para nada. Sólo vivo el momento.

—Debe ser extraordinario tener esa habilidad. Yo no la tengo.

—Lo sé. Pero tienes tus motivos.

—No hay duda de que hemos vivido vidas diferentes —convino ella—. Tus padres se divorciaron. Eso nunca es fácil. Pero seguían vivos, presentes en tu vida. Además, tú tenías dieciséis años, lo bastante mayor como para entender, y para lidiar con ello. En mi caso, no era más que una niña. Y estaba totalmente sola. Nunca he superado del todo ese sentimiento. Así que, para mí, la seguridad está por encima de todo.

—Eres muy consciente de quién eres. Eso es una gran baza en la vida.

—Te sorprendería saber lo que diecisiete años de terapia pueden hacer por una persona.

—Ahora es el momento de aprender todo lo que puedes ser.

Morgan arqueó las cejas.

—¿Has venido para asesorarme psicológicamente?

Lane la miró con una sonrisa torcida.

—Oye, tú no eres la única que sabe leer bien en las personas. Yo también, pero de manera diferente. Lo hago a través de la lente de una cámara.

Ella lo miró, visiblemente intrigada, mientras pensaba en aquella analogía.

—Nunca había pensado en ello de esa manera. El fotógrafo tiene que ser capaz de leer en las personas. Y alguien tan cotizado como tú, un verdadero experto en su campo, tiene que tener una intuición muy fina.

—¿Lo ves? Al fin y al cabo, no somos tan diferentes. —Siguió una pausa muy cargada de tensión—. Excepto en el sentido que importa... el *buen* sentido.

—Somos diferentes en muchos sentidos —corrigió Morgan, si bien el color que le tiñó las mejillas y la chispa en sus ojos le dijo a Lane que los dos se entendían—. Algunos de esos sentidos desatan ruidosas campanas en mi cabeza, diciéndome que vaya en la dirección contraria.

—¿Y tu cabeza escucha?

—No. —Era esa excitante franqueza, una vez más—. Ese buen sentido del que tú hablas la ha neutralizado.

—Me alegro. —Lane estiró el brazo y le cogió la mano—. Las cartas sobre la mesa —dijo, con voz queda, y le acarició la palma de la mano con el pulgar—. Tú crees que soy un jugador. Puede que, según tu definición, lo sea. Pero, Morgan,… —dijo, y guardó silencio, sintiendo el ligero temblor que le recorría la mano a ella y que se derramó en él como una ola al rojo vivo—. Esta vez no estoy jugando.

—Lo sé. —Morgan deslizó sus dedos entre los de él, entrelazándolos de una manera salvajemente erótica. Tú no estás jugando. Y yo no estoy jugando. Seguro. Suena como un plan.

Lane se tensó de pies a cabeza. Dónde estaban, quiénes eran, de qué estaban hablando; todo aquello dejó de importar. En ese momento existía sólo el ahora.

—Les diré que nos metan la comida en una bolsa —dijo, en un tono grave, urgente—. Nos la llevaremos.

Ella asintió con un gesto de la cabeza, mientras buscaba su chaqueta.

—No te olvides de mi tarta de queso —alcanzó a decir.

—No la olvidaré. Ni de mi tarta de chocolate. Creo que los dos necesitaremos un plus de energía.

Le había hecho una seña al camarero y ya iba a salir del reservado cuando Morgan lo detuvo, cogiéndolo por el brazo.

—¿Lane?

Él se giró con una mirada inquisitiva. ¿Inquisitiva? Más bien implorante. Se sentía como un adolescente cachondo que rogaba que su chica no hubiera cambiado de parecer.

Morgan sonrió porque entendió su expresión.

—Ni la más remota posibilidad —le aseguró, con voz suave—. Tendré la chaqueta puesta y abrochada y te esperaré en la puerta mientras tú recoges las bolsas. Sólo que… —dijo, y se humedeció los labios con la punta de la lengua; le costó pronunciar las palabras que tenía en la mente—. Ya sé que mi piso queda a sólo cuatro manzanas. Está cerrado. Está vacío. Sería lo más lógico. Pero…

—Pero no quieres volver ahí esta noche.

—No, no quiero. Quiero dejar todo eso cerrado. Quiero pensar sólo en esta noche. Mejor aún, no quiero pensar para nada.

—Entonces, no pienses. Mi piso sólo queda a siete u ocho manzanas más allá. Compensaremos la diferencia cogiendo un taxi en lugar de caminar. —Mientras hablaba con el camarero, cogió su propia chaqueta con un gesto rápido y se la puso.

En un minuto ya había pedido los postres y sacado el dinero para pagar la cuenta. Mientras el camarero hacía la suma, Lane miró hacia Morgan y le guiñó el ojo con un gesto íntimo.

En cinco minutos nos encontramos en la puerta.

—No —respondió ella, mientras se subía la cremallera del anorak y cogía su bolso de la silla—. Nos encontramos afuera. Pararé un taxi y te estaré esperando.

Capítulo 22

Quince minutos después, estaban en el apartamento de Lane.

Morgan tuvo una fugaz visión de la planta baja, iluminada por la luz de la entrada, mientras Lane echaba el cerrojo a sus espaldas. El lugar era muy cómodo, muy hogareño y muy masculino. Entraron en un salón con sofás y sillones forrados en cuero de color caramelo, un hogar y chimenea, y una sala contigua con una gran pantalla y muchos equipos de sonido de alta tecnología. Más allá, Morgan vio una sala con suelo de cerámica y accesorios de acero inoxidable que, como era obvio, tomó por la cocina. En el otro extremo había una puerta con el cerrojo echado por donde se entraba al laboratorio de fotografía digital de Lane. Era probable que fuera muy impresionante, como el resto del apartamento, pero ahora no podía pensar en pedirle que le mostrara el resto de la casa. No en ese momento.

—La primera planta es mi gimnasio particular —dijo Lane, con voz ronca, mientras le quitaba la chaqueta y luego hacía lo mismo con la suya y las lanzaba a un lado—. ¿Quieres verlo?

—Quiero ver todo el apartamento. Después —dijo Morgan, sacudiéndose los copos de nieve del pelo, sintiendo la tensión mental y física—. A menos que tengas muchas ganas de mostrármelo ahora.

—No lo creo. —Lane se le acercó y le acarició con ambas manos las mangas del jersey de cachemira—. Lo que tengo muchas ganas de mostrarte ahora es mi habitación.

Ella echó la cabeza hacia atrás y lo miró con un dejo inconfundible de deseo en los ojos.

—Era exactamente lo que yo pensaba.

—El problema es que está en la segunda planta —dijo, y le acarició el pelo y se lo puso detrás de la oreja—. Las dos habitaciones. —Inclinó la cabeza y le rozó un lado del cuello con los labios.

—Qué lejos suena —susurró ella, con un temblor en la voz y en todo el cuerpo.

—Tengo la solución perfecta —dijo él, y siguió con los labios hasta el hueco en la base del cuello—. Paso muchas horas en mi laboratorio de fotos. —Siguió besándola hasta llegar al mentón—. A veces duermo en la sala de la televisión. Tiene un colchón neumático, tamaño gigante. Podríamos...

—Sí.

Lane le levantó los brazos para que lo abrazara por el cuello y le mordisqueó la comisura de los labios mientras la llevaba a la sala de la televisión.

—Me estoy portando muy mal como anfitrión —murmuró—. ¿Puedo ofrecerte algo... algo de beber? ¿Una copa de vino?

—Un beso —dijo ella, girando la cabeza hasta que los labios se rozaron—. He tenido fantasías con esto toda la semana.

—Yo también... y mucho más. —Lane se detuvo y le deslizó las manos por debajo del pelo, preparándola para lo que venía—. Empecemos con esto.

Sus bocas se encontraron, se entregaron una a la otra en un beso caliente, penetrante y carnal. Los labios se fundieron mutuamente, se separaron, volvieron a fundirse, la lengua de él buscándola, frotando contra la de ella como en una excitante iniciación a lo que vendría.

Morgan gimió, un gemido excitado e impaciente, y se apretó contra él hasta amoldar los cuerpos uno al otro. A pesar de las capas de ropa, el contacto era eléctrico.

Lane levantó a Morgan en vilo y la llevó un poco más allá, hasta la sala de la televisión, una distancia que cubrió con pasos largos y resueltos.

Cayeron juntos sobre el colchón neumático, sintiendo el vellón de la manta como un nido suave y cálido. Tiraron uno de la ropa del otro, se quitaron los jerséis, desabrochando y bajando cremalleras de los vaqueros y peleando con calcetines y botas. Lane le desabrochó el sujetador y Morgan se deshizo de él con un movimiento de hombros, lentamente, porque él la había abrazado por detrás para hacerla arquearse y besarlo, para tener contacto directo con sus pechos. Sus labios encontraron los pezones, erectos y tiró de ellos con los labios, los rozó con la lengua hasta que Morgan lanzó un gritillo de impaciencia. Intentó separarlo empujándolo por los hombros hasta que él la soltó. Entonces se deshizo del sujetador y lo lanzó al suelo.

Lane la recorrió con una mirada ardiente que la quemaba, y respiró roncamente, buscando sus bragas para deshacerse de ellas también. Sus dedos se demoraron un momento, acariciándole los muslos, la entrepierna, deslizándose dentro de ella y saliendo.

Era placentero. Demasiado placentero.

Ninguno de los dos podía seguir aguantando.

Lane se separó de ella, sólo el tiempo suficiente para quitarse los calzoncillos y echarlos a un lado. Luego se inclinó, levantó brevemente a Morgan para retirar la manta y dejarla descansar sobre la sábana de franela.

Y luego estuvo encima de ella, cubriéndola, aplastándola con todo el cuerpo sobre el colchón.

El mundo se detuvo en cuanto se produjo ese primer contacto entre sus cuerpos.

Morgan emitió un gemido inarticulado de placer y, con un movimiento instintivo, se acomodó para tenerlo más cerca, frotando los pechos contra sus pectorales, creando una fricción exquisita, mientras el pelo de Lane le rozaba los pezones.

Lane se endureció, como un vibrante temblor que lo recorría entero y, cuando habló, fue con una voz ronca y vacilante.

—Tú sigue así y esto acabará demasiado rápido.

Ella le recorrió la columna con la punta de los dedos.

—No puedo esperar a hacerlo lentamente.

—Morgan. —Lane le cogió la cabeza con ambas manos, acercó los labios y entró a saco en su boca con un beso ardiente. No paró de besarla, pero empezó a acariciarla, a seguir las curvas de su cuerpo hasta llegar a sus muslos. Los rodeó con ambas manos y con la punta de los dedos pasó ligeramente sobre la piel sensible de su entrepierna, haciéndose eco de los temblores que provocaba.

Ella se retorció, deseosa, y abrió las piernas, sintiendo la erección que se deslizaba hacia abajo, latiendo contra su carne, hasta encontrar su hendidura y sondearla.

Ella se arqueó para acomodarlo. Él la cogió por debajo de los muslos, buscando el ángulo para penetrarla hasta lo más profundo. Arrancó su boca de los labios de Morgan y las miradas se encontraron, ardientes, impacientes.

—Ahora —dijo ella, en un respiro.

—Ahora ha llegado tarde —dijo él, porque ya había empujado, abriéndola, creando una fricción tan completa, tan absolutamente perfecta, que Morgan lanzó un gemido, apoyando con fuerza la cabeza en la almohada.

Lane se detuvo. Los músculos de los brazos le temblaban por el esfuerzo que le exigía abstenerse.

—¿Es demasiado?

—No, Dios mío... no. —Morgan empujó contra la parte baja de su columna.

—Estás apretada —alcanzó a decir él.

—Me estoy muriendo —repondió Morgan, con el aliento entrecortado—. Lane... —gimió, y lo apretó aún más.

—Diablos —dijo él, y renunció a la paciencia—. Tengo que penetrarte —añadió, y con una embestida inexorable, se hundió en lo más profundo de ella.

Los dos aguantaron la respiración.

Luego Lane empezó a moverse, ignorando el clamoroso llamado de su cuerpo. Estaba decidido a prolongarlo, a que perdurara hasta la más ínfima sensación y, dosificando su energía, siguió penetrándola con movimientos profundos y lentos.

Morgan lo entendió, y su cuerpo encontró el de Lane y siguió su ritmo. Todo en ella clamaba por descargarse y estallar, pero supo mantener a raya esa urgencia, deseosa ella también de prolongar aquellas increíbles sensaciones todo el tiempo posible.

Aquello se fue acumulando, aumentando, hasta que el dominio de sí mismo dejó de ser una opción posible.

Entonces se dejó ir, cedió a aquello que necesitaba, que los dos necesitaban. Pronunció su nombre, primero en un susurro gutural, luego como un grito, embistiéndola, sintiendo que comenzaban los espasmos musculares de su orgasmo, cada vez más intensos, mientras él seguía, más adentro, más allá, hasta perderse en ella.

Morgan lanzó un grito salvaje, una exclamación a la vez de sorpresa y placer final, y se dejó ir del todo, sintiendo sus músculos interiores que se contraían una y otra vez. Lane se derramó en ella, acabó en espasmos largos y duros que lo sacudían hasta la médula, arrancándole hasta la última gota.

Completamente exhausto, se derrumbó sobre ella, respirando aceleradamente y con el cuerpo bañado en sudor. Lane estaba seguro de que no volvería a moverse. Debajo de él, Morgan estaba del todo relajada, y sus brazos y piernas cayeron como un peso muerto sobre el colchón. Seguía temblando con las réplicas del placer, con el corazón galopando mientras tragaba aire.

Lane sabía que pesaba demasiado, que debería tenderse a un lado. Pero su cuerpo no le obedecía.

—Te estoy haciendo daño —dijo, con voz ronca y la boca en el pelo de ella.

—No. —Fue apenas un susurro, pero Morgan lo confirmó con una ligera sacudida de la cabeza. Lane supo que no era sólo su imaginación.

Eso le bastaba para estar seguro.

Rendido al cansancio, apoyó la cabeza en el hueco de su cuello, respiró su esencia y cerró los ojos. Lo último que pensó antes de hundirse en la nebulosa fue que no recordaba haber experimentado jamás una bajada de adrenalina tan deliciosa como el subidón que la precedía, hasta ese momento.

Morgan permaneció despierta un rato largo después de que la respiración regular de Lane le dijera que se había dormido. Se sentía físicamente exhausta, con los músculos flojos y gelatinosos, y todo su organismo pedía descanso. Sin embargo, su cabeza y sus emociones seguían intensamente activas.

Algo le decía que acababa de cometer un error.

Sabía que entablar una relación con Lane Montgomery era un riesgo. Aún así, se había lanzado de cabeza. Sin embargo, lo que se había esperado, en el peor de los casos, era una relación caliente y satisfactoria de una sola noche y, en el mejor, una aventura tórrida de duración desconocida que le ofreciera una grata válvula de escape ante el trastorno que estaba viviendo aquellos días.

Qué manera de equivocarse.

Jamás se había imaginado la magnitud de lo que se había producido entre ella y Lane.

No era sólo el sexo, aunque aquello había superado hasta sus más eróticas fantasías.

Era algo más, algo profundo y complejo, y era innegable.

Por otro lado, era lo último que necesitaba en ese momento. Sus emociones, su estado mental y su vida iban a toda marcha. Necesitaba algo sencillo, algo sin complicaciones, y no otra avalancha de emociones.

Que Dios se compadeciera de su alma, porque se había metido en un lío.

Un hombre de contextura fibrosa caminó tranquilamente por la calle Ochenta y dos hasta llegar a la dirección que buscaba. Subió la escalera de piedra caliza roja, mirando a su alrededor mientras rondaba por la entrada.

Eran las tres de la madrugada, la calle estaba a oscuras y desierta. El hombre iba vestido de negro y su silueta se fundía en la oscuridad. Y llevaba un ligero equipaje.

Abrió el maletín de cuero donde guardaba las ganzúas y empezó a hurgar en la cerradura principal. Metió una primera llave de tensión y luego la movió en el sentido contrario a las agujas del reloj. La cerradura era una Schlage. Ningún problema. Sacó la pinza en cuestión que, según su experiencia, funcionaría mejor y movió las dos herramientas hasta que la llave giró en su mano y la cerradura cedió.

Una menos.

Repitió el proceso con la segunda cerradura.

Misión cumplida.

Hizo girar el pomo de la puerta con la mano enguantada. Ya estaba adentro.

Unos labios cálidos le rozaron el hombro mientras unos dedos suaves le acariciaron el pelo, y se lo apartaron hasta que los mismos labios encontraron el cuello.

Pestañeó, y luego abrió los ojos. Por un momento, no supo dónde estaba. Era de noche. La habitación estaba a oscuras, excepto por un fulgor pálido y tembloroso. Y la cama era muy baja y no le era familiar.

Se giró hacia la fuente de los besos y, de pronto, recuperó la memoria.

Lane estaba apoyado en un codo, observándola con los ojos apenas abiertos. Había un par de velas encendidas en la mesita más cercana, lo que explicaba el fulgor vacilante que bañaba la sala. En el suelo, junto al colchón, había una bandeja con dos copas de vino, dos porciones de tarta de queso y otras dos de tarta de chocolate.

Una sonrisa lenta e íntima se dibujó en sus labios.

—¿Tienes hambre?

—Desfallezco. —Morgan se sentó en la cama y se arropó con la manta. Velas, postre y vino. Puede que fuera un tópico, pero seguía funcionando—. Qué sorpresa más maravillosa —murmuró—. Sobre todo porque gestos como éstos forman parte de la danza del cortejo. Y ya que esa danza ha alcanzado un *crescendo* rugiente... —dijo, y pestañeó, seductora—, creo que esto podría describirse como superfluo.

—Qué curioso, yo lo describiría como sustento —dijo él, y le rozó la mejilla con los nudillos, sin apartar de ella esa mirada cargada de intimidad—. El postre... y la danza de cortejo.

Morgan tragó saliva. No tenía manera de negar lo que Lane provocaba en ella. La parte que daba miedo era que le costaba convencerse de que todo aquello no era más que una parte de su *modus operandi* habitual. Las palabras eran demasiado auténticas, suponiendo que ella pudiera juzgarlas con suficiente objetividad.

—¿En qué momento has hecho todo esto? —le preguntó.

—Hace un momento. Después de haberme cansado de mirarte mientras dormías.

—Vaya, eso sí que suena a pasatiempo excitante —dijo Morgan, mientras se arreglaba el pelo.

—Así ha sido.

—Espero que no roncara.

—No roncabas. En realidad, salvo un murmullo de vez en cuando, estabas fuera de juego. —Lane adoptó una expresión más seria—. Me ha dado la impresión de que es el primer sueño de verdad del que disfrutas en varias semanas.

—Es verdad. —Morgan vio que estaba preocupado, reconoció la razón y decidió cortar por lo sano—. Lane, por favor, no entremos en eso... no esta noche. Por esta noche...

—Por esta noche, sólo hay indulgencia, espontaneidad y placer.

—¿Te parece bien así?

—Mejor que bien. Esencial —dijo Lane, y acercó un mechón de pelo a sus labios.

—Hablando de esta noche... —dijo Morgan, mirando a su alrededor para buscar un reloj, sin encontrarlo—. Ya no queda mucho, ¿no es así?

—No, pero le sacaremos partido a las horas que nos restan.

—¿Tienes alguna idea de la hora que es?

—Más o menos. He visto el reloj de la cocina cuando fui a buscar el postre. Las tres y algo. Ahora deben de ser las tres y media. El momento perfecto para nuestra próxima indulgencia. —Lane se giró hasta el otro lado de la cama, se inclinó y cogió las dos copas de vino de la bandeja. Le entregó una a Morgan, seguido de su plato de tarta de queso y un tenedor—. Adelante.

Ella obedeció, saboreando los cremosos bocados y sonriendo mientras veía a Lane tragar su primer trozo de tarta de chocolate.

—Estabas hambriento de verdad.

—Me ha entrado el apetito.

—¿Suficiente para dos trozos de esa tarta?

—No, sólo uno. —Con el pulgar, le limpió un trozo de tarta de queso del labio inferior—. Pero espero tener otra sesión de ejercicios, una sesión que me consumirá tanto como la anterior, pero más creativa.

—¿Ah, sí? —Morgan sonrió y lamió el tenedor—. Estoy impresionada. O tienes un aguante enorme o un ego enormemente hinchado.

—Dejaré que juzgues tú misma. Pero, primero, acabemos el postre —dijo, y alzó la copa—. ¿Hago yo el brindis?

—Por favor.

Lane inclinó la copa hacia ella.

—Brindo por las similitudes y las diferencias. Brindo por todas las aventuras que la vida nos ofrece. Y brindo por que seamos todo lo que podemos ser.

—Salud.

Chocaron las copas y Morgan bebió un trago lento, saboreándolo. Era un Sauvignon blanco, el complemento perfecto para una tarta de queso.

Entonces miró la tarta a medio comer, la copa de vino que menguaba rápidamente y el brillo en la mirada de Lane.

El postre llegaba a su fin. Las chispas entre los dos ya comenzaban a ser reales.

Se sentía incapaz de decir que no, de abandonar mientras aún le quedara un asomo de posibilidad.

El problema era que no quería abandonar.

Confiando en que la calle estuviera desierta, el intruso salió a las escaleras con los implementos necesarios bien sujetos en las manos enguantadas.

Las cosas habían ido a pedir de boca. Había seguido las órdenes al pie de la letra y hasta añadido algún toque personal. El hecho de que no hubiera alarma contra robos le había dado el tiempo y la libertad para tomarse esa licencia. Ninguna alarma, sonora o silenciosa, que alertara a la policía. Nada de detectores de movimientos.

Metió la ganzúa en la cerradura y la hizo girar en el sentido contrario a las agujas del reloj. Luego manipuló la pinza hasta que todas las clavijas estuvieran alineadas y, con un giro de la muñeca, el cerrojo volvió a quedar cerrado.

Trabajo acabado. Todo estaba tal como lo había encontrado al llegar.

O al menos así lo parecía visto desde el exterior.

Era una madrugada gélida; Morgan sacó sus llaves y apuró el paso hasta la puerta de su edificio.

—Venga —le urgió Lane, que venía detrás y con un brazo le rodeaba la cintura de su chaqueta corta—. Está helando aquí fuera. La temperatura habrá bajado unos seis grados desde anoche.

—A mí tú no me engañas —afirmó ella mientras metía la llave en la cerradura principal—. Tú sólo quieres una taza de café con un punto de crema hecho con mi Impressa. Pues, olvídalo. Ese juguete es sólo para los clientes.

Lane soltó una risilla, con la cara hundida en su melena, mientras Morgan abría la segunda cerradura.

—Yo también soy un hombre de expresos. Y tienes toda la razón. En realidad, si te niegas, tendré que contarle al congresista Shore dónde has pasado la noche.

Morgan le lanzó una sonrisa por encima del hombro.

—Tengo la sospecha de que ya lo sabe.

—Seguro que sí.

—Además, si quisiera mantener a Arthur al margen de mis relaciones sexuales, habría acortado la noche una hora y te habría pedido que me llevaras a su apartamento. Todos estarían dormidos. Me podría haber metido en la habitación de invitados sin que nadie se diera cuenta.

—Es verdad, pero piensa en lo que te habrías perdido. Lo que nos habríamos perdido los dos. —Lane hablaba con voz ronca, y sus labios estaban cálidos cuando le rozaron la oreja—. ¿Recuerdas lo que estábamos haciendo hace una hora? ¿Crees de verdad que habría que sacrificar algo así por la respetabilidad?

—No —dijo Morgan, tragando saliva. Recordaba vívidamente aquello a que se refería Lane. *Demasiado* vívidamente.

Estaba a punto de responder con una ligereza, cuando sintió una ráfaga de viento que agitó finos copos de nieve a su alrededor y le lanzó a la cara un trozo de papel rasgado que, hasta ese momento, había permanecido bajo una esquina del felpudo de la entrada.

Con un gesto instintivo, Morgan alargó la mano y agarró el papel con la mano enguantada. Lo apartó un poco y lo miró. Su ceño se fue frunciendo a medida que leía.

—¿De dónde ha salido esto?

—¿Qué es? —Lane miró por encima de su hombro.

—Una foto de Arthur y Elyse. Una foto antigua. Elyse no lleva ese peinado desde hace años. —Se lo señaló—. ¿Lo ves? Tiene una fecha, el diez de noviembre de 1998.

—Sí, pero la han imprimido ayer. Aquí esta la fecha. —Lane le señaló el extremo inferior derecho, que había sobrevivido a la rotura en diagonal que había eliminado la mitad de la página—. ¿Quién ha imprimido esto y por qué está en la entrada de tu casa?

—No tengo ni idea. —Morgan hizo girar el pomo y abrió la puerta. Encendió la luz para que Lane pudiera ver dónde pisaba—. Quizá haya sido Jill; está recopilando fotos desde después de la elección de Arthur... —Sus palabras quedaron ahogadas cuando echó una mirada a su alrededor—. ¿Qué...? —balbuceó, con los ojos desorbitados—. Dios mío...

Capítulo 23

El despacho estaba destrozado.

Había papeles tirados por todas partes. Los archivadores estaban caídos, las carpetas con los documentos desperdigados por el suelo. La mesa de Morgan era un desastre, y los cajones habían sido arrancados y vaciados, y sus contenidos dispersados sobre la alfombra. Lo mismo con la mesa, que había sido barrida.

Los periódicos y las revistas estaban tirados por el suelo, con las páginas arrancadas, y algunas rotas como si fueran serpentinas.

—Mierda. —Lane había visto el alcance de los daños. Cogió a Morgan por el brazo para que no entrara en el edificio—. No sigas.

—¿Qué?

Morgan parecía y sonaba tan aturdida como se sentía.

—No entres.

—¿Por qué? ¿Crees que todavía habrá alguien dentro?

—Lo dudo. Pero no serás tú quien lo averigüe. Además, es la escena de un delito. No querrás contaminarla. Venga —dijo, y tiró de ella para que saliera.

A Morgan empezaron a castañetearle los dientes, quizá por el frío o por la impresión, no estaba segura.

—¿Quién haría…? ¿Cómo ha podido…?

Lane ya había sacado su móvil y marcado un número. Cuando habló, fue directo al grano.

—Monty, alguien ha entrado en el despacho de Morgan y lo ha

destrozado. Al menos la planta baja. No, no sé nada del resto del edificio. No he dejado que Morgan lo fuera a comprobar. Estuvo conmigo. Sí, toda la noche. Acabamos de llegar juntos, en este momento. No, no había nadie en casa. Jill estaba en casa de sus padres. Todavía está allí. —Siguió una pausa—. Todavía no. Antes te he llamado a ti. Sí, vale.

Apagó el móvil.

—Como de costumbre, la intuición de mi padre ha acertado. Ha pasado la noche en el despacho. Así que está en Queens, y no fuera de la ciudad. Llegará en quince minutos. Démosle diez minutos de ventaja. Y luego llamamos a la policía.

A Morgan ya volvía a funcionarle el pensamiento lógico.

—Quiere estar aquí cuando los policías entren a comprobarlo todo.

—Sí. —Lane frunció el ceño ante la mirada vacía de ella y el castañeteo de sus dientes. La abrazó y le dejó apoyar la cara en su pecho mientras le frotaba la espalda de arriba abajo, con un gesto destinado a consolarla y a darle calor.

—Supongo que estas chaquetas cortas ya no abrigan tanto como antes —murmuró ella contra su abrigo, en un desganado intento de suavizar la situación.

—Se supone que pueden aguantar el frío, pero no el trauma de ver cómo tu casa ha sido saqueada.

—Mi casa. —Morgan echó la cabeza hacia atrás y miró a Lane—. Sabe Dios qué habrán hecho ahí dentro. Todo lo que hemos visto es sólo una parte del despacho —dijo, y endureció la mandíbula—. No puedo quedarme aquí sin hacer nada. Ni siquiera diez minutos.

Lane observó su expresión resuelta. Morgan estaba decidida a no rendirse. Pero, claro, él tampoco.

—No entrarás. Así que si quieres hacer algo productivo, empieza a elaborar mentalmente una lista de los objetos de valor. Joyas. Antigüedades. Equipos electrónicos. Así, los polis se harán una idea rápida de lo que falta.

—Me quieres tranquilizar —contestó Morgan—. Pero no lo hagas. Tú y yo sabemos que no ha sido un robo. Winshore va bien, pero Jill y yo invertimos todas las ganancias en la empresa. La cafetera Impressa es el objeto más caro que hay ahí dentro, aparte de nuestros ordenadores y el servidor. En cuanto a nuestras propiedades, yo colecciono libros de autoayuda y Jill cedés de yoga. Y ninguna de esas dos cosas tiene gran valor como objeto de reventa. No. Este allanamiento está relacionado con las investigaciones de los asesinatos. Por eso dejaron esa foto bajo el felpudo. El que sea que haya hecho esto ha dejado la foto ahí.

—Vale, de acuerdo, tienes razón. —Lane miró sin saber qué hacer, recorrió la casa con la mirada y Morgan supo que estaba tan impaciente como ella—. Por lo tanto, pensemos en la pregunta siguiente. ¿Se trata de una táctica más de intimidación? ¿O acaso el intruso ha venido de verdad a buscar algo? Si es así, ¿qué habrá venido a buscar? Y ¿lo habrá conseguido?

Al escuchar esa última pregunta de Lane, Morgan palpó con gesto instintivo el maletín con sus cosas.

—Es probable que no. A menos que tenga algo de mis padres que no recuerde en este momento. Porque el vínculo más estrecho con ellos serían éstos —dijo, sacando un sobre con fotos y recortes de periódicos—. Éstos y todos los demás asuntos personales… diarios, recuerdos, que he revisado todas las noches durante los últimos meses.

—¿Y te has llevado contigo todo eso sólo por una noche? —preguntó Lane, frunciendo el ceño.

Ella asintió.

—Sé que suena raro. Pero anoche al salir de mi habitación, tuve un sentimiento extraño al darme cuenta de que los dejaba. Así que, en el último momento, lo metí todo dentro de mi maletín de viaje.

—Bonita intuición.

—Quién sabe. —Morgan exhaló una bocanada de vapor frío—. Quizá buscaban alguna de estas cosas. Suponiendo que buscaran algo. —Siguió una pausa cortante—. O a alguien.

Lane miró su reloj.

—Dejémonos de especulaciones. Hay que llamar a la policía.

Dos coches patrulla de la Comisaría Diecinueve se detuvieron delante de la casa de Morgan unos tres minutos antes de que Monty llegara a unirse al grupo a toda prisa en su ruidoso Corolla. Bajó del coche de un salto, saludó a Al O'Hara, el investigador privado que había contratado como guardaespaldas de Morgan, y que se había acercado deprisa a la primera señal de la presencia de la policía.

—No te muevas, O'Hara —dijo Monty, y con un gesto le dijo que esperara a una distancia discreta del edificio—. La señorita Winter está bien. No hay heridos, nadie estaba en casa. Te llamaré si te necesito.

—De acuerdo. —El investigador privado se quedó cerca de la acera y encendió un cigarrillo.

Monty se acercó a grandes zancadas a las escaleras, donde Morgan y Lane estaban informando a la policía. Eran cuatro agentes, y dos de ellos entraron en la casa, con las manos en las pistolas. Los otros dos interrogaron a Morgan.

—Impresionante —dijo Monty, al llegar—. Cuatro agentes para un simple allanamiento de morada. Deben ser sus contactos en el Congreso, Morgan —dijo, y le guiñó un ojo.

Ella consiguó esbozar una leve sonrisa como respuesta, y se dio cuenta de que, además de su humor seco y relajado, Monty la escudriñaba, como si quisiera adivinar su estado de ánimo.

—¿Se encuentra bien? —preguntó, sin más.

—Más o menos.

—Hola, Montgomery —lo saludó uno de los polis, un tipo de mediana edad con una calvicie incipiente y de contextura robusta, que tenía un tono de voz y un talante de pocos amigos—. No me sorprende verte por aquí. He oído que te han contratado para trabajar en este caso, pero, vaya, sí que has llegado rápido.

—*Ayudar* a trabajar en este caso —lo corrigió Monty—. Como quien dice: asistir, facilitar, hacer lo que pueda. No te preocupes, Stockton, no tengo ninguna intención de pisarte los pies. Los dos queremos lo mismo.

Stockton frunció las cejas entrecanas.

—¿Ah, sí? Me dijiste la misma chorrada la última vez que trabajamos juntos en un caso. Y recuerdo que te pasaste bastante.

—Eso fue diferente. Yo era poli en aquella época. Tenía la misma presión que tenías tú. Tu comisaría y la mía querían apuntarse la detención de ese violador. Esta vez te puedes llevar todo el crédito. Yo, lo único que quiero es que detengan al que lo hizo.

—¿Y quieres entrar mientras examinamos el lugar?

—Exactamente. Y estar presente cuando habléis con mi cliente. Le ahorrará tenerlo que contar dos veces.

—De acuerdo. —Stockton hizo un gesto a su compañero para decir que sí, y luego se volvió a Morgan—. Ha dicho que usted y su novio, aquí... —dijo, y le lanzó una mirada de curiosidad a Lane mientras escribía sus notas—. ¿Cómo se llama?

—Lane Montgomery.

Stockton dejó de escribir y levantó la cabeza.

—Supongo que no tiene ninguna relación con Monty.

—Es mi padre.

—Ya, claro —dijo Stockton, con una mueca—. Ahora se entiende por qué ha llegado tan pronto. —Con un gesto de la mano, desechó las explicaciones de Lane—. Déjelo correr. Sigamos —dijo, volviendo a girarse hacia Morgan, con el boli preparado para seguir tomando notas—. Ha dicho que la puerta de entrada tenía echadas las dos llaves cuando llegó.

—Sí. —Morgan volvía a temblar—. Utilicé mis dos llaves para abrirla.

Stockton miró hacia el edificio.

—¿La casa tiene una puerta trasera?

—Que da a la terraza, sí. Pero está cerrada con cerrojo por dentro. Sólo es accesible desde dentro.

—De modo que no es probable que haya entrado por ahí. Lo mismo con las ventanas bajas de aquí. Todas tienen cerrojo. Lo cual significa que entró por una ventana de la primera planta o por la puerta principal, utilizando ganzúas. ¿Tiene algún sistema de alarma?

Morgan negó con un gesto de la cabeza.

—Estaba en nuestra lista de cosas pendientes cuando tuviéramos dinero. Pero, francamente, es un barrio muy tranquilo, así que no lo vimos como una urgencia. Además, Jill y yo intentábamos abstenernos durante un tiempo, sin caer en grandes gastos.

—Cuando dice Jill, ¿se refiere a Jill Shore?

—Sí.

—Han manipulado la cerradura de la puerta principal —dijo Monty, que se había agachado para examinar el agujero de la llave—. Hay unas marcas de rayas aquí —señaló—. Y aquí. Quien sea que ha hecho esto es un profesional. Y un hijo de perra muy confiado, además. Se tomó el tiempo de volver a cerrar antes de largarse. Lo normal hubiera sido salir corriendo después de acabar de robar, pero no.

—Sí, claro —asintió Stockton—. Lo normal. Y quizá la página rota no fue dejada a propósito. Quizá la dejó caer.

—¿Qué página rota? —preguntó Monty.

Sin decir palabra, Morgan le enseñó la página rota de impresora láser con la foto de Elyse y Arthur.

—Salió volando de debajo del felpudo de la entrada —le explicó Lane.

En ese momento, salieron los otros dos polis.

—Todo despejado —dijo uno de ellos—. Destrozado y con un mensaje muy claro, pero no hay nadie.

Morgan emitió un sonido ronco.

—En ese caso, podríamos continuar en el interior... —Lane le lanzó una mirada rápida a la placa de Stockton para saber su rango— sargento Stockton. Aquí afuera hace un frío que pela, y la señorita Winter está a punto de desmayarse.

—Por supuesto —dijo éste, con un gesto brusco de la cabeza—. Sólo que no toquen nada.

—Ya conozco el procedimiento. —Lane cogió a Morgan por el hombro y la acompañó al interior, seguido de cerca por Monty y los cuatro agentes.

—Tengo que llamar a Jill. —Morgan se detuvo en seco al pensar en aquello—. Está en el apartamento de sus padres. Tengo que contarle lo que ha ocurrido.

La expresión de cabreo de Stockton era una clara señal de que entendía las implicaciones de aquella frase. El congresista estaba a punto de verse involucrado, y no había ni una puñetera decisión que él pudiera tomar para impedirlo.

—Adelante, llame usted —dijo, intentando que la crispación no asomara en su tono de voz—. Nosotros haremos una inspección detallada del edificio. —Carraspeó y dijo—: Dígale a la señorita Shore que esperaremos hasta que llegue para examinar su habitación.

—Gracias. Estoy segura de que le agradecerá el gesto. —Morgan llamó, sintiendo la bilis en la garganta.

Elyse contestó, y en cuanto supo lo ocurrido lanzó un suspiro de angustia. Le preguntó tres veces a Morgan si se encontraba bien. Cuando se convenció de que sí, y cuando supo que Lane, Montgomery y otros cuatro agentes la acompañaban, recuperó la compostura y le dijo que Arthur, Jill y ella llegarían enseguida.

Morgan alcanzó a oír a Arthur y a Jill bombardeándola a preguntas antes de que colgara.

Si contar a Los Shore lo sucedido fue desagradable, inspeccionar el apartamento fue peor.

Los daños se podían reparar. Sólo requería invertir tiempo y mucho trabajo. El costo sería ínfimo si, como sospechaba ella, no habían robado nada.

Pero la angustia, la sensación de violación, era algo del todo diferente.

La invasión de su espacio personal, los cajones de su mesita de noche y de su cómoda, que habían sido vaciados, y sus ropas íntimas manoseadas por un desconocido, por un intruso... aquello bastaba para ponerle la piel de gallina.

Pero eso no era nada comparado con el impacto visceral que sufrió al ver el escalofriante mensaje al que se había referido el agente de policía, un mensaje más gráfico y más devastador de lo que podría haber imaginado.

Sobre su cama habían desplegado una serie de imágenes horrorosas.

Había fotos de periódicos de Arthur y Elyse, algunas de recortes, otras sacadas de Internet e impresas. En la mayoría aparecía Jill, en otras, ella. Todas estaban cortadas varias veces, y habían añadido pintura roja que goteaba de sus caras y cuerpos. Y para hacerlo más macabro, cada personaje tenía un agujero en medio de la frente, simulando el orificio de una bala.

La siniestra pieza central de aquel montaje era una hoja de papel clavada en su almohada con un cuchillo de la cocina, que la atravesaba y se hundía profundamente en el colchón. La nota clavada, impresa en letras grandes y negritas, decía: *Deja de hurgar en el pasado o éste será tu futuro. Una familia eliminada. Queda la segunda.*

Morgan se quedó mirando aquellas palabras. Se llevó las manos a la cara a la vez que ahogaba un grito de dolor.

—Eso explica los periódicos rotos perfectamente distribuidos —murmuró Monty—. Y la foto de Internet deslizada por debajo de la puerta. El muy cabrón se tomó su tiempo para hacer un *collage*.

—Con sus propios toques personales —convino Stockton.

—Hablando de ir preparado, nuestro hombre era un verdadero explorador. —Monty arrugó la frente mientras miraba detenidamente la escena—. Vino equipado con todo. Si hasta se ha traído su propio material de pintura —dijo, y miró de reojo a Stockton—. Hazme un favor y dime si encontráis algo cuando busquéis huellas dactilares. Estoy seguro de que van Gogh se ha puesto guantes, pero nunca se sabe. Puede que se los haya quitado para dar las pinceladas finales.

—¿Qué ha pasado? ¿Qué habéis descubierto? —Era Arthur que se abría camino entre su mujer y su hija y entraba en la habitación. A sus espaldas, Jill se mantenía cerca de la entrada, y su rostro palideció cuando echó una mirada por la habitación. Parecía perdida y en estado de *shock*. Lo mismo le ocurría a Elyse, que le dio un apretón en el hombro para tranquilizarla antes de acercarse a Morgan.

—¿Morgan? —dijo, cogiéndole las manos—. ¿Estás segura de que no estás herida?

Morgan negó con un movimiento mecánico de la cabeza.

—No estaba en casa cuando ocurrió. Acabo de llegar hace un rato.

—Y te has encontrado con esto —dijo Elyse, con voz apagada. Su semblante se volvía más sombrío cuanto más miraba a su alrededor.

—He preguntado qué habéis descubierto —repitió Arthur, y su dura mirada se fijó primero en Stockton, y luego en Monty.

No costaba saber a cuál de los dos se dirigía.

Stockton no parecía ofendido, sino más bien aliviado de no tener que responder.

—Lo que hemos descubierto es más o menos lo que está viendo. —Monty no se amilanó ante el aire autoritario del congresista—. Entraron manipulando la cerradura. Todas las plantas han sido dañadas. Pero el grueso del destrozo se ha cebado en las cosas de Morgan: su mesa, sus archivos y, evidentemente, su habitación. —Miró brevemente a Jill—. Su habitación no está tan mal. Desordenada, pero no ha sufrido demasiados daños. Cuando acaben los agentes, no creo que tarde mucho en ponerla en orden.

—Gracias —dijo Jill, que a todas luces reprimía sus lágrimas.

Monty se percató, y adoptó un tono más amable.

—Su mesa y su lugar de trabajo casi no lo han tocado. Sólo unas cuantas cosas tiradas aquí y allá para impresionar. Lo más difícil será volver a montar la decoración de las fiestas. Pero todo se puede rescatar.

—No es por mí misma que me preocupo —dijo Jill, tragando con dificultad.

—Quizá debiera —intervino Stockton—. La amenaza que han dejado aquí no va sólo con la señorita Winter. Incluye a toda su familia.

—No reaccionemos exageradamente —dijo Monty, como si quisiera estrangular a Stockton—. Se trata de la propiedad, no de personas.

—Eso no es lo que decías hace media hora —respondió el sargento—. Estabas bastante impresionado.

—Todavía lo estoy. Pero yo puedo pisarles los pies a algunos. Tú no. Este caso ya ha llegado a despachos calientes en la Oficina del Fiscal del Distrito de Manhattan y de Brooklyn, y a la Comisaría Setenta y cinco. Los fiscales del distrito quieren solucionar el caso. En la Setenta y cinco quieren que se archive. No creo que la Diecinueve quiera verse arrastrada a este enredo debido a un allanamiento de morada que no guarda relación con nada.

—Si es que se trata de un allanamiento de morada que no guarda relación con nada.

—Descúbrelo. Examina las pruebas. Si hay alguna relación, lánzate de cabeza, no lo dudes. Entre tanto, mira por dónde caminas. No tenemos más que una casa que ha sido objeto de actos vandálicos, y unas cuantas obras de arte muy creativas. No se han llevado nada. Nadie está herido. El tío esperó a que no hubiera nadie en casa para hacer lo suyo. Es evidente que la agresión física no formaba parte de su plan.

—Esta vez no, pero...

—Pero nada. —Monty no dejaría que Stockton siguiera con esa línea de especulación. Sólo aumentaba el miedo y la tensión que reinaba en esa habitación—. Quizás esto es sólo la idea que algún chalado tiene de la diversión, o una broma macabra con que quieren dejar a Morgan helada de espanto.

—Es lo que hemos venido a descubrir. —A Stockton no le agradaba que lo mandaran delante del congresista—. Así que acabemos con nuestra inspección. Todavía nos queda una tercera habitación por revisar.

Monty sabía a qué habitación se refería el sargento. Era donde Morgan guardaba los recuerdos de sus padres, y no quería que confiscaran ese material.

—La tercera habitación puede esperar —afirmó—. El blanco principal era esta habitación. Además, ya hemos echado una mirada ahí, y...

—Adelante, sargento. —El consentimiento de Lane ahogó el ataque preventivo de Monty—. Es su caso. Lleve a cabo la inspección. Monty y yo hablaremos con los Shore, y nos quitaremos de en medio. —Miró a Stockton con una sonrisa seria—. No se lo reproche. Es el mejor que hay en el negocio, pero lo suyo no es quedarse en segundo plano. No se preocupe. Me sentaré encima de él para que usted haga su trabajo.

—Gracias. —Stockton volvía a sentirse ufano y, con el voto de confianza del hijo de Monty, parecía satisfecho y arrogante.

Monty miró rápidamente a Lane, y una corriente de comunicación silenciosa se estableció entre los dos.

—De acuerdo —dijo, cambiando de actitud—. Me quedaré aquí y seguiré mirando.

—No toques nada —le previno Stockton.

—Ya, Stockton. Yo también fui a la Academia de Policía.

El sargento le lanzó una mirada furiosa y salió haciéndole un gesto a su compañero para que lo siguiera.

En cuanto desaparecieron por el pasillo, Monty se plantó frente a su hijo con los brazos cruzados.

—Lo tiene Morgan… lo tiene todo. —Con esas pocas palabras, Lane contestó la pregunta no formulada de su padre—. Ahí dentro —añadió, señalando con el mentón hacia el maletín de viaje—. No hay por qué sacar pruebas de la escena del crimen.

—¿Estás seguro?

—Tan seguro como que acabo de salvarte el culo.

Monty sonrió apenas.

—Gracias.

—No hay de qué.

Desde el otro lado de la habitación, Morgan presenció el intercambio. Nadie más prestaba atención.

—¿Qué es esa chorrada que acaba de decir a propósito de reaccionar exageradamente? —le preguntó Arthur a Monty cuando dejó de dar pasos de un lado a otro junto a la ventana—. ¿Ha sido un intento de manipularnos?

—No —explicó Monty—. Ha sido mi manera de apaciguar una crisis personal que usted no quiere ver en la primera página de los periódicos. Además, no hay motivo para el pánico. Tengo hombres asignados a la vigilancia de todos los miembros de su familia.

—Eso ya no me tranquiliza —dijo Arthur, sin más—. Estas tácticas de amedrentamiento van subiendo de tono. ¿Qué pasará si quien está detrás de esto da el próximo paso? ¿Qué pasará si decide tomarla con…?

—Papá… para —dijo Jill y desechó sus palabras con un gesto de la mano. Se inclinó hacia Morgan y la abrazó con fuerza—. Lo siento tanto.

—¿*Tú* lo sientes? —Morgan temblaba y tenía las pestañas húmedas de lágrimas cuando abrazó a su amiga—. Nada de esto estaría sucediendo si no fuera por mí. Me siento como una especie de paria. La verdad es que Arthur tiene razón. No sabemos si se trata de una amenaza absurda o si es real. Y yo me niego a jugar a la ruleta rusa con vuestras vidas.

—Morgan. —Con voz queda, Lane pidió su atención, y esperó a que ella levantara la mirada hacia él—. No te hagas esto a ti misma. Sobre todo, no te des por vencida. Ve hasta el final. Si no, dejarás que este cabrón se salga con la suya.

—Puede que sí —reconoció ella, con voz igualmente calmada—. Pero no me importa —dijo, y tragó saliva—. Como te he dicho, para mí, la seguridad está por encima de todo. —Desvió la mirada, como emocionalmente obligada a volver a ver el violento montaje sobre la cama—. Cuando era sólo mi vida con la que jugaba, era una cosa. Pero ahora estoy poniendo en peligro a mis seres queridos. ¿Cómo puedo vivir con eso?

—No puedes —dijo Monty, con voz inflexible—. Y no vivirás con ello.

No tuvo la oportunidad de seguir. Unos pasos que se acercaban le dijeron que los policías volvían.

—Han vaciado el armario de la tercera habitación de arriba abajo —anunció Stockton cuando volvió a entrar—. Y prácticamente nada más. —Se volvió hacia Morgan y Jill con una mirada inquisitiva—. ¿Había algo de importancia en ese armario?

—Sólo ropa de cama para los invitados y cajas con cosas —dijo Morgan—. Puedo revisarlo con usted y decirle si está todo.

Volvieron al cabo de cinco minutos.

—No se han llevado nada —anunció Stockton.

—No creía que fueran a hacerlo —dijo Monty, seco.

—Hemos revisado todas las habitaciones excepto la de Jill —dijo Morgan—, y... —Guardó silencio y las piernas le flaquearon.

—Ya basta. —Monty se acercó y cogió a Morgan por el brazo—. Lane, sácala de aquí. Cómprale algo para desayunar y acuéstala. Ya ha tenido suficiente por hoy.

—Vale. —Lane ya estaba a su lado. Le pasó un brazo por la cintura y la acompañó fuera de la habitación.

—Pero yo tengo más preguntas para la señorita Winter —protestó Stockton.

—Pueden esperar —dijo Monty, bloqueando el espacio entre Morgan y Stockton—. A la señorita Winter la podrás llamar por el móvil. Te daré su número.

Stockton frunció el ceño y miró a Jill con expresión de incomodidad.

—¿Usted se siente capaz de revisar su habitación con nosotros para verificarlo todo?

Jill asintió con un gesto tembloroso.

—Claro.

—Diez minutos, sargento —ordenó Arthur—. Y luego la mañana ha terminado para nosotros. Mi familia ha sufrido un trauma. Y el detective Montgomery tiene razón: le queda mucho trabajo por delante. Quédese todo el tiempo que quiera. Busque pruebas. Huellas dactilares. Redacte su informe. Y luego averigüe quién hizo esto. Nosotros nos vamos. —Sacó una libreta, anotó algo y arrancó la hoja—. Aquí tiene el número de mi casa y el de mi móvil. Me puede llamar a cualquier hora del día o de la noche.

—De acuerdo —asintió Stockton, cogiendo el papel—. Por ahora, bastará. Pero, con todo el respeto, señor, tendré que seguir haciendo algunas preguntas a su hija y a la señorita Winter. Se trata de su residencia.

—Sí, y ellas se quedarán en mi casa. —El tono de Arthur no dejaba lugar a discusión—. Gracias por su comprensión.

Capítulo 24

—Me encuentro bien —le dijo Morgan a Lane en cuanto salieron de la casa.

—Sí, claro. —Lane todavía la sostenía por la cintura—. Casi te has desmayado.

—No es verdad que casi me haya desmayado —alegó ella—. Nunca me desmayo. Pero me alegro de haber sido lo bastante convincente. Si tú me has creído, es de esperar que el sargento Stockton también me crea.

—¿Qué? —Lane la miraba, desconcertado.

—Cuanto antes saliera de ahí con esto, mejor —dijo, sosteniendo en alto el maletín de viaje—. Stockton no llegó a preguntarme si yo me había llevado algo conmigo, y yo no tenía la intención de quedarme para darle la oportunidad de hacerlo. —Una sonrisa le curvó los labios—. Puede que hayas salvado a tu padre de interferir en una investigación policial, pero lo mío era abiertamente obstrucción a la justicia.

Lane la miró un momento y de pronto se echó a reír.

—Muy lista. A mí, al menos, me has engañado. Y yo que me pensaba que te estaba salvando.

—Me has salvado. —Morgan se abrochó la chaqueta hasta el cuello. Seguía temblando debido al estado de *shock* de la última hora. Y las gélidas temperaturas no le ayudaban para nada—. No creo que hubiera podido quedarme un minuto más ahí dentro sin derrumbarme. La sensación del allanamiento ya es lo bastante dura. Pero ese horrible montaje en mi cama… Jamás podré quitarme esa imagen de la cabeza.

—Si, ha sido bastante siniestro. —Lane la estrechó y sincronizó su paso con el de ella—. Dejémoslo estar un rato. Puede que no estés a punto de desmayarte, pero has sufrido una impresión mayor. Volveremos a mi casa. Sé cocinar unos huevos con tocino de primera.

—No tengo hambre.

—Ya lo sé. Pero tienes que comer. Son órdenes de Monty, ¿recuerdas? Comer y descansar. Además, tengo la sensación de que aparecerá en cuanto termine con Stockton. Eso nos dará a los tres la posibilidad de coordinarnos.

—Es verdad. —Morgan pensó en aquello y asintió—. Aunque no estoy segura de que le vaya a gustar lo que tengo que decirle.

Morgan tenía razón. A Monty no le gustó lo que tenía que decirle. Pero tampoco le sorprendió.

Monty llegó a casa de Lane unos cuarenta minutos después que ellos, entró por la puerta y se fue a la cocina justo cuando terminaban de desayunar.

—He usado mi llave —avisó—. Espero que no te importe.

—Si me hubiera importado, habría echado el cerrojo. Te estábamos esperando. —Lane se levantó y fue hasta la nevera—. Todavía hay tocino. Puedo romper otro par de huevos. Supongo que estás muerto de hambre.

—Así es. —Monty acercó una silla y se sentó a horcajadas, con un leve gesto de asentimiento al ver el plato vacío de Morgan—. Veo que está comiendo. Me parece bien.

Una sonrisa cansada asomó en sus labios.

—¿Bromea? No me atrevería a desobedecer sus órdenes.

—Buena chica. —Monty tomó un trago de la taza de café que Lane le había servido—. Y hablando de eso: ha sido un bonito detalle, toda esa historia de que se desmayaba. La próxima vez, hágame una señal. Si no tuviera los reflejos de un gato, me habría caído al suelo.

Morgan dejó de masticar y alzó la mirada, frunciendo el ceño, preocupada.

—¿Stockton se dio cuenta?

—¿De que usted hacía un numerito para salir de ahí? No. Estaba demasiado ocupado calmando a Arthur. Ni se le pasó por la cabeza. Además, no es tan agudo como yo.

—Ni tan modesto —añadió Lane, con voz seria mientras revolvía unos huevos en la sartén.

—Tú estás mosqueado porque tampoco te diste cuenta de que Morgan fingía —dijo Monty, con cara de engreído—. Por otro lado, tampoco esperaba que te dieras cuenta. No puedes ser el Príncipe Azul y Colombo todo a la vez.

—Qué simpático. —Con la espátula, Lane pasó los huevos al plato y puso cuatro tiras de tocino al lado—. Aquí tienes —dijo, pasándoselo a Monty—. Deja de decir tonterías y come.

—Es una buena idea lo de guardar las pertenencias personales de sus padres —le dijo Monty a Morgan.

—En la comisaría de policía se perderían. Intencional o no intencionalmente.

—Eso no lo dudo. En la Setenta y cinco quieren que el doble asesinato —y el fiscal del distrito— desaparezcan del mapa. La Diecinueve quiere cerrar el incidente de hoy como allanamiento de morada. Cada distrito va por su lado y ninguno quiere dedicar tiempo y recursos a un caso complejo que es una pesadilla política esperando para darse a conocer. De modo que al guardar sus cosas lejos de las manos de la policía dejará a las dos comisarías como los champiñones: en la más absoluta oscuridad y abonados con mucho fertilizante... y lejos de mí.

—¿Jill y Elyse se encuentran bien? —preguntó Morgan, de repente.

—Se encuentran bien. —Las bromas se acabaron, y Monty plegó las manos sobre la mesa y miró fijo a Morgan—. No se llevaron nada de la habitación de Jill, ni siquiera los broches de diamantes que estaban a la vista sobre su cómoda. Los polis esperaron a que ella y Elyse llenaran unas maletas, suficiente para que les dure a cada una un par de días. Arthur se ha llevado a Elyse y Jill a casa. Canceló sus compromisos de esta mañana. Espera que la lleve a usted a su casa de aquí a unas horas, después de que haya podido descansar.

—No estoy cansada —dijo Morgan, pasándose las dos manos por el pelo.

—Escuche, Monty, usted sabe lo que pienso. Me persigue la idea de que la persona que mató a mis padres sigue vivo y suelto por ahí. Estaba dispuesta a arriesgar cualquier cosa, hasta mi propia vida, para dar con él y meterlo entre rejas. Pero ya no es sólo mi vida la que amenaza. Es a los Shore. Ese hombre siguió a Elyse el día del atropello con fuga. ¿Y ahora? Para perpetrar un golpe así de siniestro tenía que estar vigilándome a mí y a Jill, y saber cuándo estaríamos fuera. Eso significa que también sigue a Jill. En cuanto a Arthur, sus actividades son de dominio público, lo cual lo convierte en un blanco andante. Y con esa advertencia grotesca que hemos encontrado en mi cama...

Morgan guardó silencio, y luego hizo un esfuerzo para recuperar la compostura.

—La amenaza es clara. O yo abandono o los Shore morirán. Y no puedo dejar que eso ocurra. Si yo fuera el único blanco... pero no lo soy —alegó, y tragó con dificultad—. Por favor, entiéndame. Es la única familia que tengo. No puedo perderlos. Pondré fin a la investigación.

—¿Y luego, qué? —Mientras ella argumentaba su decisión, Monty había guardado silencio, conservando una expresión neutra. Ahora le tocaba a él. Se inclinó hacia delante, buscó la mirada de Morgan y la sostuvo—. ¿Cree que eso hará que ese cabrón desista? Si eso es lo que piensa, se engaña. Volverá a aparecer... en su vida, en la vida de otra persona. Es como un cáncer. Hay que cortarlo y destruirlo. Es la única manera de que todos vuelvan a estar a salvo, y eso incluye a los Shore.

—Pero...

—Necesito que confíe en mí. —Monty no cambiaba su tono de voz ni dejaba de mirarla—. Está asustado. Sabe que nos acercamos. Por eso ha corrido el riesgo de entrar en su casa y dejar esa porquería en su cama. Y ha sido todo un riesgo. Hasta ahora, las autoridades se inclinaban por la teoría de que algún ladrón de poca monta mató a sus padres durante un robo, y que a estas alturas bien podría estar muerto. Pero anoche todo eso cambió. Nuestro hombre se ha expuesto, nos ha dicho que anda por ahí. Y nos ha dicho que es un profesional. Sobre todo, nos ha dicho que se siente acorralado. Ha corrido ese riesgo porque piensa que usted se amedrentará. Así que no lo haga.

A Morgan se le humedecieron los ojos.

—Tengo miedo —murmuró—. ¿Qué pasará si le hace daño a Jill o...?

—No lo hará. No lo permitiré —interrumpió Monty—. Le doy mi palabra, Morgan. Yo estaba presente la primera vez. Sé lo que le robó. Nunca dejaría que volviera a vivir eso. Lo cogeré. Se lo prometo. Confíe en mí.

—Sí, confío... La indecisión se le veía en la cara. Al final, asintió—. De acuerdo, iremos hasta el final.

—Así es —dijo Monty, y siguió comiendo los huevos—. ¿Lane la ha alimentado bien?

Morgan lo miró con una ligera sonrisa.

—Más que suficiente.

—Entonces, vaya a descansar. Recupere sus fuerzas.

—Buena idea. —Esta vez Morgan no discutió. Se levantó, mirando a Lane con expresión tímida—. ¿Puedo acostarme en el sofá? ¿O en una habitación de invitados?

Monty soltó un bufido.

—No hay por qué andarse con ceremonias. No por mí, en todo caso. Puede que sea un hombre de mediana edad, pero no estoy muerto. Use la habitación de Lane. Como sabe, tiene esa cama doble tan cómoda.

—En realidad, yo... —balbuceó Morgan; tenía las mejillas teñidas de rojo cuando se encontró con la mirada de Lane.

—Llevaré a Morgan arriba y la ayudaré a instalarse. —Una vez más, Lane la rescataba, aunque, esta vez, de una manera muy diferente—. Acaba de comer —le dijo a Monty—. Cuando baje, podemos volver a las fotos que he escaneado.

—Hablando de fotos escaneadas —dijo Monty, interrumpiéndose—, Morgan, ¿le importaría que mientras descansa yo mirara sus fotos y los demás recuerdos que guarda de sus padres?

—Por supuesto que no. —Morgan cogió su maletín de viaje y sacó el material que le pedía Monty—. Aquí tiene. En fin, ya no me siento cómoda llevando esto a todas partes. Me siento como si en cualquier momento la policía o el asesino me lo fueran a robar.

—¿Qué te parece si yo te lo guardo? —sugirió Lane—. Los pondré con mis negativos, en una caja fuerte ignífuga y protegida por una alarma de alta tecnología. Seremos los únicos que tendremos acceso.

—Eso me tranquilizaría bastante.

—Entonces, ya está hecho —anunció Monty—. Que duerma bien.

Lane bajó a la cocina al cabo de unos minutos. Monty había organizado los recuerdos de Morgan en diferentes montones, y miraba las fotos personales.

—Se ha dormido antes de tocar la almohada —le dijo a su padre.

—No me sorprende. —Monty levantó la vista—. Después de la mañana que ha tenido, y después de una noche agitada… —añadió, con mirada penetrante—. Al parecer, ni siquiera llegasteis a la primera planta.

—No te metas, Monty.

—No es de extrañar que esté tan agotada.

—Monty…

—No me estoy metiendo, Lane. Sólo te recuerdo que su estado es delicado.

—Lo sé. —Lane reconoció a qué apuntaba su padre con ese comentario. Él ya había estado en esa situación. Y lo único que había sacado era un puñetazo en el vientre. Aquello exigía pensar mucho más, tener un par de conversaciones en profundidad y acostumbrarse a algunas cosas.

—¿Algo te ronda por la cabeza? —preguntó Monty.

—Nada que esté preparado para hablar contigo, todavía —dijo Lane, con toda franqueza—. Sólo quiero que sepas que lo que ocurre entre Morgan y yo es algo bueno. Por ahora, dejémoslo ahí. Pongamos nuestras energías a trabajar en lo nuestro, no en mis relaciones.

—Tú lo has dicho —dijo Monty, parpadeando y volviendo a las fotos—. Al parecer, finalmente traerás a alguien a la granja para Navidad. Tu madre estará encantada.

—No lo dudo. —Lane miraba las fotos por encima del hombro de Monty—. ¿Quién tomó éstas?

—Normalmente, los Winter y los Shore, o alguna otra persona detrás de la cámara cuando es una foto de grupo. Son vacaciones en familia, fiestas, grandes acontecimientos en sus vidas. —Monty sonrió mientras sostenía la foto de dos niñas de viva expresión con sus disfraces de Halloween, una Bella durmiente y una Cenicienta. En la foto se leía: *Jill y Morgan, Halloween, 1987*—. Mira esas sonrisas. Se entiende por qué los padres tomaron esta foto. Tienes que reconocer que Morgan era una Cenicienta adorable. Espero que puedas estar a la altura del Príncipe Azul.

A Lane se le torció la comisura de los labios.

—Sí, ya entonces tenía esa belleza rara y delicada. —Luego guardó silencio y hojeó las demás fotos—. ¿Están por orden cronológico?

—No, pero he apartado las que tomaron la noche de la fiesta de Navidad de los Kellerman. Son las últimas fotos de Lara y Jack Winter antes de morir.

Lane asintió con un gesto de la cabeza y cogió las fotos, mirando una tras otra. Eran las típicas fotos de una fiesta, algunas con el anfitrión o su mujer, otras con el invitado de honor, y otras con la familia y los amigos. Morgan y Jill salían en unas cuantas, aunque era evidente que se divertían más corriendo entre los invitados que posando para las fotos.

Lane encontró una de Arthur y Elyse junto a Jack y Lara. Algo en ella llamó su atención, y se detuvo a mirarla más de cerca, frunciendo el ceño. Había algo en su lenguaje corporal. Estaban tensos. La misma tensión que aparecía en sus rostros.

Siguió examinando las fotos de la fiesta, aunque más lenta y atentamente. Organizó la noche en dos partes, que fueron: antes y después de emborracharse, lo cual le daba un sentido del orden de los acontecimientos. En las fotos después de beber, todo el mundo estaba más relajado y desinhibido. Las mejillas encendidas y los ojos brillantes lo decían todo.

Lane vio una foto de Arthur y su suegro, tomada a todas luces cuando la fiesta ya había alcanzado su apogeo. Tenían sendas copas de champán con las que brindaban el uno por el otro, mirando a la cámara con una pose estudiada, aunque con un ligero desequilibrio. Lane se concentraba en cada ínfimo detalle. Luego volvió a mirar la foto anterior de Arthur, tomada a hora mucho más temprana de la noche. Agudizó la mirada al compararlas.

—¿Qué pasa? —inquirió Monty al ver la expresión concentrada de su hijo.

—Puede que nada, puede que mucho. Dame un tiempo para averiguarlo. —Lane cogió las dos fotos y fue hacia su laboratorio.

—¿Cuánto tiempo? —preguntó Monty.

—Veinte minutos. Media hora, no más.

—Estupendo. ¿Y no piensas darme una pista de lo que buscas?

—Ten paciencia. Si acierto, habrá valido la pena.

Normalmente, a Monty no le gustaba nada tener que mantenerse al margen cuando había tantas cosas en juego. Sin embargo, la verdad es que tenía bastantes cosas de que ocuparse en los próximos treinta minutos.

Algo a propósito del famoso allanamiento de morada no acababa de encajar. El tiempo estaba demasiado bien calculado, la técnica era demasiado profesional. Además, el que lo había contratado no era ningún tonto. Había conseguido que su hombre tuviera todos los recortes de periódicos necesarios y las fotos de Internet impresas antes de ir a casa de Morgan y Jill. Era una tarea ardua, ya que algunos de esos recortes databan de hacía meses y encontrarlos requería una investigación previa.

Todo el incidente era como una obra bien ensayada, una obra cuyos actos habían sido dirigidos por alguien que conocía íntimamente la historia y los personajes.

No era sólo un profesional. Era un profesional que actuaba desde el interior.

Con gesto pensativo, Monty volvió a llenar su taza de café. Su intuición le decía que había llegado el momento de volver a examinar algunos importantes cabos sueltos.

Estaba leyendo un fax cuando Lane salió de su laboratorio.

—Estaba en lo cierto —anunció, mostrando dos fotos en color de veinte por veintisiete—. Ahora sólo tenemos que descubrir qué significa esto.

Monty dejó el fax a un lado.

—Enséñamelo.

Lane le enseñó las fotos originales, y luego colocó las copias en color más abajo, una al lado de la otra. Sus copias eran ampliaciones de Arthur desde el mentón hasta el medio del pecho, enfocadas a la altura del cuello, la camisa y la corbata.

—¿En qué debo fijarme? —preguntó Monty.

—En la camisa.

—Una camisa blanca, nada muy original.

—Así es. Todas parecen más o menos iguales. Que probablemente sea la razón por la que Arthur cometió el error. —Lane señaló la foto tomada al comienzo de la velada—. Mira el cuello. Es una medida estándar. —Su dedo se desplazó a la otra foto—. Ahora, mira el cuello de ésta.

—Es más estrecho. —Monty cogió las dos fotos y las escudriñó detenidamente—. Son dos camisas diferentes.

—Así es. Lo cual significa que Arthur se cambió de camisa durante la fiesta —dijo Lane, y añadió, más escéptico—. Puede que se manchara con una bebida.

—Una bebida, y una mierda. Si así fuera, lo habría mencionado durante alguna de las decenas de veces que conversamos sobre la noche de los asesinatos. Es más probable que se ausentara para estar con una de sus «ángeles». —Monty se pasó la mano por la cara—. Otro banderín rojo con el nombre de Arthur Shore.

—¿Qué quieres decir?

—Quiero decir que acabo de recibir unos fax de un contacto que se ha ocupado de ciertas tareas para mí. Uno era sobre Charlie Denton. Al parecer, cuando comenzaba sus estudios de Derecho, trabajó en la campaña del congresista Shore, en aquel entonces miembro de la Asamblea del Estado. El final entre los dos fue brusco y a todas luces no fue amistoso. No sé demasiado de los motivos concretos. Pero Denton nunca lo mencionó.

Monty cogió el fax y revisó sus páginas.

—Y luego hay otro vínculo con los Shore. George Hayek. No me puedo quitar de encima la sospecha de que está metido en esto. Hace tiempo que conoce a los Shore. Si estoy en lo cierto, Hayek trabajó de confidente para Jack Winter. Su expediente está sellado, de manera que no tengo ni idea de cómo estaban las cosas entre él y Jack, o él y Arthur, cuando se fue a vivir a Bélgica. Sin embargo, mis fuentes me dicen que ha estado muy activo estos últimos días, cobrando dinero de todas partes. Puede que se trate de una venta de armas legal. Puede que sea ilegal y que no haya sido investigada. Además, mi contacto me dice que Hayek tiene un montón de gente en nómina, que podría llamar «socios», con inmunidad diplomática en Estados Unidos, «socios» lo bastante sofisticados como para ocuparse del desastre de la casa de Morgan. No tiene nada de sorprendente, unos cuantos de esos cabrones rondan todo el día por Naciones Unidas o por su consulado, o andan por ahí acumulando multas por aparcar en segunda fila, multas que nunca pagan.

Lane no contestó.

—Haz la llamada y compruébalo, Lane —dijo Monty, sin más, y alzó la cabeza para encontrar la mirada de su hijo—. Sé que es material clasificado. No pido detalles. Sólo averigua si ha cambiado el estatus de Hayek, o si la CIA tira de sus hilos de alguna manera nueva e interesante. —Siguió una pausa tensa—. Si no quieres hacerlo por mí, hazlo por Morgan.

—Tengo que volver al laboratorio un momento. —La expresión de Lane nunca cambiaba.

—Venga, adelante.

Una vez dentro del laboratorio, Lane cerró la puerta.

Hizo la llamada a través de su línea segura. Contestaron al segundo timbrazo. No tardaron en darle lo que pedía, además de una advertencia nada amigable de que dejara a ese personaje en paz.

Volvió a la cocina e informó, parco en palabras.

—No hay cambio de estatus. Es un callejón sin salida. Al menos para mí.

—En otras palabras, no van a decirte nada —farfulló Monty—. Bien, como siempre he dicho, si quieres que algo se haga bien, tienes que hacerlo tú mismo.

—Ve con cuidado, Monty.

—No te preocupes por mí. Tú examina esas fotos que has escaneado. Rómpete el culo trabajando. Mañana será un día perdido. Tú y Arthur tenéis vuestra próxima aventura infantil con sus juguetes. Ah, y mete esas fotos en color que acabas de hacer en tu caja de seguridad. Ahora, antes de que se despierte Morgan. No hay motivo para que ella las vea, al menos por ahora. Necesito tiempo para pensar, hablar con un par de personas y encontrar un sentido a tanto cabo suelto. Cuando haya algo que decir, se lo diremos.

—De acuerdo. —Lane lanzó una mirada hacia la escalera—. Pero más nos vale que ese «cuando» sea pronto.

Monty había arrugado la frente, pensativo.

—Lo será.

En el cuartel general de la CIA, en Virginia, el contacto de Lane marcó el número de un teléfono seguro en Bélgica.

Contestó la voz de un hombre en francés.

—*Vas-y! Parles!*

—¿Hayek? —La respuesta fue pronunciada irrefutablemente en inglés—. ¿En qué coño de lío te has metido?

Capítulo 25

Morgan había recuperado decididamente su energía y su determinación cuando Monty la llevó hasta el apartamento de los Shore.

Interrogó a Monty durante todo el camino. Primero, porque estaba convencida de que él y Lane habían hablado de algo importante mientras ella dormía, algo de lo que no le habían informado. Segundo, porque pensaba trabajar como un día cualquiera, se sintiera agotada o no. Y, tercero, porque quería llevar a cabo ese trabajo en Winshore.

El último punto era el más fácil de ganar para él.

—Su casa es ahora la escena del crimen —dijo, saludando con un gesto de la cabeza al portero de los Shore, que llamó al apartamento para anunciar su llegada—. Estará precintado y prohibido el paso todo el día para que los policías puedan hacer su trabajo. Si insiste en trabajar, tendrá que ser desde el apartamento de los Shore. Lo cual no plantea problemas, puesto que Jill también está aquí.

—Pero será un problema para ver a los clientes —señaló Morgan—. A veces nos reunimos con ellos en Winshore, aunque normalmente lo hacemos en un lugar mutuamente conveniente. Y eso no podrá ser, porque hoy Arthur nos prohibirá salir del apartamento a Jill y a mí. No se lo reprocho: le preocupa nuestra seguridad. Además, los reporteros estarán por todas partes esperando para acosarnos.

—No puedo controlar la parte de los medios de comunicación, aunque he convencido a Arthur de que no les dé más comidilla. Hablamos mientras usted dormía. Se mostró de acuerdo en viajar a los Poconos, como estaba planeado. En cuanto a la seguridad de su familia, ya se adoptarán medidas. Dijo que se dirigía a la Comisaría Diecinueve para dar toda la información necesaria para elaborar el informe.

—Me sorprende que haya dejado a Elyse y a Jill solas.

—No las ha dejado solas. Dos de mis hombres están con ellas. Después de que la deje a usted, pasaré por el despacho de Arthur. He contratado más personal de seguridad para tranquilizarlo.

—Estupendo. De modo que seremos sólo Elyse, Jill, yo y el Servicio Secreto. Supongo que pedir a los clientes que pasen por aquí queda descartado.

—Me parece bien. Así quizá se lo tome con calma durante un día.

Morgan le lanzó una mirada por el rabillo del ojo.

—¿Usted se lo tomaría con calma?

—Ahí me ha pillado —reconoció Monty, con una risilla ahogada. Pulsó el botón del ascensor.

—La verdad es que si no estoy haciendo algo, perderé los nervios.

—Entendido. Entonces haga negocios por teléfono y por correo electrónico. Sólo es por unos días. Sus clientes se arreglarán sin problemas. Y usted también.

—¿Por qué será que me siento como marginada? —preguntó Morgan cuando llegaron a la planta veinticinco—. Si usted y Lane vieran algo, o averiguaran algo, tengo derecho a saberlo.

—Sí, tiene derecho, pero no hemos descubierto nada. Lo único que hicimos fue examinar los «¿qué pasaría si…?» Ninguno nos ha dado pistas, todavía. No le ocultaré la verdad, Morgan. Pero tampoco la entusiasmaré con pistas falsas. Es contraproducente y desagradable. Sencillamente, tendrá que seguir confiando en mí.

—Confío y confiaré.

Monty sabía cuánto le costaba aquello. También sabía que había una sola manera de solucionarlo.

Estaban a punto de llegar a la puerta de los Shore.

—Antes de que vaya a reunirme con Arthur, me gustaría volver a hablar con Elyse; repasar algunos detalles que me dio hace unos días. Necesito que esté calmada y concentrada. ¿Es posible que usted y Jill desaparezcan un momento?

—Desde luego —asintió Morgan—. Sólo le pido que no la presione. Se lo está tomando todo muy mal.

—Ese «todo» quiere decir la amenaza contra su familia.

Morgan endureció las facciones del rostro.

—¿Quiere decir, peor que lo de la amenaza contra su intimidad y a su matrimonio? Sí, de eso hablo. Créame, Elyse está acostumbrada a los reportajes sobre los ángeles de Arthur en las páginas del *Enquirer*. Son muchos años de lo mismo. Se ha vuelto bastante inmune.

—¿A las historias o a las infidelidades?

—A las historias. La infidelidad es algo a lo que una nunca se puede acostumbrar.

Morgan lo miró con expresión de intriga y arrugando la frente.

—¿A qué vienen todas estas preguntas? No es costumbre suya buscar el talón de Aquiles, al menos no en cuestiones personales.

—Yo busco cualquier cosa que ayude a dar con nuestro asesino. Por lo demás, tiene usted razón. No creo en la invasión de la intimidad y me importa un pepino quién se acuesta con quién. Sólo quiero tener una idea del estado de ánimo de Elyse. Que se encuentre afectada por la amenaza a su familia no me sorprende. Es evidente que es el tipo de mujer maternal.

—Sí, lo es.

Llegaron a la puerta del apartamento de los Shore y se detuvieron. Monty esperó mientras Morgan buscaba las llaves.

—Soy yo —dijo al abrir la puerta.

—Hola. —Jill esperaba en el vestíbulo, vestida con un cómodo chándal y el pelo recogido en un moño con una goma elástica. Parecía pálida y cansada cuando se acercó a abrazar a Morgan—. Me alegro de que estés en casa. ¿Has conseguido dormir?

—Algo. ¿Y tú?

—Lo mismo. —Jill se volvió hacia Monty—. Detective, ¿puedo ofrecerle algo?

—Nada de nada, gracias —le aseguró éste—. Me marcho en unos minutos—. ¿Dónde está Elyse? —preguntó entonces, paseando la mirada por la sala.

Los dos tipos de seguridad le hicieron una señal con la cabeza. Estaban apostados en diferentes rincones del salón. Entre los dos dominaban perfectamente el pasillo que iba de la puerta principal al resto del apartamento. Lo controlaban todo, pero eran discretos. Estaban tomando café y comiendo un trozo de la tarta de plátano de Jill.

—Mamá se está vistiendo. Le dije que durmiera una siesta y se diera una ducha. Debería salir en cualquier momento.

Al decir eso, se abrió la puerta de la habitación principal y apareció Elyse. Monty no pudo dejar de compadecerse de la pobre mujer. Cualquiera diría que llevaba el peso del mundo sobre los hombros. Apagada, pálida y con una mirada sombría y derrotada.

—Hola, detective —saludó—. Gracias por traer a Morgan a casa sana y salva. —Se acercó a Morgan y le dio un abrazo breve pero fuerte—. Te he preparado una sopa de pollo. Está en la cocina. Tómatela cuando quieras. También he sacado una bolsa de Snickers. Pensé que te merecías un poco de comida para recuperar el ánimo.

—Gracias —dijo Morgan, sonriendo—. Puede que me coma toda la bolsa esta tarde.

—¿Hay alguna novedad? —Elyse volvía a mirar a Monty.

—Todavía no. Pero la habrá —respondió éste, mirando su reloj—. De aquí a un rato me reuniré con su marido para hablar de las medidas de seguridad adicionales. Antes de que me vaya, ¿tiene usted unos minutos? Me gustaría repasar algunos detalles de nuestra conversación de hace unos días.

—No sé qué otra cosa le puedo contar. Pero si usted cree que servirá de algo, desde luego que podemos hablar.

—Podéis ir a la cocina —dijo rápidamente Morgan antes de que Jill ofreciera quedarse con Elyse para darle apoyo—. Jill y yo nos vamos a mi antigua habitación. Yo necesito una ducha. Y como no me seduce demasiado la idea de estar sola, me gustaría que viniera conmigo para hablar a través de la puerta del baño.

—De acuerdo. —Elyse asintió con la cabeza y le hizo un gesto a Monty para que la siguiera—. Siéntese a la mesa, detective. Acabo de preparar café para nuestro equipo de seguridad. Entrará en calor con una taza y podremos hablar.

—Y también puede probar mi tarta de plátano —añadió Jill—. He hecho tres desde que llegué a casa. Energía nerviosa.

—Gracias. —Monty esperó a que Jill y Morgan desaparecieran de su vista y siguió a Elyse a la cocina.

Mientras tomaba café y comía tarta de plátano, volvió a formular sus preguntas sobre las llamadas que había recibido, su sensación de que la seguían y sobre el conductor de la furgoneta blanca que había visto fuera del gimnasio.

Sus respuestas fueron las mismas, pero tenía los nervios decididamente crispados.

—¿Ha recibido alguna llamada desde el martes, cuando hablamos? —preguntó.

—No. —Elyse se sirvió café y sostuvo la taza con manos temblorosas—. Supongo que el que llamaba se ocupa de cosas más importantes, como atropellar a mujeres o destrozar casas.

—Hablando del atropello con fuga, he tenido ocasión de hablar con Karly Fontaine y Rachel Ogden.

Elyse se puso visiblemente tensa.

—¿Alguna de ellas le dio información sobre quién conducía el vehículo?

—No. El incidente ocurrió demasiado rápido. Pero las dos se ofrecieron a ayudar en lo que fuera posible. Incluso Rachel, que acababa de salir de una operación. Es una joven muy fuerte. Las dos lo son.

—Monty frunció el ceño como intrigado—. ¿Conoce usted a alguna de las dos?

—No. ¿Por qué me lo pregunta?

—Morgan me dijo que a veces usted y Winshore se recomiendan clientes unas a otras. Pensé que quizás ésta fuera una de esas veces.

—No lo es. —Elyse tomó un sorbo de café.

—En ese caso, debería conocerlas. Se integrarían muy bien con su clientela. Karly es una antigua modelo que ahora trabaja como ejecutivo en su agencia de modelos, así que no tengo que decirle la cantidad de tiempo que dedica a hacer ejercicio y la forma física en que se encuentra. Y Rachel es estupenda, bastante más joven que Karly y llena de energía. Es una especie de asesora en gestión de empresas. Cuesta creer que una joven de veinticinco años pueda haber llegado tan lejos.

—Seguro que tiene razón. —Elyse no apartaba la mirada de la taza—. La juventud es una gran baza en este mundo superficial en que vivimos.

Monty cortó un trozo de tarta de plátano y observó a Elyse mientras masticaba.

—Tiene razón. Es una sociedad orientada a la juventud. Sobre todo para las mujeres, cuando se trata de su aspecto. Es una pena que los hombres no sepan ver más allá de su... bueno, usted ya me entiende.

—Sí, le entiendo —dijo Elyse, alzando la cabeza—. Lo que no entiendo es por qué estamos hablando de esto. ¿Hay algo acerca de esta Rachel Ogden que yo debiera saber?

—¿Como qué?

—Dígamelo usted. Es usted quien sigue hablando de ella.

Monty frunció los labios y decidió ir un paso más allá.

—Quizá sea porque hay aquí una posible relación que me preocupa.

En la expresión de Elyse asomó fugazmente la emoción, una ansiedad mezcla de dolor e insultos. No había que ser un especialista en astronomía para darse cuenta de cuál era, según ella, esa relación.

—Si esto tiene que ver con algún rumor sobre Arthur...

—¿Arthur? —Monty alzó las cejas—. No, tiene relación con el hecho de que, en el papel, la descripción física de Rachel coincide con la de Morgan. Si a eso le añadimos el asalto de anoche a la casa, empieza a preocuparme que quien sea que haya destrozado la casa de Jill y Morgan la persigue más agresivamente de lo que pensaba al principio.

—Oh. —La sorpresa hizo parpadear a Elyse, pero se recuperó rápidamente, y su asombro se transformó en miedo—. Cuando dice más agresivamente... ¿acaso insinúa que piensa que tiene la intención de matarla?

—Si es el que mató a sus padres, es perfectamente capaz.

—Dios mío. —Elyse se dejó caer en una silla y su taza de café chocó con la mesa con un golpe seco—. ¿Qué podemos hacer?

—Para empezar, no le diremos nada. Está a punto de perder los nervios, tal como están las cosas. Sin embargo, la seguridad adicional que su marido ha contratado es una buena idea. Nos ocuparemos de ello durante el día.

—¿Y por qué no cerrar la investigación? ¿No sería la medida más sensata? —dijo Elyse, impulsiva. Al ver la expresión de incredulidad de Monty, siguió sin pensárselo—. Ya sé que suena como una falta de sensibilidad. Puede que sea una absoluta egoísta. Pero amo a mi familia. Quiero que estén seguros. También quería a Lara y Jack; eran mis amigos. Y sí, me pone enferma pensar que sus asesinatos no serán castigados. Pero ellos están muertos, detective. Morgan está viva. ¿Acaso no es responsabilidad nuestra velar por que siga estándolo? Arriesgando su vida no resucitará a Jack y a Lara. Pero podría ponerla en peligro a ella... y al resto de nosotros, ya que estamos.

—No tanto como dejar que el hombre que asesinó a Jack y Lara siga suelto por ahí, libre para matar a Morgan o a cualquier otra persona. —Monty sacudió la cabeza—. No. Abandonar esta investigación no está entre las opciones. Encontraré a ese asesino. —Monty lanzó una mirada vaga a Elyse—. Y para encontrarlo, tengo que encontrar sus motivos. Lo cual significa que tengo que buscar en lugares donde no soy bienvenido.

Elyse se quedó muy quieta cuando Monty se llevó las manos al bolsillo de la chaqueta y sacó un par de copias de las fotos que Lane había hecho para él.

—Écheles una mirada a éstas. Son de la fiesta que celebraron sus padres en honor a Arthur la víspera de Navidad, hace diecisiete años.

Ella bajó la mirada, al principio incómoda, después, muy intrigada.

—No entiendo. Ése es Arthur. O, más bien, una parte de Arthur.

—De su cuello. Ahora bien, ¿dígame por qué su marido se cambió de camisa durante la fiesta?

Elyse tensó la mandíbula, pero mantuvo la compostura.

—No sé de qué me habla.

—Vuelva a mirar. El cuello normal. Y el cuello estrecho. La misma fiesta. Camisas diferentes. ¿Por qué?

—No tengo ni idea. Quizá se manchara con algo.

—Ah, ¿de modo que tenía la costumbre de llevar una camisa encima para ese tipo de emergencias?

—No, desde luego que no. —Elyse había levantado la voz y se le había acelerado el pulso. Monty lo veía porque le tembló en el cuello.

—Según mi experiencia, es la típica actitud de un hombre que tiene una aventura —dijo, con una voz sin inflexiones—. ¿No estaría de acuerdo conmigo?

Silencio.

—Volvamos a intentarlo. ¿Recuerda usted si su marido abandonó la fiesta en algún momento de la noche? Y si fue así, ¿a qué hora y cuánto duró?

En los ojos de Elyse asomaron lágrimas.

—¿Por qué me hace esto? —consiguió decir—. ¿Acaso le procura algún tipo de placer, como sucede con los medios de comunicación?

—Ni en lo más mínimo. Lo que intento entender es por qué, después de todas las conversaciones que tuvimos sobre el asesinato de los Winter, el congresista nunca me mencionó que había dejado la fiesta de sus suegros. ¿Por qué?

—Probablemente porque no tenía nada que ver con su investigación.

—O quizá lo borró de su mente. Un asunto pasajero. Aún así, querría saber su nombre. Tengo que interrogar a todas las personas que tuvieron alguna relación, aunque sea tangencialmente, con cualquiera de los amigos, colegas o seres queridos de los Winter la noche de los asesinatos.

—¿Amigos? ¿Seres queridos? —Elyse empezó a desmoronarse lentamente—. ¿No debería concentrarse en los enemigos?

—Yo diría que un asesino es un enemigo. —Monty lanzó una mirada incierta, inquisitiva—. Su nombre... ¿lo recuerda usted?

Elyse se puso bruscamente de pie.

—No me dignaré a responderle a esa pregunta. Ahora, si me perdona, detective, tengo que hacer unas llamadas por teléfono. Y usted tiene que reunirse con mi marido para contratar los equipos de seguridad. Le ruego que busque usted mismo la salida.

Karly Fontaine miró su reloj e hizo una mueca.

Era hora de llamar a Morgan y confirmar su encuentro para la sesión de seguimiento. El problema era que no tenía tiempo ni energía, y no podía fingir que los últimos días no habían ocurrido.

Hizo acopio de determinación y llamó a Winshore.

—Contestó la voz de un desconocido.

—¿Hola?

Karly guardó silencio un momento.

—Lo siento. Debo haberme equivocado de número. Llamaba a Winshore LLC.

—No se ha equivocado de número. ¿Quién llama?

El tono del hombre era serio e irritante. Además, Karly no tenía por costumbre dar su nombre a desconocidos.

—¿Con quién hablo? —preguntó.

—Soy el agente Parino. De la Décimonovena comisaría.

—Agente... —Karly se tensó de pies a cabeza—. ¿Por qué está la policía en Winshore? ¿Ha ocurrido algo?

—No estoy autorizado para hablar de esto, ¿señorita...?

—Fontaine. Karly Fontaine. Tengo una visita a las doce y media con Morgan Winter.

—Le sugiero que la llame a su móvil. ¿Tiene usted el número?

—Sí, lo tengo. La llamaré ahora.

Colgó en cuanto pudo. Los dedos le temblaban mientras marcaba el número del móvil de Morgan.

Morgan contestó enseguida. Sonaba cansada pero tranquila.

—Hola, Karly —contestó, al ver su nombre en la pantalla.

—¿Todo va bien? —preguntó Karly, con voz ansiosa—. Acabo de llamar a tu despacho y me ha contestado un policía. No me quiso dar información, sólo me dijo que te llamara al móvil.

—Pues, sí, hemos tenido un poco de agitación en la casa anoche. —Morgan le contó a Karly en pocas palabras la incursión del intruso en su casa por la noche y el alcance de los destrozos. Como habían ordenado Monty y la policía, omitió conscientemente el detalle de las caras en los recortes de periódicos y la nota de amenaza.

—Morgan, qué cosa más horrible —dijo Karly, con genuino sentimiento—. ¿Estabas en casa cuando entró?

—Por suerte, no. Ni Jill ni yo estábamos allí. Hemos tenido suerte.

—Mucha. ¿Y qué se llevó?

—En realidad, nada —dijo Morgan, después de una breve vacilación.

—No entiendo.

Morgan respiró ruidosamente.

—Karly, llevas sólo unos meses en la ciudad. Así que hay muchas cosas de las que quizá no te hayas enterado, a menos que seas una ávida lectora de periódicos. Mis padres fueron asesinados hace diecisiete años. Acaba de saberse que la policía acusó al hombre equivocado, a un criminal violento, pero que no fue el que los mató. Los padres de mi socia, Jill —de la que te he hablado—, son el congresista Arthur Shore y su mujer, Elyse. Eran los mejores amigos de mis padres. Yo he sido para ellos una especie de hija adoptiva desde que quedé huérfana. De modo que estamos todos bastante expuestos a la publicidad. Puede que esto haya sido la broma de un enfermo, o una manera de salir en los periódicos. No lo sé. Es lo que está investigando la policía.

—No sé qué decir. —Karly miraba la pantalla de su ordenador mientras hablaba, y releía los artículos que se había bajado esa mañana, después de dos noches sin dormir—. Lamento que esto haya ocurrido. Si hay algo que pueda hacer...

—No hay nada que hacer. Jill y yo estamos en casa de Arthur y Elyse, de modo que nos encontramos en buenas manos. Pero hay que entender que Winshore está funcionando muy por debajo de lo normal. Sólo serán un par de días. El lunes ya estaremos de vuelta, como siempre. ¿Te importaría que postergáramos tu sesión de seguimiento para ese día?

—Claro que no. Te llamaré la próxima semana y ya quedaremos. Estoy contenta de que os encontréis bien... tú y Jill.

—Yo también.

Karly se quedó sentada a la mesa un buen rato después de colgar, sintiendo que se le formaba un nudo en la boca del estómago. Luego buscó su bolso y sacó el sobre que había rescatado de su caja de pequeños objetos personales recién abierta después de la mudanza desde el oeste. Echó una mirada dentro. La nota y la tarjeta de visita estaban intactas.

Ahora sabía qué tenía que hacer.

Escribió un mensaje rápido en un *post-it*, lo despegó y lo adhirió al exterior del sobre. Luego lo metió todo dentro de uno más grande y lo cerró.

Buscó la guía telefónica y hojeó las páginas amarillas. No tardó mucho en encontrar lo que buscaba. Un servicio de mensajeros desconocido.

Se puso su abrigo de lana negro y la capucha para cubrirse la cabeza y el pelo. Después, unas gafas oscuras.

Nada de tarjetas de crédito, se recordó.

Hurgó en su cartera y encontró un billete de cien dólares y se lo metió en el bolsillo del abrigo. Luego devolvió la cartera a su bolso, que guardó con llave en el último cajón de su mesa. No podía presentar un documento de identidad que no tenía. Diría sencillamente que había salido sin la cartera. Los billetes eran excelentes estimulantes.

Cinco minutos más tarde, salía de su despacho y del edificio.
Estaba corriendo un enorme riesgo.
Pero también tenía una enorme deuda que saldar.

Capítulo 26

El cielo de aquella mañana del viernes estaba despejado. Los Poconos eran un maravilloso paisaje de fondo. El salto de Lane había sido espectacular.

Era una pena que Jonah se encontrara tan mal.

Se había sentido cansado y algo mareado desde que llegaron, y la preparación del equipo y el constante movimiento había empeorado el cansancio y el mareo. Había intentado comer una magdalena y beber un poco de Gatorade, pero nada de todo eso lo había aliviado.

Luchando contra su malestar, le costaba manipular la aparatosa cámara, cuyo peso había aumentado a causa del teleobjetivo y del motor. Sólo tenía una posibilidad de capturar en una foto al congresista. Tal como estaban las cosas, sentía la presión. Casi habían tenido que arrancar al congresista de su casa, convencerlo de que la publicidad era lo bastante necesaria como para dejar a la familia, aunque sólo fuera por una breve jornada. La foto sería breve y simpática, y después volverían a casa.

Lane tomaría las fotos aéreas desde el avión, y él debía encargarse de las tomas desde tierra.

En condiciones normales, estaría entusiasmado y sintiéndose en su elemento.

Pero le sudaban las manos y tenía los músculos flojos. Se sentía mal, como si se hubiera contagiado algo. Era su mala estrella.

Había hecho el ridículo en ese estúpido accidente de esquí de hacía unos días, y ahora empezaba a coger la gripe.

No había nada que hacer. La gripe tendría que esperar hasta que esa noche volviera a casa.

Volvió su atención a la tarea que tenía entre manos y apuntó el objetivo hacia el cielo. Gracias al motor de la cámara, siguió el suave descenso de Arthur disparando una rápida sucesión de fotos.

Estaba bastante seguro de haberlo conseguido. Y de haberlo hecho bien.

Pero seguía sintiéndose físicamente por los suelos.

Tal como habían acordado, Monty se presentó en el despacho de Charlie Denton a las doce y cuarto. Entró a la hora indicada, y del restaurante de Lenny se llevó consigo sándwiches de pastrani, sopa de pollo y un zumo de cereza de Dr. Brown's para una «reunión de comer y saber».

Monty no pensaba irse sin antes obtener respuestas a dos preguntas abiertas: ¿Tenía razón en sus sospechas acerca de la identidad del confidente en el expediente de Angelo? y ¿qué había detrás de la desavenencia entre Charlie y Arthur Shore? Su moneda de cambio consistía en darle a Charlie el nombre de George Hayek, algo que estaba más que dispuesto a hacer… si conseguía lo que quería.

Su intuición le decía que Denton sería un firme aliado en ese punto, sobre todo después del allanamiento de la casa de Morgan el miércoles por la noche. Las amenazas contra ella subían de tono, lo cual impulsaría a Denton a actuar, dada su lealtad a Morgan y a Jack Winter. Además, a Denton le eran familiares las mentes criminales, y era capaz de ver el por qué de sus movimientos. Al igual que Monty, creía que las amenazas cada vez más graves daban a entender que el hombre se sentía vulnerable. Y eso significaba que empezaban a acorralarlo.

—En todo el despacho no se habla de otra cosa que de la visita que me hace el principal investigador del caso del asesinato de Jack —se quejó Charlie, a manera de saludo, y cerró la puerta detrás de

Monty con gesto firme—. Tendré que dedicarme a contestar preguntas toda la tarde.

—Ya verá, seguro que sabrá cómo manejarlo. Dígales que he venido para aclarar algunos detalles sobre los casos criminales de los que Jack se encargaba antes de que lo mataran. A sus colegas les complacerá saber que el enfoque que adopto ensalzará la imagen de Jack Winter como héroe.

—La verdad es que era un héroe —lo corrigió Charlie, mientras se acomodaba detrás de su mesa repleta de papeles y sacaba una carpeta gruesa que dejó ante él—. Demasiado héroe. Es probable que por eso haya muerto.

—No sabemos cómo murió. Pero nosotros lo vamos a descubrir. —Monty miraba la carpeta como un niño en una tienda de caramelos, aunque se obligaba a tener paciencia. No tenía sentido presionar a Denton. Antes, era preferible ponerlo de buen humor para que se prestara a hacer confidencias. Y si todo lo demás fallaba, para eso había traído la sopa de bolitas de matzá de Rhoda.

Monty le pasó a Charlie tranquilamente un bocadillo, un recipiente con sopa y una lata de gaseosa, y luego se acomodó en la silla frente a él.

—Lo mejor de Lenny's —anunció.

—¿Es un soborno? —inquirió Charlie, con una sonrisa torcida.

—Camaradería. —No tenía sentido intentar sobornar a aquel tipo, un ayudante del fiscal con tanta experiencia. Se percataría enseguida de la burda movida—. Tal como yo lo veo, estamos en el mismo equipo, sobre todo ahora. Creo que la vida de Morgan depende de ello.

A Charlie se le borró la sonrisa de la cara.

—¿Cómo está?

—Aguantando. Asustada. Indecisa. Después de llegar a su casa el jueves por la mañana, estaba dispuesta a dejarlo correr.

—El fiscal del distrito no dejará que eso ocurra.

Monty se encogió de hombros.

—El fiscal puede presionar a quien quiera, pero sin las personas adecuadas que investiguen en los lugares adecuados, no tendrá nada.Charlie abrió el bocadillo y sacudió la cabeza con gesto de incredulidad.

Y usted, desde luego, es esa persona adecuada —dijo, y soltó una risa seca—. Su arrogancia es sorprendente. De alguna manera, el Departamento de Policía de Nueva York sobrevivió antes de que usted se integrara en sus filas y ha conseguido sobrevivir sin problemas desde que se marchó.

—Esto no tiene nada que ver con mi renuncia al cuerpo. Francamente, están mejor sin mí. A mí no se me da nada bien lo de obedecer las reglas, y la burocracia y el papeleo empezaban a afectar mi presión arterial. Esto tiene que ver con la familiaridad que tengo con el caso, con mi intuición de que estamos a punto de resolverlo, y con el hecho de que no pienso renunciar hasta que eso ocurra, con o sin reglas. —Monty dio un mordisco a su bocadillo y tomó una cucharada de sopa—. Que me parta un rayo si la sopa de matzá no es la mejor de todas. Tiene suerte de que le caigo bien. Nos ha puesto a los dos un vaso grande en lugar de pequeño.

—Sí, claro, se agradece. Afuera está todo helado. Esta sopa de pollo es justo lo que necesito. —Charlie tomó una cucharada y luego se inclinó hacia delante con las manos cruzadas sobre la mesa—. Estoy de acuerdo con usted a propósito del riesgo que corre Morgan. Estas amenazas son demasiado graves. Y se suceden con demasiada rapidez. Alguien está asustado.

—La pregunta es quién.

Charlie arqueó las cejas.

Monty dejó de lado su comida.

—¿Qué información puede darme?

—El confidente por el que preguntaba... Tiene razón en lo de su larga relación con Jack. —Charlie abrió la carpeta, hojeó unas cuantas páginas fotocopiadas—. Tengo un registro y algunos informes escritos que he sacado de los viejos archivos de Jack que cubren al menos una década. Todas las entradas tienen el mismo número de confidente.

—El que yo le di, y que pertenece al testigo que declaró en el juicio de Angelo.

—Correcto.

—¿Hay alguna información personal sobre ese tipo?

—No. Sólo resúmenes de sus reuniones con Jack. En estos documentos encontrará las fechas y las horas que usted buscaba, además de detalles de cada encuentro. Sin embargo, toda la información biográfica, fotos, impresos o cualquier cosa con el nombre del confidente se encuentra en el archivo maestro de acceso restringido.

—¿Ha hablado con el funcionario encargado, o ha intentado persuadirlo para que comparta información?

Charlie tensó la mandíbula.

—Estoy dispuesto a llegar hasta cierto punto por usted, Montgomery. Ya me he expuesto lo suficiente. Pero lo que usted sugiere huele a chantaje y linda con el suicidio profesional. Ahora bien, ¿quiere las copias de los informes que le he preparado o no?

—Claro que las quiero.

—Bien. —Charlie abrió la carpeta marrón y deslizó un montón de páginas sobre la mesa—. No los lea aquí. Métalos en la bolsa de Lenny y lléveselos cuando se marche. No quiero que nadie lo vea saliendo de mi despacho con unos papeles que tienen nuestro membrete.

—De acuerdo. —Monty cogió los documentos, y aunque apenas podía reprimir las ganas de revisarlos, no pudo dejar de observar que sólo era una parte de lo que Denton tenía en la carpeta. Era evidente que los demás documentos no eran para compartir.

Tenía que subsanar esa carencia.

—¿Quién es el confidente, según usted? —inquirió Charlie.

—Antes, déjeme leer estos documentos —pidió Monty—. Si coinciden con las averiguaciones que he hecho por mi cuenta sobre mi sospechoso, se lo haré saber.

—Eso suena a táctica para ganar tiempo.

—No lo es. Lo llamaré antes de que acabe la jornada de trabajo. Le doy mi palabra.

—Se la tomaré.

—Hágalo. Si es quien pienso que es, usted será el primero en saberlo. Aproveche la información, y se ganará una recomendación y un ascenso suculento.

Charlie hizo una mueca y siguió tomando sopa.

—Ni lo uno ni lo otro me quita el sueño. Si se soluciona este caso, se habrá hecho un favor a la justicia. Lo cual no significa que se le haga un favor a todo el mundo.

Mientras comía su bocadillo, Monty se encogió de hombros.

—A algunos les pisan los pies. Ya se les pasará.

—Puede que sea así en su mundo, pero en el mío, no. Por si no se había dado cuenta, la Oficina del Fiscal del Distrito es una oficina política.

—Me he dado cuenta.

—Pues, entre nosotros, la política es una mierda.

—De eso también me había dado cuenta —dijo Monty, mirando fijamente a Charlie. Éste bajó los párpados y se quedó mirando su comida. Sin embargo, era evidente que un engranaje se había puesto en marcha, y que se le veía indeciso a propósito de algo.

—¿Hay algo que quiera decirme? —inquirió Monty.

Charlie alzó la cabeza.

—Sólo una pregunta. Una pregunta no oficial.

—Pregunte.

—Sé quién tira de mis hilos. Pero, en esta investigación, ¿quién tira de los suyos? ¿Morgan o Arthur Shore?

—Antes que nada, nadie tira de mis hilos... nunca. Por eso abandoné el sistema. Pero si su pregunta es para quién trabajo, la respuesta es Morgan. El congresista ha usado su influencia para ciertas cosas. ¿Por qué lo pregunta?

—¿Está enterado de todo lo que hablamos usted y yo?

—No si yo no lo quiero. Al menos, no de mi parte. No puedo responder por lo que su jefe le cuenta.

—Sí, él y el fiscal del distrito tienen buenas relaciones. Es una de las razones por las que camino sobre arenas movedizas.

Al parecer, la intuición de Monty había acertado.

—¿No confía en Arthur? —preguntó.

Charlie se frotó la frente.

—¿En un plano político? Creo que es un gran congresista. Ha hecho grandes cosas por Nueva York.

—Usted le ayudó a salir elegido. Mis informaciones me dicen que trabajó en su campaña electoral.

—Para la asamblea del Estado, sí. —Charlie se acabó la sopa—. No nos separamos en circunstancias muy amigables. Aunque, claro, es probable que en sus informaciones también aparezca ese dato.

—Así es. —Monty esperaba, procurando ganar tiempo.

—Nuestras diferencias no eran profesionales, sino personales. Tengo una hermana menor. El año que trabajé para la campaña de Shore ella había acabado el instituto. Yo cursaba el último año en la Facultad de Derecho. Convencí a mi hermana, Trish, para que colaborara. No pasó mucho tiempo antes de que empezara a idolatrar a Arthur Shore. Ella y todas las demás jovencitas que pululaban por ahí. Trish empezó a trabajar hasta tarde, despachando el correo saliente. Una noche aparecí más temprano que de costumbre para pasarla a buscar. Estaba en el despacho de Shore, sola con él y medio desnuda.

Charlie dejó escapar un bufido de rabia.

—Él tendría unos treinta y algo, estaba casado, y tenía una hija. Trish sólo dieciocho, acababa de terminar el instituto y era muy influenciable.

Monty se sintió asqueado, pero no sorprendido. Era el típico comportamiento de Arthur Shore.

—Usted estaría fuera de sí. ¿Qué hizo?

—¿A Shore? Nada. Si se me hubiera ocurrido hablar de acoso sexual, hubiera acabado trabajando en una gasolinera en lugar de perseguir a delincuentes. Yo sólo era un alumno de la Facultad de Derecho. Él era un miembro de la Asamblea del Estado. Además, era el abogado financiero de una poderosa empresa de promotores inmobiliarios, dirigida por su suegro, con suficientes recursos para aplastarme. Así que hice lo que pude. Le puse un abrigo encima a Trish y la saqué de ahí. Nunca volvimos.

—¿Y ahora?

—Ahora, nada. Shore es congresista, yo soy un ayudante del fiscal del distrito. Nuestros caminos no se cruzan. Me llamó cuando se volvieron a abrir los casos de los Winter y me rogó que utilizara mi influencia para conseguirle lo que me pidiera. Le dije que de acuerdo. Naturalmente, no hablé de Trish, y él no me preguntó por ella.

—¿Alguna vez le habló a Jack de este incidente? Cuando vino a trabajar aquí, todavía debía tenerlo muy presente. Y Jack y Arthur eran buenos amigos.

—Lara y Elyse eran buenas amigas —corrigió Charlie—. Jack y Arthur eran amigos por defecto. No diré que Jack no respetara la habilidad de Arthur. La respetaba. Pero en cuestiones de moral eran como el día y la noche. No tuve por qué contarle mi historia a Jack. Había muchas otras historias parecidas. —Siguió una larga pausa—. A veces pienso que ése era el tema de discusión entre Lara y Jack. Puede que me equivoque por completo, pero creo que Jack pensaba que había que contarle a Elyse lo de las andanzas de su marido. Lara no estaba de acuerdo.

—¿Usted le oyó decir eso a Lara?

—La oí decir que Elyse sabía todo lo que tenía que saber. Puede que hablaran de la infidelidad de Arthur, o puede que fuera algo sin ninguna relación con aquello.

—No me contó nada de esto el otro día.

—Preferí no hacerlo. Es pura especulación mía, y podría costarme caro.

—Si yo decidiera hablar —dijo Monty, pensando en voz alta, y recalcando el «Si»—. Pues, no lo haré. Esta conversación queda entre nosotros. Pero me alegro de que me lo haya contado. Explica unas cuantas cosas —añadió, y siguió un silencio especulativo—. Denton, si quiere, puede sacarme a patadas de aquí, pero ¿hay alguna posibilidad de que su hermana haya cambiado de parecer y haya tenido esa aventura con Arthur? Puede que no en ese momento, pero sí unos años más tarde.

—No. —La respuesta fue seca y al grano.

—¿Cómo lo sabe?

—Porque en las semanas que siguieron a ese incidente, no dejé de vigilarla en ningún momento. Después, se fue a Michigan. Consiguió un empleo de camarera, media jornada, se instaló y empezó a estudiar en la universidad. Venía a vernos para las fiestas, y cuando llegó el día de Acción de Gracias ya tenía novio, un chico de su edad. Después siguieron otros muchos novios. Pero ella no volvió a mencionar a Shore. ¿Por qué lo pregunta?

—Ésta es la parte donde usted se enfadará. ¿Dónde estaba Trish la noche de Navidad de 1989?

Por un momento, no se oyó ni el vuelo de una mosca.

—¿La noche de los asesinatos? —dijo finalmente Charlie—. ¿Bromea?

—Hablo muy en serio. ¿Sabe usted dónde estaba?

—En España. En un viaje de curso, el tercer año de estudios. Y me reprimo para no darle como se merece, pero sólo porque está haciendo su trabajo y porque tengo muchas ganas de escuchar su razonamiento. Arthur Shore no andaba por ahí haciéndoselo con una universitaria esa noche. Estaba en una fiesta de Navidad con su mujer. En casa de sus suegros.

—Es verdad. Pero tengo motivos para creer que se tomó el tiempo para un polvo rápido. Estaría bien saber a qué hora y con quién.

—¿Cree que el «con quién» en cuestión tuvo algo que ver con los asesinatos?

—Creo que es un personaje nuevo del que nada sabíamos hace diecisiete años. También creo que tenemos que saber si el congresista Shore puede echar mano de una coartada, que sería el caso, si se ausentó de la fiesta de sus suegros entre, digamos, las siete y las ocho y media.

Charlie soltó un silbido por lo bajo.

—Se está metiendo en un avispero.

Monty respondió encogiéndose de hombros.

—Lo peor todavía está por venir. Podría perder mi condición de cliente privilegiado en lo de Lenny.

—No, lo peor que puede ocurrirle es que pierda su licencia. Quién sabe cuánto se cabreará Shore, o a qué favores recurrirá si llega a saberse que usted le ha pedido que le dé una coartada para la noche de los asesinatos. Lo mire desde donde lo mire, le estará pidiendo que demuestre que no es un asesino.

—Le estaré pidiendo que haga lo mismo que todas las demás personas que conocían a los Winter. Ni más, ni menos. Se trata de la investigación de un asesinato. Si Shore es inocente, puede que se sienta ofendido, quizá muy mosqueado, pero colaborará. Él es quien me presionaba cuando investigábamos el asesinato la primera vez, hasta que Schiller confesó. Y esta vez se ha mostrado igual de agresivo. Yo trataré con él, con calma, en privado y sin aspavientos emocionales. Pero, reaccione como reaccione, estoy decidido a obtener lo que necesito.

—Más una dosis añadida de lo que no necesita —murmuró Charlie.

—Ése será mi problema. Y, Denton —dijo Monty, clavando a Charlie con una mirada elocuente—. Shore no sabrá por adelantado por qué quiero verlo. Lo mismo que me ha dicho usted acerca de su hermana: esto es confidencial y nunca se ha dicho.

—No se preocupe. —Charlie desechó el mensaje de Monty con un gesto—. Yo no pienso meterme esta vez. Cualquier movida mía para inmiscuirme sería mi suicidio profesional. Pero tengo que reconocerlo, Monty, tiene usted un par de huevos.

—Y me siento orgulloso de ello —contestó éste con sequedad.

—Hablando de huevos… —dijo Charlie, y se removió incómodamente en su asiento—. Ese vaso de sopa y la gaseosa me han llegado a la vejiga. Volveré en un momento.

—Ningún problema.

Monty apenas sonrió cuando Charlie pasó rápidamente junto a su mesa y salió en dirección a los lavabos. Maravilla de sopa de Rhoda. Había surtido efecto.

Esperó diez segundos. Luego, se inclinó, cogió el sobre marrón de la mesa de Charlie y lo ojeó rápidamente.

Mucha cosa inservible. Papeles. Y más papeles. Notas de una oficina a otra. Documentos legales en que se basaba la acusación de Jack contra Angelo. Menciones esporádicas de sus reuniones con el confidente en cuestión. Un montón de fotocopias reunidas con un clip.

Monty las estudió rápidamente. Eran referencias a los documentos originales sobre la detención del confidente, con los nombres y otros elementos concretos borrados con rotulador negro, con el número del confidente cambiado.

Las últimas páginas del paquete tenían el logo del Departamento de Policía de Nueva York.

Ahí había información potencial.

A la velocidad del rayo, las revisó. Conocía esos impresos como la palma de su mano. La última página era una mala fotocopia de la hoja del registro que había proporcionado el agente que había efectuado la detención.

Monty sostuvo la hoja a contraluz, y frunció el ceño al ver que no podía distinguir los números por debajo del rotulador negro. «Maldita sea».

Se le acababa el tiempo. Denton volvería en cualquier momento. Tenía que haber algo.

Eureka.

En la parte de abajo de la hoja, estaba registrada la información de contacto del culpable, borrado con negro como el resto de los datos. Sólo que ahí, hacia el final de la línea, el rotulador se había quedado sin tinta. Monty logró ver los últimos cuatro dígitos del número de teléfono: 0400.

Finalmente tenía algo con que seguir.

Devolvió todos los documentos a la carpeta y la dejó en su lugar sobre la mesa de Charlie.

No había tiempo que perder mientras volvía a Queens, así que se dirigió a casa de Lane, encendió el ordenador y comenzó la búsqueda. Marcó el 212 del código de área, el único que existía en Nueva York hace treinta años, y probó todas las combinaciones posibles. Sabía perfectamente que aquello podía ser un callejón sin salida. Si el número de teléfono ya no existía o le había sido dado a otro abonado hacía décadas, averiguar a quién pertenecía en aquellos años sería una tarea pesada.

La suerte le favoreció, porque al cabo de treinta minutos había dado con algo.

El número 212-555-0400 estaba perfectamente vigente. Pertenecía a una enorme y exitosa empresa inmobiliaria que navegaba viento en popa desde hacía años, la misma empresa que Charlie Denton había mencionado.

Kellerman Development, Inc. La empresa donde, hace treinta años, Arthur Shore, el flamante yerno de Daniel Kellerman, se desempeñaba como representante legal.

Era otro sólido indicador de que el confidente era George Hayek.

Los tiempos de todo aquello coincidían con la hipótesis de Monty. Hayek había hecho la llamada después de su detención por tráfico de armas. Aquello explicaba por qué se había convertido en informante del fiscal del distrito. Arthur tenía que haberse puesto en contacto con Jack y haber hecho un trato. Jack conseguía un excelente informante desde el interior y Arthur sacaba a Hayek de apuros, probablemente por hacer un favor a Lenny.

Interesante. Arthur le había mentido a Monty al decir que no había vuelto a hablar con Hayek desde que éste había dejado de trabajar en Lenny's.

Con aquella, ya eran dos las distorsiones de parte del congresista. El cambio no explicado de camisa en la fiesta de vísperas de Navidad en casa de los Kellerman, y la llamada telefónica de Hayek y el posterior trato hecho con Jack.

¿Sobre qué otras cosas habría mentido?

Monty tenía todos los papeles de Denton que revisar, detalles, fechas y tiempos que hacer coincidir. Y, después, él y el congresista Shore iban a tener una charla muy larga y amena.

Las horas pasaron.

Monty estaba concentrado leyendo y tomando notas cuando sonó su teléfono móvil.

Miró, irritado, el número en la pantalla. No tenía intención de contestar, hasta que vio que era Morgan.

Pulsó la tecla para contestar.

—Hola. ¿Va todo bien?

—No estoy segura. —Morgan sonaba más emocionada que asustada—. Acabo de recibir un paquete muy desconcertante.

—¿Un paquete? —Monty se puso alerta al instante—. ¿Qué tipo de paquete? ¿Y qué quiere decir con desconcertante?

—Es un sobre Tyvek. Y no quiero decir peligroso, no se ponga nervioso. No se trata de una amenaza. Es sólo una tarjeta de visita, una nota y un *post-it*. Sólo que... —A Morgan se le quebró la voz y luego siguió—. No es algo de lo que pueda hablar por teléfono. Sólo lloraría y eso sería una pérdida de tiempo. Hablé con el portero de Arthur. Dijo que el sobre llegó por mensajero, especificando que la entrega tenía que ser el viernes por la tarde. No sé por qué, a menos que quien lo haya enviado supiera que Arthur no estaría y que Elyse se habría ido al gimnasio. Estoy bastante sorprendida y no quiero hablar de esto con nadie antes de hacerlo con usted. Jill está hablando con un cliente por teléfono. ¿Podemos encontrarnos en algún sitio?

—Estoy en casa de Lane, utilizando su ordenador para seguir algunas pistas mientras él está en los Poconos. Estoy solo. Le diré lo que quiero que haga. Meta el paquete en un Ziploc, en caso de que haya alguna huella dactilar discernible, cosa que dudo. Luego, dígale a uno de los de seguridad que están dentro del apartamento que quiere salir a hacer una diligencia, con uno de ellos. Así, Jill no se alarmará cuando acabe de hablar por teléfono y la busque. Coja el sobre y venga.

—Ya salgo.

—Morgan —añadió Monty, con firmeza—. Lo de salir con el guardaespaldas lo he dicho en serio. No irá a ningún sitio sola.

—Créame, no tengo la menor intención de hacerlo.

Capítulo 27

Monty leyó el *post-it,* la nota escrita a mano y la tarjeta de visita, no una vez sino dos. Luego miró de cerca el sobre Tyvek. No tenía dirección de remitente.

Alzó la cabeza y miró a Morgan.

—Supongo que es la letra de su madre —dijo, señalando la tarjeta y la nota.

—Sí —asintió Morgan, con las lágrimas en la garganta.

Monty asintió. Luego le dio unos golpecitos en el brazo y volvió a bajar la mirada y a concentrarse en aquellos papeles.

La tarjeta de visita tenía el nombre de Lara, y la dirección y el número de teléfono de su centro de acogida en Brooklyn. Por debajo de la dirección, había garabateado el número de su casa. La nota en que estaba envuelta la tarjeta se encontraba doblada, y las palabras se habían borrado en parte por el paso del tiempo. Pero eran del todo legibles.

J... Llama cuando quieras... L.

—Jota —murmuró Monty—. Me pregunto quién es. —Luego miró el *post-it,* a todas luces escrito hacía poco, a juzgar por la mancha de tinta; tenía una letra diferente, pero también femenina.

No había ni saludo ni firma. Sólo decía: *Tu madre me ayudó en una ocasión. Le pago su amabilidad ayudándote a ti. Mira cerca de casa. No confíes en nadie.*

—Llamé a la oficina de mensajeros —advirtió Morgan—.

Queda en el centro en la calle Veintidós oeste. Me dijeron que el sobre lo llevó una mujer que pidió que me lo entregaran personalmente hoy en el apartamento de los Shore entre las doce y las cinco de la tarde. Llevaba un abrigo con capucha y unas gafas de sol. Lo cual quiere decir que no tenemos una descripción. Y pagó en efectivo.

—Estupendo —dijo Monty, con voz apagada—. Hasta ahí llegan las grandes medidas de seguridad. Bien podría haber enviado un sobre lleno de ántrax. ¿Qué nombre dejó como remitente?

—El nombre de Jill. Así que eso no nos lleva a ninguna parte.

—Alguien se ha tomado mucho trabajo para hacerle llegar esto, y conservar el anonimato.

Morgan se pasó una mano por el pelo.

—La única razón por la que haría una cosa así es porque sabe algo acerca de quién mató a mis padres y porque está aterrada ante la idea de darse a conocer.

—O porque la han contratado para que nos dé una pista falsa.

—¿Qué dice? —Morgan arqueó las cejas, intrigada.

—Lo del tiempo es interesante —señaló Monty—. Pero antes de que pensemos en mi hipótesis, examinemos la suya. Pongamos que quien quiera que haya enviado esto se ha enterado del allanamiento de su casa, y tiene algún motivo para pensar que hay alguna relación con los asesinatos. Si ha juntado todas las piezas, debe haber tenido el suficiente miedo como para darse a conocer. Pero anónimamente, porque también teme por sí misma. Tiene sentido —dijo Monty, y volvió a mirar el *post-it*—. Pensemos en esa referencia a «cerca de casa». Si usted está en lo cierto, es una advertencia concreta con unas implicaciones muy desagradables. Si se equivoca, sigue siendo una técnica de distracción montada por un tío que siente que se cierra el cerco a su alrededor.

—A eso se refiere cuando habla de pistas falsas —concluyó Morgan—. Pero ¿quién es la marioneta que entregó el mensaje y quién está detrás mandándonos en esa dirección?

—No conozco a la marioneta. Pero puede que conozca al que mueve los hilos.

Morgan soltó un bufido de frustración y luego le plantó cara a Monty.

—Vale, he tenido paciencia. Ahora quiero una explicación. Usted sabe algo. Lo intuí ayer y ahora tengo la certeza. ¿Qué es? Y quiero que me lo cuente todo, por favor.

—Sí, señora. —Monty la miró con una sonrisa torcida, intentando suavizar el golpe que le iba a propinar. Sin embargo, ella era la clienta. Tenía derecho a saberlo—. Es posible que Arthur hubiera estado en algún momento con otra mujer la noche de los asesinatos. Si así fuera, esa mujer podría ser una nueva pista. Sospechosa, testigo, mujer despechada, cualquier cosa es posible. Puede que esta nota sea suya. O quizá de alguien que sepa algo de ella.

Morgan lo estaba mirando fijamente.

—¿De qué habla? Arthur estuvo en casa de los Kellerman la noche de los asesinatos. Estaba con Elyse. ¿Cómo es posible que hubiera estado con otra mujer? Y aunque así fuera, ¿por qué querría esa mujer matar a mis padres?

—No puedo contestar eso. Hasta que averigüe quién es y qué planes tenía. Por ahora, lo único que tengo son intuiciones y piezas aparentemente desconectadas de este rompecabezas.

—Quiero saber cuáles son, y por qué sospecha que Arthur estuvo con otra mujer esa noche.

Monty la puso al corriente del hallazgo de Lane, le enseñó las fotos ampliadas del cuello de las camisas de Arthur, dos camisas diferentes.

—Esto no tiene sentido —dijo Morgan, después de mirar tres veces las fotos antes de confirmarlo—. Arthur no es ningún santo, pero no llegaría al punto de escabullirse de la fiesta de sus suegros sólo para tener relaciones sexuales con una mujer. Tiene sobradas oportunidades para eso.

—Es verdad. Pero, cuando se trata de sexo, los hombres rara vez mantienen la cabeza en su sitio. En cualquier caso, necesito una explicación por el cambio de camisa. Y si Arthur estuvo con alguien esa noche, quiero saber a qué hora y con quién.

Fue ese «a qué hora» lo que le activó la alarma. Morgan abrió desmesuradamente los ojos.

—Cuando dijo que quizá conocía al que movía los hilos, no estará insinuando que Arthur es sospechoso.

Yo no insinúo nada. He dicho que todos los que conocían a sus padres tendrían que haber dado cuenta de su paradero entre las siete y las ocho de la noche del día del asesinato. Si Arthur se ausentó de la fiesta durante esas horas, sí, tendrá que presentar una explicación.

—¿Ha hablado con él de esto? —inquirió Morgan, con expresión dura.

—Todavía no. Pero he hablado con Elyse. Le costó mantener la compostura cuando le enseñé las fotos.

—Me lo imagino. ¿Por eso quería verla a solas ayer?

—Sí.

—Ahora entiendo el estado en quedó después de que usted se fuera. Monty, no le ponga ante las narices las indiscreciones de Arthur. Ya es bastante doloroso, tal como están las cosas.

—Estoy buscando a un asesino. Eso es más importante que demostrar sensibilidad ante una mujer cuyo marido la engaña. Lo siento, pero así son las cosas.

Morgan le miró las duras arrugas de la cara.

—Hace diecisiete años también buscaba a un asesino. Eso no le impidió ser compasivo.

—Usted era una niña indefensa y traumatizada cuyo mundo acababa de venirse abajo. Elyse es una mujer adulta que ha optado por seguir con un matrimonio complicado. Una víctima indefensa. Una víctima que permite que la conviertan en víctima. No hay ni punto de comparación.

—Me parece justo —tuvo que reconocer Morgan.

—Pediré una reunión con Arthur para mañana por la mañana. Necesito algunas respuestas. Una vez que me las haya dado, tendré una idea más concreta de dónde nos encontramos. —Monty frunció el ceño, y volvió a posar la mirada en la tarjeta de visita de Lara, la nota y el *post-it* adherido a ella—. Lo mire como lo mire, esta nota fue escrita por su madre, y la tarjeta de visita que la envuelve estaba destinada a una persona en concreto; no es una tarjeta que uno recoja en una mesa de recepción. La gente no escribe sus números de teléfono en una tarjeta de visita cualquiera.

—Lo más lógico sería suponer que estaban destinadas a una de las mujeres con que trabajaba en el centro de acogida. —Morgan se mordió el labio—. Quizá Barbara lo sepa.

—Barbara. Es la mujer que mencionó del centro de ayuda, de Healthy Healing.

—Sí. Conocía a mi madre. Y a las mujeres con que trabajaba, las conocía bastante bien.

—Quiero hablar con ella.

—Ya son más de las cinco. Veré si sigue en el despacho. —Morgan encendió el teléfono móvil y marcó el número del centro Healthy Healing. Habló con Jeanine, le explicó la situación y luego dijo que esperaría. Cubrió el aparato con la mano y le susurró a Monty—. Barbara está ausente hasta mañana por la noche. He hablado con su secretaria y le he explicado lo importante que es, y que tenía que ver con mi madre. Jeanine intentará comunicarse con ella por móvil para acordar algún tipo de arreglo. —Retiró la mano con que tapaba el móvil—. Sí, Jeanine. El domingo será perfecto. Por favor, dale las gracias de mi parte. Me puede llamar a la hora que quiera esta noche, a la hora que sea, para acordar una hora y un lugar. —Morgan colgó.

—¿El domingo? —preguntó Monty—. Es un día muy delicado.

—Así es Barbara.

—Bien, o sea, que tendré un fin de semana atareado. Mañana Arthur y el domingo, Barbara.

—No quiero estar presente en su encuentro con Arthur.

—No debe estar. Nadie debe estar. Es una conversación privada. Arthur y yo sabremos encontrar un lugar adecuado.

—Tampoco estoy segura de que quiera estar cuando él llegue a casa.

El ruido de una llave que giraba en la cerradura de la puerta interrumpió la conversación.

—Pues creo que su solución está a punto de cruzar esa puerta —contestó Monty.

Al cabo de un momento, entró Lane. Los vio, se detuvo en seco y parpadeó con gesto de sorpresa. Luego se inclinó hacia atrás, miró el número de su casa e hizo un gesto convencido. Volvió a entrar, dejó la bolsa con la cámara y se quitó el anorak.

—Es verdad que es mi casa —dijo—. Estaba comprobándolo.

—Lo siento —dijo Morgan, con una sonrisa triste—. No era mi intención invadir tu espacio. Ha ocurrido algo y tenía que ver a tu padre lo más rápido posible. Estaba trabajando aquí, y he venido en un ataque de pánico.

—No hace falta disculparse —dijo Lane, con un guiño—. Eres el tipo de intrusa a la que podría acostumbrarme cuando vuelvo a casa. Nada personal, Monty.

—No hay de qué.

—¿Y a qué se debe el pánico? —le preguntó a Morgan.

—Es una larga historia —dijo ella, con un suspiro.

—Se lo puedes contar a Lane después de que yo me haya ido. —Monty se incorporó y se estiró—. Que es lo que estoy a punto de hacer. He conseguido lo que necesitaba. Gracias por dejarme usar tu ordenador.

—Vale. Pero ¿qué era tan urgente que no podías esperar a llegar a tu despacho?

—Una búsqueda de un número de teléfono. —Por detrás de Morgan, Monty le lanzó a Lane una mirada de «más tarde»—. ¿Cómo ha ido el paracaidismo?

—Increíble. —Lane captó el mensaje y se plegó al cambio de tema—. Excelente forma, excelente tiempo y excelentes fotos. —Se volvió hacia Morgan con un brillo en la mirada—. Pero yo tenía ganas de volver. Y Arthur también. Y Jonah no se sentía demasiado bien, así que también ha sido suficiente para él. Es evidente que por estos lados me he perdido algo.

—No hemos encontrado al asesino. Y cualquier cosa menos que eso no tiene importancia. —Monty hizo una mueca—. Intrigante, sí. Complicado, desde luego. Como se suele decir, la trama se vuelve más tupida. En cualquier caso, yo me voy. Tengo que revisar una tonelada de papeles. Lo haré en casa. Apenas he visto a tu madre durante la semana. Y llamaré al congresista por el móvil mientras conduzco —afirmó, y empezó a recoger sus cosas—. Te dejo la noche libre. Pero te necesitaré mañana. Todo el día. Así que anula tus compromisos.

—Eso está hecho.

—Te llamaré por la mañana cuando vuelva a la ciudad. —Monty cogió su abrigo y se volvió para mirarlos cuando iba hacia la puerta—. ¿O'Hara está afuera?

—En un coche al otro lado de la calle —dijo Morgan—. Le he prometido que no iría a ningún sitio sin mi guardaespaldas, y así ha sido.

—Buena chica. En cualquier caso, pasaré a decirle que se tome la noche libre. Dudo que necesitéis sus servicios antes de mañana. —Se despidió agitando la mano—. Hasta luego.

La puerta se cerró al salir él.

Morgan miró rápidamente a Lane, con las mejillas encendidas.

—Yo no he dicho nada acerca de pasar la noche aquí.

—Lo sé. —Lane se le acercó y le cogió el mentón—. Pero tienes que reconocer que es una buena idea. —La besó, le alzó la barbilla y se la quedó mirando—. A menos que no quieras.

Ella sonrió y, por un instante, se sintió mareada, feliz. Al contrario de la gravedad que había pesado sobre su cuerpo durante el día, era como si le hubieran quitado de encima el peso del mundo, aunque fuera pasajero.

—A menos que no quiera —repitió—. Curioso, no me parece una frase que pueda aplicarse a lo que ocurre entre nosotros.

—Bien dicho. —Lane volvió a besarla, esta vez estrechándola más cerca, hundiendo los dedos en su pelo—. No he podido dejar de pensar en ti durante todo el día —murmuró, cuando el beso finalmente terminó.

—Pareces sorprendido.

—Lo estoy. Todo esto es nuevo para mí.

—Lo sé. —Morgan descansó la cabeza contra su pecho—. Y a mí me da un poco de miedo.

—Lo sé. —Lane guardó silencio un momento—. Tenemos mucho de que hablar, ¿no?

—Sí.

—Además, quisiera saber qué te dio tanto miedo como para venir aquí a ver a Monty.

—Y yo quisiera hablar de esas fotos en color que hiciste de Arthur, y de sus posibles consecuencias. Tu padre acaba de contarme lo esencial y ahora piensa hacer lo mismo con Arthur. Por eso va a llamarlo, aunque pienso que saltarán muchas chispas.

—Diablos. —Lane aflojó el asidero en su cintura—. Sí que has tenido un día agitado. Te diré una cosa. Abriré una botella de vino y encenderé un fuego. Tú coge unas mantas del armario del pasillo y ven al salón conmigo. Podemos relajarnos y hablar. —Lane frunció el ceño—. Lamentablemente, mi nevera está casi vacía.

—¿Tienes pan?

—Claro.

—¿Y un poco de mantequilla de cacahuete y mermelada?

—Sí; no suele faltar.

—¿Alguna lata de sopa?

—Mejor aún, tengo un cuarto de litro de la sopa de pollo de Rhoda que pasé a buscar ayer para tomarla esta noche.

—Perfecto. Tú ocúpate del ambiente. Yo prepararé la cena. Será una fiesta de mantequilla de cacahuete, mermelada y sopa hecha en casa. No se me ocurre nada mejor.

—En este momento, a mí tampoco.

Media hora más tarde estaban tendidos sobre las mantas frente al fuego, comiendo bocadillos, tomando sopa y conversando.

Lane escuchó atentamente mientras Morgan le describía su paquete de sorpresas y lo que contenía.

—Ver la nota y la tarjeta de tu madre tiene que haber sido todo un golpe —aventuró.

—Así ha sido. Confío en que Monty descifrará lo que quiere

decir. Tiene un par de hipótesis diferentes. —Morgan metió la cuchara en la sopa y la revolvió—. Piensa vérselas con Arthur mañana y pedirle una explicación. Y una coartada. No me gustaría ver el resultado de esa reunión. Arthur se pondrá furioso.

—Será difícil, pero aclarará muchas preguntas. Y si lo único que hay es una aventura, será la historia de siempre. Monty comprobará la versión de Arthur, y luego verificará que la mujer en cuestión puede demostrar su paradero durante la hora de los asesinatos. Si todo coincide, será un asunto zanjado y Monty correrá un tupido velo. Los únicos que sabremos algo seremos nosotros y los Shore. Y si la que te preocupa es Elyse, estoy seguro de que no se sorprenderá. Sabe con quién está casada.

—Tienes razón, lo sabe. —Morgan alzó el mentón y mantuvo la mirada fija al frente, observando las llamas del fuego que crepitaban—. Yo nunca podría aceptar algo así, ni vivir de esa manera —se escuchó decir—. Para mí, el matrimonio es más que un amor ciego y apasionado. Es una unión… una unión que incluye la fidelidad. No del tipo de fidelidad que ofreces porque tienes que ofrecerla, sino del tipo que quieres ofrecer.

—Es verdad. Pero ésa no es siempre la parte difícil —respondió Lane, con voz queda—. Aún cuando exista una fidelidad a prueba de fuego, el matrimonio es un compromiso enorme y complicado. Y tienes razón, el amor no basta para que funcione. Lo he visto en mis padres. Estaban locos el uno por el otro. Pero también eran dos personas muy diferentes. Querían y necesitaban cosas completamente diferentes. Aquello dañó su matrimonio hasta que, al final, vino la ruptura. —Siguió una pausa—. Por otro lado, nunca dejaron de amarse, y un día se dieron cuenta de que eso importaba más que las diferencias. Así que, ¿quién sabe?

—Puede que nadie. Quizá tenga que ver sólo con atreverse. Atreverse con lo enorme y complicado, como tú has dicho. —Morgan tragó y se quedó mirando la alfombra—. No estoy segura de estar preparada para algo de esa magnitud. Lo peor es que la descripción que acabas de dar del contraste de personalidades entre tus padres se parece inquietantemente a lo nuestro. Lo cual quizá signifique que yo debería alejarme ahora, mientras sigo de una sola pieza. Un poco más y será demasiado tarde.

—Ya es demasiado tarde —contestó Lane—. Abandonar no está entre las opciones. Para mí, no. Estoy metido demasiado en ello. Demasiado.

Sus palabras se apoderaron de Morgan como si fueran un afrodisiaco.

—Yo también —reconoció ella—. No tienes ni idea de hasta dónde estoy metida. ¿Qué haremos?

—Seguir adelante. Confiar en nuestra intuición. Dejar de lado la comida y meternos en la cama. —Lane acompañaba sus palabras de actos concretos, porque ahora apartaba tazones y platos y se incorporaba—. Propongo que bloqueemos todas las grandes incógnitas y pasemos el resto de la noche perdiéndonos uno en el otro. Y luego ya veremos cómo tratamos con lo que venga. ¿Qué te parece el plan? —Le tendió la mano y esperó.

Morgan respiró hondo y soltó bruscamente el aire. No servía de nada. No podía luchar contra esos sentimientos. Pasara lo que pasara, eran los sentimientos que tenía.

Entrelazó sus dedos con los de Lane y se incorporó.

—Plan aprobado.

Nevaba cuando el Corolla de Monty entró en la autopista estatal de Taconic y enfiló rumbo a casa.

No paraba de pensar. Encendió los limpiaparabrisas mientras reflexionaba sobre las últimas revelaciones del caso. Confiaba en que Barbara Stevens y Arthur Shore rellenarían algunos espacios en blanco.

El congresista se había mostrado irritado y cabreado ante la demanda de Monty de reunirse temprano al día siguiente. Sobre todo cuando se enteró de que era una cuestión personal. Su reacción podría deberse al cansancio y al estrés. O podría ser la consecuencia de la culpa.

Monty iba tan sumido en sus reflexiones que apenas se percató del BMW 325i que entró por la rampa de acceso a la autopista de Taconic y ralentizó al pasar a toda velocidad junto a su Corolla destartalado. Siguió por una de las salidas que se alejaban y desapareció.

¿Hasta dónde, concretamente, llegaba la participación de Arthur Shore? En su manual, estaba claro que la moralidad y la fidelidad no existían. Lo mismo pasaba con la honestidad, porque había mentido diciendo que no había hablado con George Hayek desde que éste dejara su empleo en lo de Lenny. Quizás aquello obedeciera a la voluntad del fiscal del distrito. O quizá no.

Monty se acercaba a la salida de la Ruta 132, donde la autopista pasaba de tres carriles a dos, cuando de la nada aparecieron un par de luces de emergencia parpadeantes que iluminaron el perfil de un coche que casi se había detenido. Bajo el cielo oscuro y cargado, era casi prácticamente invisible. Y él estaba casi encima.

—¡Mierda! —Le dio a los frenos y se fue hacia el carril izquierdo, esquivando por los pelos la parte trasera del BMW.

Sin parar de farfullar, lanzó una mirada de rabia al otro vehículo por el retrovisor. Estaba tentado de poner las luces altas y decirle un par de cosas por haber hecho una maniobra tan peligrosa. Pero se reprimió y se concentró en acelerar para subir hacia el paso elevado.

Sus luces iluminaron el objeto que cayó una fracción de segundo antes de que se estrellara.

Y su parabrisas delantero explotó en mil pedazos.

De los vidrios trizados como telarañas se desprendieron astillas de vidrio hacia todas partes. Monty levantó los brazos para protegerse la cara, a la vez que le daba a fondo a los frenos, mientras el coche perdía el control. Consiguió alcanzar el volante con un codo y le dio un fuerte golpe, de manera que el coche giró hacia la derecha y se alejó de la barrera divisoria.

El Corolla se deslizó hasta salirse del asfalto y siguió dando tumbos mientras caía por la pendiente llena de baches y arbustos hasta que un árbol lo detuvo.

Aturdido, pero consciente, se giró hacia el asiento del pasajero y vio el ladrillo a su lado. Treinta centímetros un poco más a la izquierda y estaría muerto.

Satisfecho de ver que había cumplido su objetivo, el conductor del BMW ralentizó hasta detenerse justo lo suficiente para que subiera el hombre que esperaba en el paso bajo nivel.

Monty lanzó una imprecación, consciente de que la sangre le corría por la mandíbula. Había fragmentos de vidrio por todas partes... sobre el salpicadero, en los asientos, en el suelo y en su anorak. Tenía las manos intactas gracias a sus guantes y empezó a quitarse de encima todos los trozos de vidrio que pudo.

En ese momento, oyó el ruido sordo de otro coche que se acercaba. Era el BMW que lo había seguido muy despacio.

Ahora no iba despacio.

Con las luces apagadas, apenas se vieron las luces de crucero al pasar a toda velocidad. Intentó leer la matrícula, pero estaba demasiado oscuro porque la autopista no estaba iluminada. En cuanto a su propio coche, no estaba en condiciones de seguir, y mucho menos lanzarse en una persecución a toda velocidad.

Ardiendo de rabia, se quedó mirando. Era evidente que Morgan no era la única que aquel individuo quería amedrentar.

Pues el muy hijo de puta no sabía con quién se estaba metiendo.

Pero no tardaría en descubrirlo.

La tenue luz de la mañana empezaba a penetrar poco a poco en la habitación de Lane cuando sonó el teléfono en su mesita de noche.

Morgan emitió un ligero ruido de protesta, tiró de la manta por encima de sus hombros y hundió la cabeza en la almohada. Después de una maratón amorosa que había durado toda la noche, apenas estaba en forma para moverse, y menos para funcionar.

—Deja que lo coja el contestador —farfulló Lane, mientras le ponía el brazo encima.

—Mmmm… —Morgan ya volvía a dormirse.

El teléfono paró y volvió a empezar.

—Dios mío, Monty —murmuró Lane, pasando por encima de Morgan para coger el teléfono. Miró el reloj—. Son las siete y media, ¡maldita sea! —Cogió el auricular y se lo llevó al oído—. Es sábado —dijo, sin más—. Estoy durmiendo. Y no me reuniré contigo hasta las diez. Así que olvídalo.

—¿Lane? —preguntó una mujer con voz vacilante.

Lane parpadeó.

—¿Quién habla?

—Soy Nina Vaughn. La madre de Jonah. Siento mucho llamar tan temprano, pero estamos en la sala de urgencias del Centro Médico de Maimonides. A Jonah acaban de ingresarlo.

Capítulo 28

Jonah no se encontraba bien.

Y sus padres estaban aún peor.

Nina Vaughn se acercó deprisa a Lane en cuanto éste entró en la sala de espera de la UTI.

—Le están haciendo un TAC —le informó—. Les he contado todo lo que usted me dijo acerca del accidente de esquí el martes. Los médicos han dicho que sin duda tiene alguna relación —explicó, con voz temblorosa—. Eddie y yo estamos destrozados. Yo tendría que poder ayudar. Soy auxiliar de enfermera. Pero trabajo en pediatría. No sé nada acerca de lesiones deportivas. Y Jonah tenía dolores muy fuertes. Lo hemos traído lo más rápido posible en una ambulancia.

—El dolor no significa necesariamente una lesión crítica —dijo Lane—. A mí se me han roto los ligamentos y he visto las estrellas más de una vez.

La madre de Jonah asintió con la cabeza, pero Lane ni siquiera estaba seguro de que le hubiera oído.

—Al menos le están dando algo para el dolor —murmuró—. Ahora está más relajado. Ah, y también le han tomado muestras de sangre. Estamos esperando los resultados. Dijeron algo de un recuento de plaquetas para ver si había hemorragia interna.

Lane asintió con la cabeza.

—Tiene sentido. —Se volvió y saludó a Ed Vaughn con un apretón de manos—. ¿Y usted, cómo lo lleva?

El padre de Jonah se encogió de hombros, con una expresión de inquietud pintada en el rostro.

—Estoy bien. Sólo quisiera que nos dijeran algo.

—Se lo dirán —aseguró Lane, obligándose a sonreír—. Oiga, yo pasé la mitad de mi adolescencia en urgencias por este tipo de cosas. Mi madre solía decir que el hospital debería darme puntos por ser un cliente regular.

En ese momento, las puertas del fondo del pasillo se abrieron y un enfermero pasó llevando a Jonah tendido en una camilla. Tenía mala pinta, iba medio consciente, pálido y asustado, como si estuviera reprimiendo las lágrimas. Sus padres se le acercaron a toda prisa, y acompañaron a la camilla por el pasillo.

Jonah divisó a Lane y su expresión reflejó su sorpresa.

—Hola —dijo, con una sonrisa tímida—. ¿Ha sido mi madre la que te ha hecho venir?

—No, he venido a enterarme de cuándo volverás al trabajo. Tenemos que terminar el fotorreportaje sobre el congresista, ¿recuerdas?

—Haré lo que pueda. —Jonah forzó una sonrisa—. Pero en este momento me siento un poco chungo.

—Ya lo sé. Pero te pondrás bien.

—Me alegra saberlo —dijo Jonah, removiéndose y haciendo una mueca por la incomodidad de su posición—. ¿Me harías el favor de llamar a Lenny? Alguien tendrá que remplazarme. Lamento dejarlo en la estacada.

—No lo has dejado en la estacada. Te estás recuperando. —Lane caminó junto a la camilla hasta que llegaron a la sala de urgencias—. Ya me ocuparé de ello. ¿Necesitas alguna otra cosa?

Jonah miró a sus padres, consternados.

—Sí, convence a mis padres de que no me voy a morir.

—Eso ya lo saben —dijo Lane, guiñando un ojo a Nina y a Ed, procurando subirles el ánimo—. Pero son tus padres. Se preocupan. Es parte de su trabajo.

—Lane tiene razón —le dijo Ed a su hijo, con tono alentador—. Y tu trabajo es ponerte bien rápido para tener una cosa menos de qué preocuparse.

—Lo intentaré.

Lane llegó hasta las puertas de urgencias.

—Aquí estaré —informó a Jonah—. Las reglas dicen una o dos visitas a la vez. Así que puedes pasar un rato en compañía de tus padres y yo te veré más tarde.

Cuando Jonah estuvo instalado en urgencias con sus padres, Lane salió del edificio. Primero llamó a Lenny. Luego llamó a Monty, lo puso al corriente del estado de Jonah y modificaron sus planes. Después llamó a O'Hara, el guardaespaldas, y confirmó que había vuelto a su trabajo. Y, finalmente, llamó a Morgan, le contó lo ocurrido en pocas palabras y se cercioró de que se encontraba bien. Morgan tenía una voz cálida y adormilada, una voz enronquecida por el sueño, y él le pidió que siguiera así hasta que él llegara a casa. Cuando apagó el móvil, se dio cuenta de que sonreía. Había algo muy primario, muy natural —además de erótico— en aquello de esperarlo en la cama.

Pero no tenía tiempo para pensar demasiado en ello.

Cuando volvió a la planta de arriba, los padres de Jonah hablaban en el pasillo, sumidos en una nerviosa expectación. De pronto vieron venir hacia ellos al médico de Jonah con los resultados de sus análisis. Éste cogió la ficha del joven y la miró de arriba abajo, evaluando mentalmente los datos.

—Doctor Truber, ¿qué puede decirnos? —inquirió Nina con expresión de ansiedad.

—En primer lugar, Jonah sufre una anemia. Normalmente, la hemoglobina supera los doce gramos, y los valores normales de hematocrito están por encima del treinta y seis por ciento. La hemoglobina de Jonah es de nueve gramos y el hematocrito es de un veintisiete por ciento. Y el TAC nos muestra que tiene una laceración en el bazo. La buena noticia es que, al parecer, es una laceración incompleta, en lugar de una fragmentación. Eso significa que es posible que se recupere sin intervención quirúrgica. El tiempo nos lo dirá. La otra buena noticia es que sus constantes vitales ahora mismo son buenas.

—Entonces, además de tenerlo en observación y esperar, ¿qué podemos hacer?

—Donar sangre, en caso de que sea necesario intervenir quirúrgicamente o proceder a una transfusión. —El médico miró a Nina y a Ed con expresión inquisitiva—. ¿Alguno de ustedes dos sabe de qué grupo sanguíneo es? Porque Jonah es AB negativo, que es el tipo más raro de sangre. Lo tiene menos del uno por ciento de la población. Tenemos que empezar con el proceso de búsqueda inmediatamente.

—Yo soy B positivo y Ed es O positivo —dijo Nina. Al ver la expresión de contrariedad del doctor Truber, explicó—: Jonah es hijo adoptivo.

Era evidente que aquella noticia no era motivo de alegría para el médico.

—Eso complica las cosas. ¿Conocen ustedes a algún familiar biológico de Jonah?

—No —dijo Nina, y unas lágrimas le rodaron por las mejillas—. Es toda una ironía, porque estábamos precisamente hablando de eso con Jonah. Él está decidido a ponerse en contacto con su madre biológica. Es menor de dieciocho años, así que necesita nuestra autorización. No sabemos qué hacer. Comprendemos sus sentimientos, pero queremos protegerlo. ¿Qué pasará si su madre biológica no quiere tener nada que ver con él? Jonah es joven y vulnerable. Tememos que un rechazo sencillamente lo destrozaría. Nos parecía que no era el momento adecuado.

—Acaba de convertirse en el momento adecuado —dijo el médico—. Por razones médicas, les urjo a que inicien de inmediato la búsqueda.

En el despacho de la oficina del congresista reinaba el silencio. Era sábado por la mañana y no había nadie.

Monty y Arthur entraron en él con las tazas de café que habían traído de un bar de la calle. Arthur le señaló una silla a Monty y luego se sentó frente a él.

—De acuerdo, Montgomery, ha dejado muy claro que esta reunión era urgente y personal. ¿De qué se trata? —Arthur frunció el ceño mientras Monty se desabrochaba el anorak y se quitaba la capucha, dejando al descubierto el rostro lleno de cortes y rasguños.

—¿Qué le ha ocurrido?

—Mi coche patinó, se salió de la carretera y choqué contra un árbol. Estoy bien. —Monty no se anduvo con rodeos—. Han surgido un par de cosas que tenemos que hablar. —Sacó las fotos en color hechas por Lane y las colocó frente a Arthur—. La noche en que los Winter fueron asesinados, en algún momento durante la fiesta de los Kellerman, usted, por algún motivo, se cambió de camisa. Éstas son las fotos que lo demuestran. Tengo que saber si abandonó la fiesta, si estuvo con alguien durante esa ausencia, y a qué hora ocurrió. Además, si abandonó la fiesta, ¿por qué no lo mencionó durante la primera investigación del crimen y por qué no lo ha mencionado ahora?

Arthur tomó un sorbo de café. Tenía la mandíbula rígida, como el resto del cuerpo, pero estaba sereno. Si las preguntas de Monty lo habían pillado desprevenido, sabía disimularlo.

—Eso, desde luego, ha sido muy franco y directo.

—Es sólo una cuestión de procedimiento. —Monty abrió una libreta, sacó un bolígrafo y esperó.

—De acuerdo. Entonces, seré igual de directo. No lo mencioné porque no estaba relacionado con la investigación, ni entonces ni ahora. Y porque hay aspectos de mi vida que intento mantener en un plano muy privado —dijo Arthur, con una risa seca—. Tampoco se puede decir que los periódicos me lo permitan.

—¿De modo que hablamos de una aventura?

—Más bien, del final de una aventura. Pero, sí, dejé la fiesta. Y, sí, me reuní con una mujer.

—De acuerdo. No me interesa conocer los detalles de su vida sexual, ni compartirlos con nadie. Sólo tiene que decirme el quién, el cuándo y el dónde. Yo lo comprobaré discretamente, me aseguraré de que la mujer en cuestión tenga una explicación en relación con la hora del crimen, y lo dejaré correr.

—Me parece justo. —Arthur dejó la taza de café y entrelazó los dedos sobre la mesa—. Se llamaba Margo Adderly. Era una becaria que trabajaba en la oficina de Washington. Tuvimos un breve encuentro. Ella quería más. Yo no. Apareció por Nueva York la semana antes de Navidad. Me llamó, vino a mi oficina. Yo la evité a ella y evité sus mensajes. La noche de la fiesta de Navidad, se volvió muy insistente. Amenazó con presentarse en casa de los Kellerman y hacer una escena si no me reunía con ella. Era lo último que yo necesitaba en ese momento. No ví ninguna otra alternativa.

—¿Así que se reunió con ella?

—En la habitación de su hotel, sí. Me ausenté de la fiesta procurando que se notara lo menos posible. Al principio, el encuentro fue correcto. Ella me quitó la chaqueta, me ofreció algo de beber. Le dije que no. Tampoco creo que se diera cuenta, porque ya estaba bastante borracha. Yo quería hablar, convencerla de que lo que pudiera haber entre nosotros había acabado. Ella quería volver a encender la pasión, recordarme lo bueno que había sido. Intenté explicárselo, pero aquello no conducía a nada. En lugar de escucharme, me quitó la corbata. Luego yo fui muy franco, quizás incluso cruel. Le dije que la relación había acabado, y se lo dije muy claro. Finalmente, logré que me entendiera, a pesar de la borrachera. Entonces las cosas se pusieron feas. Se volvió un poco loca, empezó a gritar y a tirar cosas. En una de ésas, me lanzó su vaso. Su puntería dejaba mucho que desear, estaba demasiado ebria. Una suerte para mí, porque erró, pero me salpicó la camisa. Me dijo que me fuera. Me fui a casa, me cambié la camisa y volví directamente a la fiesta. El incidente debió durar en total unos cuarenta minutos. La fiesta apenas había comenzado. Final de la historia.

—¿A qué hora ocurrió todo esto?

Arthur arrugó la frente, pensativo.

Jack y Lara acababan de salir hacia Brooklyn. Así que tuvo que haber sido hacia las seis y media. Estaba bebiendo champán con mi mujer a las siete y cuarto.

—¿Recuerda la hora exacta a la que bebía champán?

—En realidad, sí. Elyse había tenido problemas con el cierre de su reloj desde que se había vestido para la fiesta. Yo se lo arreglé mientras el camarero nos servía. Así que me fijé en la hora cuando le volví a poner el reloj.

—Entiendo. —Monty lo anotaba todo—. ¿Tiene alguna idea de dónde puedo encontrar a esa Margo Adderly?

—Ni la más remota. —Arthur se encogió de hombros—. Sucedió hace diecisiete años, y no tuvo ninguna importancia.

—Puede que para usted no. Pero es evidente que para ella sí.

—Estaba emocionalmente desequilibrada, Montgomery. No era una rabia homicida. Además, si hubiera querido matar a alguien, habría sido a mí. Si tiene dudas, siéntase en entera libertad de buscarla. Empiece por Washington D.C., porque de allí venía.

—Eso haré —dijo Monty, que había dejado de escribir.

—Entonces, ¿ya está? —dijo Arthur, haciendo un gesto para incorporarse.

—Una cosa más. ¿Por qué me dijo que la última vez que habló con George Hayek fue cuando trabajaba para su padre?

Arthur se quedó quieto, y algo se agitó visiblemente en su mirada.

—No tenía ni idea de que George siguiera en su lista. ¿Ha llegado a la conclusión de que tiene algo que ver con su investigación?

—Eso es una pregunta, no una respuesta.

—La respuesta es que le he contestado de la manera más sincera posible. Cualquier otra información es asunto confidencial.

—Ah. —Monty hizo girar el bolígrafo entre los dedos—. Eso quiere decir que su amigo el fiscal del distrito no quiere que se sepa que Hayek era, o todavía es, un confidente de su oficina.

Arthur respiró hondo y se reclinó en el respaldo de su silla, no sin antes echar mano de la taza de café semivacía.

—Debería haber traído una taza más grande. No sabía que me pasaría toda la mañana aquí. —Tomó otro sorbo y se quedó mirando fijamente a Monty—. ¿Cómo lo ha descubierto?

—No se lo puedo decir. Cualquier otra información es asunto confidencial.

—Qué divertido. ¿Qué quiere saber... y por qué?

—Tres cosas. —Monty contó con los dedos—. Una, ¿lo llamó

Hayek el día veintinueve de julio de 1976 a su despacho en Kellerman Development para decirle que lo habían detenido por traficar con armas para Carl Angelo? Y, segundo, ¿se puso usted en contacto, a su vez, con Jack Winter para hacer un trato con él, como resultado del cual se eliminaron los cargos contra Hayek y se selló su expediente con la condición de que Hayek se convirtiera en confidente? Y, tercero, ¿cómo confidente para la Oficina del Fiscal del Distrito, declaró Hayek contra Carl Angelo y ayudó a Jack a meterlo entre rejas sólo unos meses antes de que él y Lara fueran asesinados?

La boca de Arthur Shore se había convertido en una línea dura.

—Sí, sí y sí.

—Entonces no tendría por qué preguntar por qué sigue interesándome Hayek

—Entiendo por qué piensa que puede que Angelo hubiera ordenado matar a Jack. Pero ¿cómo incriminaría eso a George?

—Angelo estaba en prisión. Hayek estaba libre como un pájaro. Puede que le ofrecieran dinero para ocuparse del asunto de Jack. O quizás Angelo quería descubrir quién se había chivado, y Hayek se cagó de miedo pensando que lo encontrarían y lo eliminarían. Así que mató a la única persona que sabía que él era el confidente que había entregado a Angelo. No lo sé. Pero tengo la intención de averiguarlo —dijo Monty, y guardó silencio un momento—. Sin embargo, es interesante. Su amigo, el fiscal del distrito, está presionando mucho para que se descubra quién mató a su estrella en ascenso, Jack Winter. Sin embargo, a alguien le molesta este asunto de Hayek. Me pregunto por qué.

—Ni idea. —Arthur se acabó su café. Por su cara se diría que habría preferido que fuera bourbon—. Ahora, bien, yo ya he dicho todo lo que tenía que decir sobre este tema. Cualquier otra cosa, tendrá que tratarla directamente con el fiscal del distrito.

—Si es necesario, eso haré.

Capítulo 29

Monty se encontró con Lane en el Second Street Café, a escasa distancia del Centro Médico Maimonides, en Brooklyn, para comer una hamburguesa a toda carrera y ponerse al corriente.

Lane frunció el ceño al ver la cara de su padre. Éste le había contado brevemente lo del incidente en Taconic. Sin embargo, aquella versión y la realidad no coincidían.

—Me habías dicho que sólo había sido cosa del coche. Pues a mí no me lo parece.

—No dirías eso si vieras mi Corolla. Necesita reparaciones en la carrocería, una capa de pintura y un parabrisas nuevo, por no hablar del pobre tío que tendrá que recoger los trozos de vidrio. En cuanto a mí, me duele la mandíbula y tengo unos cuantos músculos magullados. Eso sí, nada me duele tanto como mi orgullo. Tu madre necesitaba la furgoneta hoy, tenía que ir a buscar pienso para los caballos. Así que adivina quién ha tenido que ir al trabajo con su autochoque color azul realeza.

—¿Has venido con el Miata de mamá? —A Lane se le torció la sonrisa.

—Borra esa estúpida sonrisa de tu cara.

—Lo intentaré. Pero no será fácil. Pensar en ti... —Lane no siguió al ver el brillo asesino en la mirada de Monty—. Vale, vale, no diré nada más —dijo, y se puso serio—. ¿No hay pistas sobre quién conducía el BMW?

—No, pero fuera quien fuera, lo habían contratado. En cuanto al coche, es probable que pertenezca al cabrón para quien trabaja, el que nosotros buscamos. —Monty miró a Lane—. Entre tanto, ¿cómo le va a Jonah?

—Tiene el bazo parcialmente tocado. Además, tiene un tipo de sangre muy raro, así que se han puesto en marcha para encontrar un donante, por si acaso. Es un chico adoptado, de manera que sus padres no coinciden con su tipo, y no hay familiares conocidos a quienes recurrir. Está asustado. Y sus padres tienen el ánimo por los suelos. Por eso el factor tiempo es más importante de lo que había pensado.

—No te preocupes. —Monty desechó su afirmación—. Si quieres estar más tiempo en el hospital y tranquilizar a los Vaughn, adelante. Yo tengo suficientes cosas para mantenerme ocupado unas cuantas horas. ¿Dónde está Morgan mientras ocurre todo esto? —preguntó, frunciendo el ceño.

Está en mi casa, durmiendo. Es probable que sea el primer descanso de verdad que ha tenido en semanas. He hablado con ella mientras venía hacía aquí. Está despierta a medias, y agradece poder relajarse hasta que yo vuelva. O'Hara vigila en el exterior del edificio, y me he asegurado de poner la alarma y cerrar la puerta con doble cerrojo al salir. Así que todo está tranquilo —dijo, con una mueca—. Todo excepto mis planes para pasar la mañana con ella.

—Te aconsejo que pases la noche. Jonah se estabilizará, así que sus padres estarán más tranquilos. Yo no te molestaré, pensando que pasarás el resto de la tarde y la noche trabajando en esas fotos de la escena del crimen. Y Morgan estará mucho más relajada en tu casa que en la de los Shore. La tensión en esa casa todavía no ha llegado a su punto cúlmine.

—Cuéntame los detalles —dijo Lane, en cuanto la camarera se alejó con el pedido—. ¿Qué ocurrió durante tu encuentro con Arthur? ¿Y a qué venía esa búsqueda tan urgente ayer en mi ordenador? Supongo que tendría algo que ver con tu reunión con Charlie Denton.

—Sí. —Monty repitió en pocas palabras el resultado de su reunión con Denton y luego le contó lo esencial de su conversación con Arthur Shore. Lo puso al tanto de los hechos, omitiendo los detalles personales del problema entre Denton y Arthur. Confiaba en la capacidad deductiva de Lane y, por eso, lo dejó sacar sus propias conclusiones.

—Entonces tenías razón al decir que Hayek era confidente de Jack Winter —observó Lane en cuanto Monty acabó su resumen.

—Sí, y que Arthur fue quien se ocupó del trato entre Hayek y la Oficina del Fiscal del Distrito.

Lane miraba a su padre mientras procesaba todo lo que éste acababa de contarle, con todas las implicaciones que acarreaba.

—Pero eso no vincula a Hayek con los asesinatos.

—Tampoco esperaba que lo vinculara. Pero sí vincula a Hayek con Arthur Shore. Aunque ya no sean los adolescentes que Lenny llevaba al cine para que Hayek tuviera la compañía de un hermano y la figura de un padre. Arthur y Hayek tuvieron algún tipo de relación siete años después de que Hayek dejara el restaurante de Lenny. ¿Quién sabe cuánto duró esa relación y hasta dónde llegaba?

Con el ceño fruncido, Lane reflexionó a partir del razonamiento de su padre.

—No veo muy bien adónde quieres llegar con esto.

—Yo tampoco. Pero o Arthur está ocultando algo o el fiscal del distrito está ocultando algo —dijo, y miró fugazmente a su hijo—. Tranquilo. Puede que te insista demasiado con el tema de Hayek otra vez. Pero por ahora lo dejaré correr. El resto de la conversación con Shore me hizo pensar en otras cosas.

—¿Te dio una explicación y una coartada?

—Una explicación demasiado buena y una coartada demasiado buena.

—¿Crees que se las habrá inventado?

—Al menos las había ensayado. Es evidente que Elyse Shore previno a su marido acerca de lo que le esperaba. Esa mujer ama a su marido, eso hay que reconocérselo. Lo protege incluso a costa de su propia dignidad. He puesto a mis hombres a buscar a esa Margo Adderly. ¿Cuánto quieres jugarte a que es imposible encontrarla o que no se puede confiar en ella?

—¿Crees que Arthur le pagó?

—No, es más probable que abriera el libro de los recuerdos y rememorara sus conquistas sexuales de ese año, hasta dar con una drogota o alcohólica incapaz de recordar lo que ha tomado para desayunar y, mucho menos, qué ocurrió aquella vez que le lanzó un vaso a la cara a Arthur hace diecisiete años. Lo único que sé es que él estaba demasiado preparado y demasiado entero cuando empecé con esa línea de preguntas. No perdió la compostura hasta que mencioné el nombre de George Hayek. Antes de eso, lo tenía todo perfectamente claro, hasta la hora que marcaba el reloj de Elyse.

—Monty, suena cada vez más como si pensaras que Arthur Shore tiene algo que ver con estos asesinatos.

—Creo que está metido en algo, no sé muy bien qué. Si Denton ha dicho la verdad, todo ese cuento de «mi más querido amigo», para referirse a Jack Winter, que utiliza Arthur, es una farsa. Más bien, los dos hombres eran como los parientes políticos en un matrimonio. Lara y Elyse eran buenas amigas, así que los dos se entendían por necesidad. Y, desde luego, entre los dos armaron ese trato con Hayek. De modo que estoy seguro de que estaban en buenos términos. Sin embargo, parece que Jack Winter era un tipo cuya moral le decía que la mejor amiga de Lara estaba siendo burdamente engañada por su marido. Eso no puede haber alimentado una buena relación entre ellos.

—Aunque eso fuera cierto, cuesta creer que, a pesar de haber un desacuerdo feroz por cuestiones morales, se pudiera llegar al asesinato. Además, esta teoría tiene otro defecto, y es Elyse. Ella era consciente de las aventuras de su marido, probablemente desde el principio. Y lo aceptaba, a pesar de todo. Y su propio padre apoyaba totalmente a su yerno. Así que Arthur no habría perdido ni a su mujer ni su apoyo económico si Jack le hubiera contado la verdad a Elyse.

—Suponiendo que eso fuera lo único que quisiera contarle.

Puede que no se trate de una infidelidad. Quizá se trate de algo mucho más importante. Incluso ilegal. En ese caso, eso hubiera destrozado a la vez su matrimonio y su carrera.

—Vuelves a lo de los vínculos entre Arthur y Hayek. —Lane respiró con un bufido—. Es como estar frente a una pared, Monty. Si mi fuente me miente, no querrá reconocerlo, ni cambiar su versión.

—Es verdad. Eso significa que si lo que se necesita es averiguar más detalles sucios sobre Hayek, no vendrá de fuentes... ni tuyas ni mías. Denton no está más dispuesto a hablar que tu fuente. Cuando volví a llamarlo y le dije que el nombre del confidente era Hayek y que él me había ayudado a descubrirlo, se mostró encantado... al principio. ¿Qué ayudante del fiscal del distrito no lo estaría? Joder, ¿haber vinculado a un rico y, probablemente, oscuro traficante de armas que vende a gobiernos extranjeros, con el doble asesinato de los Winter? Denton estaría en primera página durante toda una semana.

—Entonces dejaste caer la otra noticia y le dijiste que Arthur Shore había desempeñado un papel mediador para que Hayek fuera reclutado por la Oficina del Fiscal del Distrito.

Monty respondió con una sonrisa torcida.

—A Denton casi se le atragantó el café. Sobra decir que no se atreverá a sacar eso a la luz. Ama demasiado su trabajo. De modo que nuestro problema será Hayek. Tú y yo nos pondremos a ello como último recurso.

—En otras palabras, no echaremos mano del enfoque desesperado y peligroso hasta el final.

—Exactamente. —Monty tamborileó con los dedos sobre la mesa—. Hablemos del paquete que Morgan recibió ayer. O se trata de una pista prometedora o de un montón de mierda con el fin de despistarme. ¿Quién es la mujer que lo mandó, y cómo es que ha actuado tan oportunamente?

—No crees que podría ser Margo Adderly, ¿no?

—Ya se me había ocurrido. Pero sería demasiado fácil. Y Arthur es demasiado inteligente como para darme el nombre de alguien que buscó el apoyo de Lara.

—Puede que no lo supiera.

—Puede. Pero lo dudo. Por otro lado, me encantaría equivocarme. Estoy impaciente por tener esa conversación con Barbara Stevens mañana.

—Y yo por volver a esas imágenes. —Lane se sintió nuevamente animado a reemprender el trabajo—. En realidad, debido a la dirección que ha cobrado tu investigación, voy a averiguar si Morgan tiene todos los negativos de las fotos tomadas en la fiesta de Navidad de los Kellerman. Ahora que tienes la versión de Arthur de lo ocurrido, veamos si podemos trabajar algún detalle fotográfico que nos ayude a demostrar si es verdad o no.

—¿Cómo, por ejemplo?

—Como los detalles que yo veo. Siempre te lo digo: el tratamiento de imágenes no es una ciencia exacta.

Monty lo miró con cara de enfado.

—¿Y se supone que con eso tengo que sentirme mejor? Pues, no me siento mejor. No con las amenazas a Morgan, que van siendo cada vez peores.

—A Morgan no le ocurrirá nada —declaró Lane, seguro de lo que decía—. No dejaré que eso ocurra. Pero cuanto más conectado esté con el estado de ánimo y con las relaciones de la víctima, más nítida será la imagen que obtenga y mayores las posibilidades de ver alguna discrepancia. Está ahí, oculta, Monty, lo siento en los huesos. Sólo tengo que encontrarla. Y la encontraré.

—De acuerdo, pero tendremos que darnos prisa. Porque mi intuición me dice que se nos acaba el tiempo.

Lane dejó la revista que leía cuando Jonah despertó.

—Hola, ¿has dormido bien?

Jonah seguía pálido y de aspecto débil.

—Hola —contestó, con voz apagada. Poco a poco recuperó el sentido de la orientación—. ¿Por qué estás aquí haciendo de canguro?

—No estoy haciendo de canguro. Les estoy dando a tus padres

la posibilidad de tomarse un café y estirar las piernas. Han estado pegados a tu cabecera durante horas.

—¿Qué hora es?

—Las dos y cuarto.

—¿Llevas todo este tiempo aquí?

—Relájate. Me he reunido con mi padre para comer. Por cierto, me ha dicho que te mejores pronto. Iba de vuelta a casa y he pasado a verte. También tendrás que aguantar una visita de Lenny. Cuando lo llamé y le conté lo que pasaba, se lo contó a Rhoda y los dos empezaron a preparar enseguida un paquete para ti y tus padres. No estoy seguro de que el médico te deje comer productos de charcutería, pero no me atreví a decírselo. Así que si queda algo, se lo comerá el personal.

—Lenny es fantástico —dijo Jonah, con una sonrisa apagada—. Se giró para mirar el instrumental médico que lo rodeaba. —¿Qué tal estoy?

—Según los últimos resultados, aguantabas por tus propias fuerzas.

—Pero ¿sigue la hemorragia interna?

—Eso es lo que ocurre cuando se produce una laceración de bazo. No te preocupes.

—No me preocupa. Sólo que pienso que quizá necesite una transfusión. ¿No es lo más conveniente que donen sangre los miembros de tu familia?

—En la mayoría de los casos, sí. Pero hay excepciones.

Jonah giró la cabeza para ver a Lane.

—Seguro que te preguntas por qué quiero saber esto. Es un buen momento para que te lo cuente, porque también explicará por qué te conté que había problemas en casa.

—Eres adoptado —dijo Lane, sin más—. Yo estaba presente cuando tus padres se lo contaron al médico. Dijeron que tú insistías en establecer contacto con tu madre biológica. Al parecer, tu deseo se hará realidad, aunque hayas tenido que llegar a estos extremos para conseguirlo.

—Sí, quién habría dicho que estrellarme contra ese árbol ayudaría a mi causa. Por otro lado, es probable que mis padres no accedieran a ayudarme si no fuera por algo así de grave.

Lane se inclinó hacia él.

—No seas tan duro con ellos. Sólo intentan protegerte.

—Lo sé. Y quizá me arrepienta de haberme embarcado en esto. Quizá mi madre biológica es una prostituta y drogadicta, y mi padre un macarra. Pero tengo que saber quién soy, de dónde he venido. ¿Lo entiendes?

—Claro. Sólo recuerda, pase lo que pase, quiénes son tus verdaderos padres. Son las dos personas que se han estado clavadas aquí en el hospital desde el amanecer, esperando tener noticias de que estás bien, y que han estado ahí toda tu vida, y que están haciendo lo imposible por encontrar a alguien que no querían encontrar, con la esperanza de que su sangre y la tuya sean compatibles. No soy un experto en cuestión de padres, pero no creo que se pueda demostrar más devoción que eso.

—Tienes razón. —Jonah cerró los ojos y suspiró—. Me siento mal por haberlos contrariado. Son los mejores.

Lane se levantó de la silla al ver que Nina Vaughn entraba a toda prisa.

—¿Está despierto? —preguntó.

—Sí —dijo Lane—. Estábamos hablando de usted, esperando que usted y Ed hubieran podido descansar un poco, o quizá comer algo.

—No hay de qué preocuparse. —Nina miró a su hijo y su expresión era lo más cercano a una sonrisa que Lane había visto en todo el día.

—Ha venido Lenny Shore. Tiene paquetes y paquetes de comida llenos a reventar. La enfermera de la UCI dijo que podía entrar, pero sólo por unos minutos, si tú te sientes lo bastante bien.

Jonah sonrió brevemente.

—Me siento lo bastante bien —dijo.

Al cabo de unos minutos, Lenny entró en la habitación con dos bolsas llenas de comida.

—¿Cómo está el paciente? —preguntó, mirando a Jonah—. Pálido. Con dolor. Un poco desmayado. He visto esa mirada cientos de veces. Arthur era deportista en el instituto. La sala de urgencias era nuestra segunda residencia. La tercera era la UCI.

—¿Qué os había dicho? —dijo Lane, reprimiendo una risilla—. Es una cuestión masculina.

—Tú no te hagas el gallito —dijo Lenny, provocador—. Monty y yo hemos comparado batallitas. ¿Cuál de los dos hijos nos hizo salir más canas? No ha habido un claro ganador.

—El congresista Shore es un atleta en toda regla —protestó Jonah—. No me lo puedo imaginar teniendo una caída, sobre todo una caída tonta como la mía.

—Créeme, caídas las hubo. A montones. Pero él nunca dejó que lo detuvieran. Luchaba para reponerse después de cada lesión. Agitado, no sacudido, solíamos decir de él, como los martinis de James Bond. Tú serás igual.

—¿A ti te gusta James Bond? —preguntó Jonah.

—De toda la vida. A los dos, a Arthur y a mí. Nunca nos perdimos sus películas, cuando era un chaval. Ahora tenemos toda la colección en DVD.

—Yo también —replicó Jonah—. Mi personaje favorito es Q, tiene unos artilugios que son demasiado. Y Bond sabe manejarlos todos. Ese tío sabe qué hacer en cada ocasión. Nunca la pifia, nunca es torpe —dijo, con una sonrisa triste—. Se parece mucho más al congresista que a mí.

—Tú eres un chaval especial, Jonah —respondió Lenny—. Si miras a tu alrededor, verás cuántas personas piensan lo mismo. Puede que entonces te lo creas.

Dicho eso, Lenny dejó las bolsas sobre la mesa junto a la cama de Jonah.

—Rhoda ha puesto los favoritos de todos. Pastrami, embutido de hígado, cebolla y mostaza para el paciente, y un cuarto de litro de su sopa de bolitas de matzá, desde luego. Rosbif con todo lo necesario para Ed. Y una porción de salpicón de hígado y carne de ternera marinada para Nina. —Desenvolvió uno a uno los bocadillos—. También hay ensalada de col, de patatas, y el budín de fideos y el hígado salteado de Rhoda. Además, un bonito bizcocho y otra tarta, no tan normal, de chocolate. Y, finalmente, diversos sabores de las gaseosas del Doctor Brown, cereza, crema y jengibre. ¿Me he dejado algo?

—Sí —dijo Lane, seco—. Los cincuenta invitados al Bar Mitzvah que vienen con todo esto. ¿Dónde están?

Lenny sonrió, nada desanimado.

—Vale, puede que hayamos exagerado un poco. Pero os sentará bien. Sobre todo a Jonah. Necesita recuperar fuerzas —dijo, y miró al joven—. ¿Cuál es el último parte médico?

—Tengo el bazo lacerado. Es mejor que un bazo roto, pero peor que un bazo no lesionado. Todavía no sabemos si habrá que operar o si sanará solo. Entre tanto, los médicos controlan la hemorragia interna para saber si necesito una transfusión. El problema es que tengo un tipo de sangre muy rara.

—Eso no es problema. Para eso están los padres. —Lenny desechó los obstáculos con un gesto de la mano mientras procuraba poner toda la comida en la mesa—. Les harán una prueba y el que tenga tu tipo de sangre te donará todo lo que necesites.

—Ya quisiera yo que fuera así de sencillo —murmuró Nina.

Lenny frunció el ceño.

—¿Acaso no lo es? —preguntó.

—Soy adoptado —le informó Jonah—. Así que ninguno de mis padres es AB negativo. Casi nadie lo es. El médico me ha dicho que menos del cero coma cinco por ciento de las personas son AB negativo. Así que estamos intentando encontrar a mis padres biológicos.

—Si ser adoptado significa tener padres como los tuyos, diría que eres un tipo con suerte. En cuanto a ese disparate que ha dicho el médico, el tipo AB negativo no es tan raro. Yo también lo tengo.

—¿De verdad? —preguntó Nina, saltando ante la noticia—. Lenny, si eso es verdad, ¿te importaría que te hicieran una prueba para ver si eres compatible? —Al ver la expresión de mortificación de Jonah, siguió—: Cariño, no vamos a parar la búsqueda de tu madre biológica. Ya nos hemos puesto en contacto con la agencia de adopción para saber qué opciones tienes. Pero en caso de que necesitaras sangre antes de que la encontraran, al menos tu padre y yo estaríamos más tranquilos.

—Será un placer echar una mano —dijo Lenny—. Pero antes, será mejor que hable con mi cardiólogo. Él hablará con vuestro médico y se asegurará de que no hay problemas de que done sangre para Jonah —dijo, con una mueca—. Quizá me preocupe demasiado. Pero es preferible preocuparse que lamentarse. Tengo un problema de corazón. Fibrilación atrial se llama, un gran nombre para un problema no demasiado grave. Tomo un fármaco que se llama Coumadin. Es para adelgazar la sangre, para que no se coagule. Pero, bueno, la sangre es la sangre, ¿no? Y es evidente que la sangre de Jonah y la mía son especiales, ya que son tan raras. —Terminó de colocar la comida en la mesa, se enderezó y lanzó a Nina una mirada de consuelo—. Llamaré enseguida y os diré los resultados. Si los médicos dan luz verde, volveré por aquí más tarde con la camisa arremangada.

—Cuánto se lo agradezco —dijo Nina, fervientemente.

—¿Quiere agradecérmelo? Cómase su bocadillo. Cuando vuelva para dar sangre, quiero que haya desaparecido hasta la última brizna de comida.

Lane estaba a una manzana de su casa cuando sonó su teléfono móvil. Echó una mirada y vio el nombre de su padre en la pantalla.

—Hola —saludó—. Estoy a punto de entrar por la puerta de mi casa. Miraré qué tal está Morgan, encenderé mis equipos y empezaré a trabajar con los negativos.

—No es por eso que llamo —dijo Monty, parco en palabras—. He localizado a Margo Adderly y he averiguado lo que tiene que ofrecer.

—¿Tan rápido?

—Sí. Sólo tuve que hacer una simple búsqueda en Internet.

—¿Y vive en Washington DC?

—Sí. A dos metros bajo tierra.

Capítulo 30

Barbara Stevens acudió al despacho el domingo sólo para reunirse con el investigador privado que Morgan había contratado. Nunca había tenido un encuentro con un investigador privado y nunca se había expuesto a una situación en que tuviera que poner en entredicho la confidencialidad que ofrecía a sus clientes.

Pero esta vez era diferente. Esta vez se trataba de atrapar a un asesino... al asesino de Lara.

Teniendo eso en cuenta, Barbara estaba dispuesta a llevar la ética a sus límites. No pillaría desprevenida a su cliente. Se pondría en contacto con ella, le pediría su comprensión... y le daría una explicación. Y luego actuaría en consecuencia.

Al llamar a Morgan la noche anterior para acordar la reunión, ésta le había contado los acontecimientos de la última semana. Por eso, ya tenía una idea bastante clara de quién era el cliente.

Pensando en aquello, había llegado temprano para revisar la carpeta que tenía en mente. Y luego haría la llamada telefónica correspondiente.

Nunca se le pasó por la cabeza la posibilidad de que la clienta la llamara primero a ella.

Una hora más tarde, Monty subía de dos en dos las escaleras del Centro de Acogida de Healthy Healing. Tocó el timbre y Barbara

Stevens lo hizo entrar enseguida. Se presentó y le cogió el abrigo. Su actitud era cálida, elegante y horriblemente inquieta, sobre todo cuando su mirada se detuvo en el sobre Tyvek que traía él.

—Le agradezco que me haya recibido un domingo —empezó Monty—. No la habría importunado si no se tratara de algo tan importante.

—En realidad, ha sido muy oportuno. Acaba de llegar una de mis clientas. Piensa reunirse con nosotros.

—¿Qué? —Monty se la quedó mirando.

—Confíe en mí, detective Montgomery. Podrá contestar a sus preguntas mucho mejor que yo. Curiosamente, usted era el próximo en su lista de llamadas. Yo le he ahorrado el tiempo y los líos. Ella lo necesita a usted tanto como usted a ella. Venga, nos espera en mi despacho.

Intrigado, Monty siguió a Barbara por la sala de recepción y entraron en el despacho de al lado.

Al entrar, le costó creer lo que veían sus ojos cuando la mujer alta y delgada sentada junto a la mesa de Barbara se levantó, se pasó una mano por la cabellera rubia pelirroja y lo miró con ojos enormes y asustados.

—Hola, detective —dijo Karly Fontaine—. Me alegro de que haya venido. Estaba a punto de llamarlo cuando Barbara me dijo que tenían una cita. Así que he venido corriendo. Necesito desesperadamente sus servicios. Le pagaré lo que sea.

La Karly Fontaine que tenía ante sus ojos no se parecía en casi nada a la ejecutiva elegante que había conocido en la Agencia de Modelos Lairman. No llevaba maquillaje, el pelo era natural, nada de estilismos, y vestía un chándal de lana y botas de piel de carnero. Parecía diez años más joven, y tenía el aspecto de una chica perdida.

—Quiere contratarme —dijo Monty, deliberadamente, manteniendo una actitud distante mientras evaluaba la situación—. Me parece inesperado. A juzgar por lo que la señorita Stevens acaba de decirme, tenemos intereses en común. Lo cual significa para mí que su repentina y desesperada necesidad de mi ayuda tiene algo que ver con el atropello con fuga del lunes.

—No sólo con eso, sino con toda la investigación que usted lleva a cabo para Morgan Winter.

—Muy críptico. Tendrá que explicarse mejor si quiere que me ocupe de su caso. Soy el tipo de persona que lo cuenta todo.

—De acuerdo. Contarlo todo es lo que necesito yo, además de un detective privado que sea lo bastante listo y lo bastante bueno para ofrecer protección y mostrar determinación. —Karly se cruzó de brazos y se frotó los hombros, como si quisiera devolverles el calor—. Empezaré ahorrándole el trabajo de interrogar a Barbara acerca de ese sobre Tyvek que tiene en la mano. Yo se lo envié a Morgan. La tarjeta de visita es de Lara. La nota que escribió estaba dirigida a mí. Y yo le escribí el *post-it* a Morgan. Si no me cree, puede comparar las muestras de caligrafía.

Monty frunció el ceño. Aquello era decididamente una revelación inesperada. Sin embargo, le bastó una mirada a la cara de Karly para convencerse.

—Le creo. Tengo muchas preguntas, pero empezaré por la más sencilla. Si la nota de Lara iba destinada a usted, quién diablos es «Jota».

—Soy yo.

—Janice es el nombre que le asignamos a Carol, es decir, a Karly, cuando acudió a Healthy Healing y al centro de acogida de Lara —explicó Barbara—. Era una manera de proteger a las mujeres. Nunca utilizábamos sus nombres verdaderos en nuestros archivos. —Invitó a Monty a sentarse con un gesto—. Ya que es evidente que esto durará un rato, he preparado café. ¿Quiere que le sirva un poco?

—La taza más grande que tenga, gracias. —Monty se hundió en una silla sin dejar de mirar a Karly—. ¿Lara Winter le ayudó? ¿Cómo? ¿Alguien abusaba de usted?

—Toda mi vida —respondió Karly, con una voz sin inflexiones, la voz de alguien que ha sobrevivido al infierno y ha quedado insensibilizada—. Empezando por un montón de hombres que me encerraban en mi habitación mientras se lo pasaban en grande con mi madre. Hasta un cabrón enfermo de padrastro que empezó a abusar sexualmente de mí desde el día en que se casó con mi madre, cuando yo tenía once años, y que tres años más tarde me ató y me violó.

Monty cogió la taza de café que le entregaba Barbara y se lo agradeció con un gesto de la cabeza. No era para nada insensible a la historia de Karly. Pero había visto esos mismos viles abusos demasiadas veces como para escandalizarse.

—¿Su madre lo sabía?

—¿Usted qué cree?

—Creo que miraba hacia otro lado y no decía nada, o que la acusaba a usted de mentirosa y de calumniar a su querido marido.

—Lo segundo —contestó Karly—. Tuve que marcharme. Así que huí de casa y vine a Nueva York.

—Pero aquello la acompañó.

—Así es. Me las ingenié para conocer hasta el último chalado que había en la ciudad. Siempre acababa reduciéndome a mí misma al papel de víctima. Era un círculo vicioso, que, al parecer, no podía romper, lo cual nos lleva a lo importante. Cuando tenía dieciséis años, llegué hasta lo más bajo que podía llegar en mi espiral autodestructiva. Me enamoré de un hombre muy carismático, muy poderoso y muy casado, un hombre mayor. Hablando de no tener idea de lo que hacía. Sin embargo, él era muy bueno conmigo, y muy tierno. Me trataba como si fuera la mujer más especial del mundo. Para mí, era amor verdadero. Para él, una aventura corriente y moliente.

—Y para mí, es violación en tercer grado. Usted era menor de edad.

—Ya lo sé. Pero yo no quería acusarlo de nada. Yo quería que él me amara. Ahora entiendo lo estúpida que fui. Pero, en aquel entonces, yo creía que teníamos un futuro, y que él dejaría a su mujer por mí. Estaba deslumbrada. Mi única defensa es que yo lo amaba, desesperadamente, y él decía que me quería a mí. Yo habría hecho lo que fuera para que estuviéramos juntos.

—Y entonces la dejó.

—No sólo me dejó. Me mintió, me pagó y, finalmente, me amenazó. Cuando yo vi que era la única que estaba en peligro, hice lo que tenía que hacer y me mantuve alejada. Pero ahora hay alguien más importante que yo... mi hijo. No dejaré que nada le ocurra a él. —Karly se dejó caer en una silla y se llevó una mano temblorosa a la cabeza—. Creí que ya había pagado por mi estupidez. Pero ahora vuelvo a pagar, sólo que esta vez es peor. Ha vuelto toda esta maldita situación, como si me persiguiera. Y la paradoja es que el mismo hombre que puede herir a mi hijo quizá sea el único que pueda salvarlo.

Monty alzó la mano para intervenir.

—Un momento. Entonces, tuvo un hijo con este tipo. Y es evidente que él no descorchó ninguna botella de champán cuando usted le dijo que estaba embarazada.

—Que va. Me dio diez mil dólares, me dijo que abortara y que me fuera a la costa oeste, que me apuntara a la escuela de modelos con la que soñaba.

—Así que cogió el dinero e hizo lo que él le pedía, salvo que no abortó.

—Ahí es donde entra Lara. La conocí en un café, y al cabo de un rato ya le había contado mi problema. Me dijo que tenía opciones, que podía tener el bebé y conseguir la ayuda y el apoyo que necesitaba, y criar yo misma a mi hijo o entregarlo a una familia que lo quisiera. Antes de tomar una decisión, hice un último intento para convencer al padre del bebé de que nos aceptara, de que nos convirtiéramos en una familia o para que fuéramos parte de su vida, en algún aspecto. Casi le dio un síncope de lo furioso que se puso. Me agarró por los hombros, me miró como si no fuera nada y me preguntó quién me había metido esas ideas en la cabeza. Yo me derrumbé, pero no le conté nada. Él tampoco me creyó. Me amenazó con que desearía no haber nacido si me atrevía a romper el acuerdo original, y eso incluía mantenerme alejada de mi flamante interlocutora y cortar todos los lazos con mi vida hasta ese momento en cuanto abandonara la ciudad.

—Suena como un hombre encantador.

—Yo estaba muerta de miedo. Prometí que haría lo que él me pedía. Lo tenía todo organizado. Incluso fui a la clínica. Pero no pude hacerlo. Era mi hijo el que crecía dentro de mí. Así que volví donde Lara una última vez. Ella me ayudó. Me presentó a Barbara, que hizo lo necesario para que me admitieran en un maravilloso centro de acogida para embarazadas hasta que nació el bebé. Después, sería adoptado por una familia que le diera cariño a través de una conocida institución de adopción. Una parte de mí quería conservarlo. Pero después de la infancia miserable que yo había tenido, quería para él algo más que una madre indigente y psicológicamente tocada, además de que yo misma era una niña. Así que le di esa oportunidad. Después de que nació, me quedé en Nueva York el tiempo suficiente para finalizar los trámites de la adopción. Y luego cogí un avión rumbo a Los Angeles y comencé una vida nueva, sabiendo que mi bebé hacía lo mismo.

—Y eso fue hace unos diecisiete años. ¿Qué la hizo volver...? ¿Fue sólo una decisión profesional?

—Si lo que me pregunta es si una parte de mí quería estar más cerca de mi hijo, no lo sé. En ese momento, no lo creía. Carol Fenton ya no existía. A Karly Fontaine le habían ofrecido una oportunidad profesional fabulosa, y la aceptó. Si algo más intervino en la decisión, fue inconsciente. Sin embargo, cuando volví a Nueva York, los recuerdos estaban por todas partes. Empecé a preguntarme, a preocuparme, a tener una sensación de vacío que me impulsaba a salir y conocer a mi hijo. No tenía ni idea si él y su familia seguían viviendo aquí. Llamé a la agencia de adopción para ver qué podía hacer. También me reuní con Barbara. Iba a reunirme con ella cuando aquella furgoneta atropelló a Rachel Ogden. Sin embargo, tenía las manos atadas. Debido a su edad, mi hijo necesitaba autorización de los padres para tener cualquier contacto conmigo. E incluso eso sería limitado.

—Ha dado a entender que su hijo tiene algún problema. —Había algo en aquella historia que inquietaba a Monty—. ¿Es por eso que quería contratarme, para encontrarlo?

—No, eso ya lo he hecho, hace pocas horas. En realidad, él me encontró a mí. Mejor dicho, me encontraron sus padres adoptivos. Está en el Centro Médico Maimonides. Lo han ingresado de urgencias por una laceración en el bazo. Necesita una transfusión. Han llamado a la agencia de adopción. Ellos saben las ganas que tengo de ponerme en contacto con él, que habría hecho cualquier cosa para ayudar. Pero tiene un tipo de sangre muy raro y yo no soy compatible.

Jonah. Monty se quedó con la taza a medio camino de los labios. Su hijo era Jonah.

—Tengo que encontrar a su padre biológico —siguió Karly—. Soy la única que sabe quién es. Sin embargo, estoy aterrada. En el hospital dijeron que se podría hacer de forma anónima, pero que si llegaba a filtrarse la noticia de que tenía un hijo fuera del matrimonio... —dijo, y la voz se le quebró—. Si pudo hacerme daño antes, también me puede destruir ahora. A mí y a mi hijo. La opinión pública está muy pendiente de él, tiene a los medios de comunicación encima, y su futuro en la cuerda floja. Puede perder demasiado, tanto personal como políticamente.

—Dios mío —dijo Monty, y su taza golpeó en la mesa al darse cuenta de la triste realidad—. El padre de su hijo es Arthur Shore.

—Exactamente, detective.

Monty se hundió en la silla. Las ramificaciones, el tiempo transcurrido, todo pasaba por su cabeza velozmente, una idea tras otra. No había manera de que Arthur supiera que tenía un hijo. Si lo supiera, habría emprendido alguna medida de protección, probablemente legal, nada más enterarse. Sin embargo, sabía lo del embarazo, y ése era un escándalo que no habrían tolerado Elyse ni su padre.

Karly había salido de la ciudad sólo unos meses después de que Lara y Jack fueron asesinados. A la luz de lo que Monty acababa de saber, aquello ya no parecía una mera coincidencia.

—¿Sabía usted antes de dejar Nueva York que Lara Winter había sido asesinada?

—No. —Karly sacudió la cabeza—. Me encontraba en un ambiente muy aislado durante mi estadía en el centro de acogida para embarazadas. Tenía gente que me ayudaba y hacía ejercicios de preparación para el parto en el centro, unos planes descabellados para estudiar y ser modelo en Los Ángeles y casi me había olvidado de la depresión. Estoy segura de que todos se abstuvieron deliberadamente de darme la noticia de la muerte de Lara. Y yo nunca intenté ponerme en contacto con ella, no después de las amenazas de Arthur.

—¿Cuándo se enteró?

—La semana pasada. Cuando leí y supe que habían condenado a un hombre equivocado por el doble crimen, vi el nombre de Lara y me puse enferma. También vi el nombre de Morgan y supe que la mujer con que había tomado contacto en Winshore era la hija de Lara. No sé cómo no me di cuenta antes, el parecido es asombroso. Es probable que nunca haya hecho la conexión porque no sabía que Lara tuviera una hija. No hablamos de su vida personal, sólo de la mía.

—De modo que primero se enteró de que Lara tenía una hija. Después, cuando nos reunimos para hablar del atropello de Rachel, yo le dije que esa hija había sido adoptada por los Shore. No es de extrañar que la noticia le impactara.

—Estaba muy impresionada. Cuando supe lo importante que era Arthur en la vida de Morgan, pensé que quizá supiera que había vuelto a Nueva York y, además, que era clienta de Winshore. Aquello me asustó mucho, sobre todo cuando usted me dijo que la víctima del atropello podría haber sido yo en lugar de Rachel. Si el blanco era yo, quizás es que Arthur intentaba asustarme para que abandonara la ciudad. Sé que suena irracional, pero me entró un susto de muerte. Hasta pensé en dimitir de mi nuevo cargo y volver a Los Ángeles. Lo último que quería era tener problemas. Tenía un nuevo nombre, un nuevo aspecto y una nueva vida. Jamás esperaba volver a ver a Arthur Shore, y mucho menos esto.

Monty frunció el ceño mientras reflexionaba sobre la confesión de Karly. Algo todavía no encajaba.

—Si su único temor era por usted misma, ¿por qué le envió este paquete a Morgan? —preguntó, sosteniendo el sobre en alto—. ¿Y por qué le advertía de que no confiara en nadie que estuviera cerca? Es evidente que se refería a Arthur. ¿Llegó a pensar en algún momento que podría hacerle daño?

—La verdad es que no había decidido nada. Pero hablé con Morgan justo después de que su casa fuera allanada. Ella mencionó la investigación sobre el asesinato y el hecho de que Arthur, como figura política, los exponía a todos a la luz pública. No sé por qué, pero después del atropello, el allanamiento de la casa me pareció demasiada coincidencia.

Karly entrelazó los dedos, que todavía le temblaban.

—No tenía nada concreto, detective. Nunca vi a Arthur Shore ponerse violento. Eso no significa que esté por encima de la posibilidad de hacer lo que sea necesario para proteger a su familia y su reputación entre los electores. Recuerdo la mirada en sus ojos cuando me amenazó hace diecisiete años, y nunca la olvidaré. Así que cuando percibí la preocupación y el miedo en la voz de Morgan, pensé que tenía que prevenirla. Al final, puede que mi advertencia no tenga ninguna base. Pero Lara hizo tanto por protegerme que pensé que le debía lo mismo a su hija.

Monty se inclinó hacia adelante.

—Quiero que piense detenidamente antes de contestar a esta pregunta. ¿Alguna vez en sus conversaciones con Lara le mencionó usted que el hombre con que tenía una relación era Arthur Shore? ¿Alguna vez dijo algo que hiciera sospechar a Lara que era él, como mencionar que su amante era miembro de la asamblea estatal, o que su mujer se llamaba Elyse... cualquier cosa?

—No tengo que pensarlo. La respuesta es no.

—¿Tan segura está?

—Absolutamente. —Al percibir el tono dudoso de Monty, Karly decidió darle una explicación—. Sé perfectamente dónde pretende llegar con esto, detective. Yo misma he pensado en esa posibilidad cien veces en la última semana, devanándome el cerebro desde que usted vino a hablar conmigo. Estoy absolutamente segura de que si Lara hubiera sabido que Arthur era el hombre que me dejó embarazada y luego me abandonó, le habría plantado cara o habría hablado con su mujer. Ahora sé que su mujer no era sólo la mejor amiga de Lara, sino, además, que los Shore habían sido nombrados tutores de Morgan. Lara jamás se habría quedado callada, aunque aquello significara romper el principio de confidencialidad. Tampoco se lo habría reprochado. Tenía que proteger a su hija. Pero no importa. Porque yo nunca dije ni una palabra. Arthur era un personaje público. Yo tenía demasiado miedo como para decir su nombre o dejar que se me escapara cualquier referencia.

—No tiene sentido discutir eso. Lara lo sabía. —Era la primera vez que Barbara intervenía en la conversación. Tenía la voz ronca de emoción, y cuando Monty se giró hacia ella, vio que estaba absolutamente descompuesta—. Nunca tuvo que debatirse frente a la cuestión de la confidencialidad, porque conocía desde el principio la identidad del hombre.

—¿Ella se lo dijo? —inquirió Monty.

—No por su nombre, pero que lo conocía, sí —dijo, tragando con dificultad—. Ahora todo adquiere un sentido horroroso.

—Siga —urgió Monty.

—Lara entró aquí un día el verano antes de morir, más alterada de lo que jamás la había visto. Dijo que se había encontrado sin querer con algo de lo que desearía no haber sido testigo. Por lo visto, había entrado en el despacho de un hombre que conocía hacía años, y lo había encontrado teniendo relaciones sexuales con una chica que, ella estaba segura, era menor de edad. Ninguno de los dos la había visto a ella, por lo que se escabulló antes de que lo hicieran. No sabía qué hacer. Me dijo que el hombre estaba casado, y que si contaba lo que había visto, la familia quedaría destruida, sobre todo si se comprobaba que el asunto era una violación. Y luego estaba la chica con que tenía esa relación. ¿Acaso sabía que él tenía una familia? ¿Sabía que estaba siendo utilizada? ¿Y acaso tenía la edad suficiente, o era lo bastante madura, para hacer esas preguntas?

Barbara hizo una pausa para recuperar la compostura.

—Lara no podía dejar que eso quedara así. Siguió a la chica desde el despacho del hombre hasta una cafetería. Entabló conversación con ella y se enteró de todos los sórdidos detalles de los que Karly nos ha hablado ahora.

—¿Quiere decir que nuestro encuentro no fue fortuito?

—Claro que no. Lara quería escucharte hablar de la relación. Y cuando se enteró, estaba furiosa… no contigo sino con él. Intenté que se abriera conmigo, pero ella dijo que la única persona que podía ayudarla con ese dilema era Jack. Así que se fue a casa y lo habló con él. Su siguiente paso fue traerte aquí, para que tuvieras un apoyo. Cuando conseguí hablar con ella a solas, le pregunté qué le había aconsejado Jack. Me dijo que habían discutido acerca de cuál sería el camino más adecuado. Eso sí, estaban de acuerdo en una cosa, y era que no podían darle la espalda a la situación, por muchos motivos. Ahora entiendo cuáles eran esos motivos.

—Dios mío… —dijo Karly, agitada—. Si Lara decidió ir a ver a Arthur… Si él sabía…

—Entonces, tenemos un posible motivo —dijo Monty, a modo de conclusión.

—¿Qué hay de una coartada? —preguntó Barbara—. ¿Sabemos dónde estaba el congresista la noche en que Jack y Lara fueron asesinados?

—Sí y no. Hay inconsistencias. Estamos trabajando para despejarlas. Sin embargo, tenemos que abordar esto con la cabeza fría y con todos los hechos en nuestro poder. Recuerden que estamos hablando de un asesinato. No de tener relaciones sexuales con una menor, ni de acoso, por muy temibles que hayan sido sus amenazas. ¿Estaría Arthur dispuesto a matar a dos personas para ocultar su secreto? Sobre todo cuando una de esas personas era la mejor amiga de su mujer, y aunque matarlos significara dejar huérfana a una niñita de diez años. —La boca de Monty se convirtió en una línea dura—. Ahora mismo, sólo hay una persona que puede responder a esa pregunta.

—Oh,… por favor, no. Todavía no —dijo Karly, y le cogió el brazo—. Si va a ver a Arthur con esta historia, tendrá que decirle de dónde la sacó.

—Estoy segura de que el detective Montgomery se encargará de que esté protegida —la tranquilizó Barbara.

—Yo misma no importo. Ahora mismo, lo único que me importa es convencer a Arthur para que se someta al proceso de identificación. Tengo que saber si su sangre es compatible con la de nuestro hijo. Necesito la ayuda del detective Montgomery para torcerle el brazo. Arthur se enfurecerá cuando se entere de que decidí seguir adelante con el embarazo, y de que ahora venga a pedirle ayuda. Pero si lo asustamos con nuestras sospechas, ya me puedo despedir de su colaboración.

—Estoy de acuerdo. —A Karly le sorprendió que Monty dijera eso—. La salud de su hijo es lo primero. Además, no estoy preparado para enfrentarme a Arthur con acusaciones, no sin antes tener pruebas concretas. Así que le daremos la noticia de que es padre, y nos guardaremos cualquier cosa relacionada con los homicidios para más tarde. —Monty se giró hacia Karly—. Tendrá que enfrentarse a él. Eso tiene que saberlo.

—Lo sé —dijo ella, con un gesto seco.

—La buena noticia es que no tiene que hacerlo sola. Yo estaré presente. En realidad, yo llegaré primero. Usted entrará después. No hay nada como el elemento sorpresa. Déme unas cuantas horas para echar a rodar las cosas. Y luego, lo sorprenderemos —afirmó Monty, mirando rápidamente a las dos mujeres—. Sobra decir que de aquí no sale ni una palabra de lo que hemos hablado. ¿Entendido?

—Absolutamente —dijo Barbara, sin dudarlo.

—Yo, desde luego, no abriré la boca —aseguró Karly—. Pero ¿de verdad cree que podemos convencer a Arthur de que mueva el culo y vaya al hospital a dar sangre?

Normalmente, Monty habría explicado que existen varios métodos de persuasión. Pero en este caso no era necesario.

—Karly, cuando habló con los padres adoptivos de su hijo, ¿le dieron sus nombres?

—Nina y Ed Vaughn. ¿Por qué?

—Porque yo conozco a su hijo. Se llama Jonah. Es un chico estupendo. La gran ironía de todo esto es que Arthur también lo conoce. Y le cae bien.

—¿Habla en serio? —preguntó Karly, con voz temblorosa.

—Tan serio como un infarto.

—¿Cómo? ¿A través de quién? ¿Desde cuándo?

—Es una historia larga y complicada. Ya le hablaré de ella cuando la vea… que la veré. —En los ojos de Monty brilló una leve chispa. Déme ese par de horas para organizarlo todo. Y luego vaya a mi despacho, hacia las cinco. La dirección está en mi tarjeta. Esta tarde no sólo vamos a sorprender a Arthur Shore, sino que conseguiremos exactamente lo que queremos de él.

Capítulo *31*

Monty tenía la adrenalina a tope cuando llegó a casa de Lane.

Morgan le abrió la puerta cuando llamó. Esperó a que se identificara, y luego comprobó por la mirilla, sólo para estar segura. Una vez convencida, corrió el cerrojo y abrió la puerta.

—Bonitas precauciones —dijo Monty al entrar. Dio unos pasos y se quitó el anorak—. Estoy orgulloso de usted.

—Gracias. —Morgan lo miró detenidamente y frunció el ceño. Era la primera vez que veía a Monty desde la noche en que le habían lanzado el ladrillo—. Lane me dijo que se encontraba bien. Pero algunos de esos cortes en la cara parecen bastante profundos. ¿Está seguro de que se encuentra bien?

—Sólo estoy cabreado. Y todavía más decidido a coger a nuestro culpable y clavarle el culo contra la pared —dijo, y lanzó el anorak sobre una silla.

—Ya veo que está irritado —observó Morgan—. ¿Barbara ha podido darle alguna respuesta?

—Ha sido una reunión muy productiva. —Monty hizo una pausa, estudió su expresión y frunció el ceño—. Tiene una pinta horrible. ¿Ha ocurrido algo?

—El último análisis que le han hecho a Jonah no es demasiado halagüeño, lo cual significa que está perdiendo sangre. Sus constantes vitales siguen controladas, así que no urge operarle, pero los médicos quieren hacer una transfusión y ver cómo evoluciona. Por desgracia, el único donante es Lenny, y no es la mejor opción. Tiene una enfermedad coronaria y toma un medicamento para adelgazar la sangre.

—Así que Lenny tiene el mismo tipo de sangre que Jonah. Interesante. Quizá yo tenga una alternativa. Esta noche lo sabremos. Toque madera.

—¿Qué pasa? —Era Lane que salía del laboratorio fotográfico.

—Te podría hacer la misma pregunta a ti.

—Morgan ha estado un rato revisando los recuerdos de sus padres —dijo Lane—. Acaba de encontrar los negativos de las fotos tomadas en la fiesta de los Kellerman. Afortunadamente, Elyse los dejó en el sobre con las fotos que reveló una vez pasado el trauma inicial de los asesinatos. Entretanto, he estado tratando otras fotos de la escena del crimen. He encontrado una cosa interesante. Hay una mancha circular en el suelo donde se ve claramente que han quitado algo. Tiene unos veinticinco centímetros de diámetro y está junto a la puerta. Probablemente era una lata de sellador o algún tipo de lata de basura. Ese sótano es una pocilga... sucio, polvoriento, lleno de piedras y escombros. Sin embargo, ese espacio está limpio como una patena.

—Alguien se deshizo del contenedor en la misma escena del crimen —dijo Monty, que ya se dirigía al laboratorio—. Sí —confirmó, después de inclinarse a mirar esa parte de la foto ampliada—. El asesino debió de tirar algo que podría haberlo delatado, así que se deshizo del trasto entero.

—Monty —interrumpió Morgan, desde la puerta—. No ha contestado a mi pregunta. ¿Qué le contó Barbara?

Monty carraspeó.

—Por ahora, lo único que puedo decir es que sé quién le mandó el sobre Tyvek. No fue Barbara Stevens. Fue enviado con la intención de protegerla, como una manera de devolver la amabilidad que su madre tuvo con ella.

En la cara de Morgan asomó una expresión de frustración.

—Monty. Yo soy su clienta. Se supone que es conmigo con quien tiene que mostrarse abierto.

—En las circunstancias actuales, soy todo lo abierto que puedo. Es una situación complicada. Una vez más, tendré que pedirle que confíe en mí.

Era evidente que Morgan intentaba reprimir sus lágrimas.

—Dígame algo. Cualquier cosa.

Monty guardó silencio un instante.

—¿Recuerda lo que me contó de los últimas apuntes del diario de su madre? Los que escribió durante los últimos meses de su vida.

—Desde luego.

—Vuelva a leerlos.

Morgan hizo un gesto de impotencia con los brazos.

—No tengo por qué releerlos. Recuerdo hasta la última palabra. Tenían que ver con dos mujeres que intentaba ayudar, Olivia y Janice.

—Exacto. Una ha tenido un final más feliz que la otra. Por lo que recuerdo, la segunda consumía todo el tiempo de su madre. Y, al final, aparecía en todos sus apuntes.

—Janice —dijo Morgan. Alzó una ceja oscura—. Janice. «Jota». —Morgan entendió el mensaje y abrió los ojos desmesuradamente—. ¿Acaso quiere decirme que la mujer que envió ese paquete es la mujer que fue violada por su padrastro? ¿La chica que tuvo una relación con un tipo mayor y que acabó embarazada y abandonada?

—No. Eso lo dice usted.

—Y usted habló con Barbara del caso —dijo Morgan, pasándose una mano por el pelo—. Barbara conoce su nombre verdadero. Me dijo que lo conservaba en una carpeta con el impreso original de inscripción de las clientas. Conociéndolo, pensaría que ha encontrado alguna manera de dar con ese nombre. Maldita sea, Monty, tengo que saber quién es. Tengo que encontrarla, hablar con ella. Fue la última persona que mi madre mencionó en su diario. Lo cual significa que fue una de las últimas personas en hablar con ella antes de su muerte. Y tiene que haber tenido motivos para prevenirme...

—Ya he hablado con ella —interrumpió Monty—. Conozco sus motivos. Nos ocuparemos de ello. Aguante un poco más, Morgan. Sé lo difícil que esto es para usted. Pero arrojará sus resultados. Confíe en mí, tengo que ocuparme de una pista. Lo haré esta noche. Si todo marcha según lo planeado, creo que podré convencerla para que hable con usted. Ahora mismo, tiene miedo. Si empujamos demasiado, la perderemos. Déjelo en mis manos.

Morgan bajó la vista, procurando controlarse. Y luego asintió con la cabeza.

—De acuerdo —dijo, y alzó la mirada—. Sólo dígame una cosa más. ¿Ha averiguado algo más sobre Arthur? Lo único que Lane me ha dicho es que tuvieron una reunión muy correcta. Eso me tranquiliza, pero no me da ninguna información. Tengo que saber si estuvo implicado de alguna manera, directa o indirectamente, en el asesinato de mis padres.

—No puedo contestar a esa pregunta.

En el rostro de Morgan asomó un gesto de furia desatada y luego se desvaneció en un vacío oscuro.

—Acaba de contestarla. —Morgan se giró y salió del laboratorio.

En cuanto estuvo fuera del alcance y ya no podía oírlos, Monty cogió a Lane por un brazo.

—Tienes que sacar alguna prueba de esos negativos. De los dos lugares, la escena del crimen y la fiesta de Kellerman. Además, averigua dónde estaba George Hayek durante las horas del asesinato de los Winter. Me da lo mismo cómo lo consigas. Cuéntales a tus amigos de la CIA que tu padre —ese rompehuevos incansable, ex inspector de policía de Brooklyn convertido en investigador privado— se prende como sanguijuela de quien se atreva a interponerse en la investigación de un crimen. Diles que no pienso mirar a otro lado. Ya entiendo que ellos tienen que mantener el equilibrio de poderes en el planeta. Pues yo sólo necesito atrapar a un asesino. Si Hayek sabe algo, o hizo algo, quiero saberlo. Y encontraré una manera de saberlo. Puedo hacerlo discretamente con su colaboración, o lo puedo hacer de forma más ruidosa trabajando solo.

—Te estás pasando de la raya —dijo Lane, con la mandíbula tensa—. Eso significa que tienes algo.

—De eso no hay duda. Ahora necesito pruebas para apoyar mi caso. Así que vuelve a las fotos de la escena del crimen. Piensa como si fueras Arthur Shore o George Hayek. Busca algo que los vincule con la escena. Tiene que estar ahí. En cuanto a la fiesta, busca algún indicio que defina mejor la hora en que Arthur hizo su numerito de desaparición. Ah, y Lane —dijo Monty, y lo miró fijamente—, este caso está a punto de resolverse y luego tendrá una repercusión dura y rápida. Será difícil para Morgan. Te necesitará.

Lane no dudó ni un instante en responder.

—Ahí estaré.

Eran las cinco de la tarde.

La limusina de Arthur se detuvo delante del despacho de Monty. El chófer empezó a bajar, pero él no esperó a que le abriera la puerta. Lo hizo él de golpe, bajó del vehículo y se dirigió a grandes zancadas a las escaleras de la puerta de entrada.

Monty le abrió y le ofreció asiento señalándole una silla.

—¿Algo para beber? —preguntó, después de abrir una cerveza para él.

—No. Quiero respuestas. —Arthur estaba cabreado. Se sentó en el borde de la silla y ni siquiera se quitó el abrigo—. Estoy harto de que siga jugando conmigo, Montgomery. Primero, el interrogatorio de ayer. Hoy, una reunión sin explicación alguna. Me dijo que había novedades en el caso. Quiero saberlas. Mi familia me espera.

Monty siguió de pie detrás de la silla y tomó un saludable trago de cerveza, luego apoyó los codos en el respaldo y permaneció de pie deliberadamente.

—Ya me he dado cuenta de que es domingo. Si esto no fuera importante, no le habría pedido que viniera hasta Queens. En cuanto a las inconveniencias, pensé que debíamos tener esta conversación en privado. Así, usted podrá decidir cómo quiere darle la noticia a su mujer y a su hija.

La inquietud que aquello despertó en Arthur se reflejó enseguida en sus ojos.

—¿Morgan se encuentra bien?

Monty reflexionó sobre su reacción.

—De verdad la quiere, ¿no?

—¿Qué tipo de pregunta es ésa? Desde luego que la quiero. Es como una hija para mí.

—Le creo. —Monty encontraba que aquella situación era fascinante. Independientemente de las causas, ya fuera fruto de la culpa o de un afecto verdadero, el instinto paternal de Arthur hacia Morgan era genuino—. Y Morgan está bien —le aseguró—. Está con Lane.

La tensión de Arthur se desvaneció parcialmente.

—Han tenido una relación muy estrecha en las últimas semanas. Me alegro. Lane es una buena persona.

—Lo mismo creo yo. —Siguió una pausa—. En realidad, decir que Morgan se encuentra bien es una burda simplificación. Físicamente, se encuentra bien. ¿Emocionalmente? ¿Psicológicamente? Se diría que cuelga de un hilo.

—Eso es lo que me ha preocupado desde el principio. Y es por eso que no quería que se lanzara de cabeza a indagar en esta historia. —Arthur frunció el ceño. Ya parecía menos irritado por haber tenido que venir—. Le pido disculpas por haberme portado bruscamente con usted. Sea lo que sea que ha averiguado, es evidente que es grave. Será mejor que primero me ocupe de ello. ¿Tiene algo que ver con esa grotesca intrusión en la casa de Morgan y Jill?

—¿Qué? —Monty frunció ambas cejas—. Ah, cuando he dicho que había novedades en el caso, usted creyó que me refería al caso de los Winter. Lo siento. Se nos han cruzado las señales. Pero ahora que lo menciona, busqué a Margo Adderly. Lamentablemente, la pobre mujer murió hace siete años. Cáncer. Así que no podré tener su versión de la historia que usted me contó.

Mientras Monty hablaba, la expresión de Arthur fue de intrigada a molesta y luego a indignada.

—¿A qué está jugando, Montgomery?

—Ningún juego. Una novedad en el caso, como he dicho. Sólo que es un caso diferente. ¿Está seguro de que no quiere una copa?

—No, no quiero una copa. —Arthur se movió como si fuera a levantarse—. Me voy.

—Puede que quiera esperar un momento —dijo Monty, señalando con un gesto de la cabeza hacia el cuarto de atrás, que utilizaba para guardar material—. Karly, ya puedes entrar —dijo—. Estamos preparados para verte.

Con los hombros bien cuadrados y la cabeza en alto, Karly entró en la sala. Iba arreglada como cuando Monty la vio por primera vez: perfecta, impecablemente vestida, pantalones y jersey de marca, toda una entrada.

Era evidente que Arthur no la había reconocido.

—Karly —repitió, incorporándose instintivamente—. Como Karly Fontaine, la mujer que informó sobre el atropello.

—La misma —confirmó Monty.

—Entonces sí que tiene que ver con Morgan —dijo Arthur, y le tendió la mano—. Me alegro de que no resultara herida. Es un placer conocerla.

—Pero si ya se conocen. —Monty parecía divertido al ver a Karly mirando la mano de Arthur como si fuera un ratón muerto, sin hacer ademán de estrechársela—. Aunque su pelo era más oscuro y más largo en aquel entonces, y no podía pagarse la ropa que lleva ahora. Así que le refrescaré la memoria. Es Carol Fenton. Es la mujer que usted dejó embarazada, a la que pagó y luego abandonó, hace diecisiete años. ¿Le suena de algo?

Arthur hacía lo imposible por conservar su cara de póker.

—No sé de qué está hablando.

—Claro que lo sabe. Lo que no sabe es que Carol…, Karly, optó por tener el bebé en lugar de abortar. Tuvo un hijo suyo, lo dio en adopción, y no tenía ni idea de quién era, ni dónde estaba… hasta ahora. Y, antes de que lo pregunte, no se trata de un chantaje. Karly no quiere ni un céntimo suyo. Francamente, no quería volver a verlo, incluso después de haber vuelto a vivir en Nueva York por razones profesionales. Pero las circunstancias han cambiado todo eso.

—¿Qué circunstancias? —consiguió preguntar Arthur, con la mandíbula temblorosa.

—¿Recuerda a Jonah Vaugh, ya sabe, ese chico estupendo que trabaja con Lane y al que usted enseñó a esquiar en alta montaña hace unos días?

—Por supuesto... ¿Y?

—Seguro que Lenny le habrá dicho que Jonah está en el hospital con una hemorragia interna y el bazo lacerado. Pues también resulta que tiene un tipo de sangre muy raro, un tipo de sangre del que cuesta encontrar muestras compatibles.

—Sí, me lo contó. Le deseo lo mejor a Jonah. ¿Por qué me cuenta todo esto?

—Porque, ¿quién lo diría? Resulta que Jonah es su hijo. Qué pequeño es el mundo, ¿no? El problema es que el tipo sanguíneo de Karly es A positivo, lo cual no coincide con el AB negativo de Jonah. Así que sólo queda usted.

—Yo... —Arthur abrió y cerró la boca varias veces—. No consentiré que me chantajee para que reconozca nada, y mucho menos...

—No se trata de chantaje. Se trata de una negociación. Éstas son sus opciones, tal como yo las veo. Uno: pueden hacerle una prueba anónima. Mandaremos un enfermero que vaya a su casa, a su despacho, donde sea, y le extraiga sangre. Es de esperar que usted será AB negativo y la muestra dirá que es compatible. Jonah necesita una transfusión enseguida. Su recuento de plaquetas es bajo. Si usted es compatible, le facilitará a su hijo esa transfusión, o las transfusiones que sean necesarias para ayudarlo. Como contrapartida, Karly firmará un acuerdo de confidencialidad por el que se compromete a mantener en secreto su identidad.

Monty hizo una pausa para tomar un trago de cerveza.

—La segunda opción —siguió Monty—, es negarse, y poner en peligro la vida de Jonah. En cuyo caso Karly le contará toda la historia a la prensa. Empezará por las relaciones sexuales que usted mantenía con una menor, lo que equivale a violación, por cierto, y acabará con el hecho de que usted está dispuesto a dejar morir a su hijo. Puedo decirle que la violación, cuando Karly tenía dieciséis años y usted mucho más de veintiuno, es violación en tercer grado, lo cual es un delito de clase E. Lo habrían castigado con tres o cuatro años de prisión. Dicho eso, puede que se libre de la acusación criminal, ya que el delito prescribe a los cinco años, pero dudo que el Congreso vaya a querer a un violador entre sus miembros. Se vería obligado a abandonar la política, su familia sufriría un gran dolor y humillación… No lo sé, congresista. La primera opción a mí me parece bastante buena. Desde luego, la decisión es suya.

—¿Quién más sabe de esto?

—Sólo nosotros y la psicóloga de Karly, que está obligada al silencio por privilegio del cliente. Karly todavía no ha hablado con ningún abogado. Está dispuesta a que el suyo redacte los documentos necesarios.

Arthur respondió con una risa seca.

—Muy gentil de su parte. Lamentablemente, todo esto acabará sabiéndose de todas maneras. Algún reportero listillo mentirá, robará o se abrirá paso hasta la base de datos del hospital, conseguirá lo que quiere, pagará a las personas clave hasta tener todos los fragmentos esenciales y no pasará mucho tiempo antes de que la historia llegue a las primeras páginas.

—Es probable que tenga razón. —Monty no quiso insultar a Arthur negando su afirmación—. Pero si usted dona una muestra de sangre por voluntad propia, y luego se presta a una transfusión, si eso es posible, lo único que ese reportero listillo podrá encontrar es que años atrás usted cometió una indiscreción, tuvo un hijo y se aseguró de que lo adoptara una buena familia. Karly avalará eso. Así parecerá que los dos han tomado la decisión juntos. También dirá que usted no tenía ni idea de que ella era menor de edad. Toda esa historia se verá eclipsada por el hecho de que usted se ha presentado para salvarle la vida a su hijo. Vaya, acabaría siendo un héroe.

—Dígale eso a Elyse.

—Su familia es otra historia. Yo sugiero contarles la verdad enseguida para que estén preparados. Al parecer, su mujer es capaz de perdonarle cualquier cosa. Pero su manera de planteárselo a ella, a Jill y a Morgan es decisión suya. ¿Así que cuál es su veredicto?

En los ojos de Arthur asomó un brillo amargo.

—¿Qué cree usted? Haré que redacten los documentos mañana a primera hora.

—Por favor, Arthur. —Karly habló por primera vez, toda ella tensa por la rabia contenida, pero con un tono de voz que nacía del ruego desinteresado de una madre—. Su anemia está empeorando. Si la herida no sana sola, tendrán que operarlo. ¿No puedes hablar con tu abogado esta noche?

—Me temo que no. —Arthur miró a Karly—. Pero no soy un monstruo. No pondré en peligro la vida de Jonah por un trozo de papel. Los trámites legales pueden esperar hasta mañana. Empezaré con la prueba de sangre esta noche. —Se volvió hacia Monty—. Déme una hora para hablar con mi familia. Luego mande un paramédico a mi apartamento. Puede extraerme sangre y llevarla al hospital. Le puedo confirmar que soy AB negativo. Así que, si no hay complicaciones imprevistas, Jonah podrá contar con la transfusión.

Capítulo 32

Lane estaba visiblemente inquieto.

Hacía una hora, Arthur había pasado a toda prisa por su casa, con expresión tensa y consternada, y había pedido llevarse a Morgan a su apartamento para celebrar una reunión familiar. Lane casi le había impedido el paso a Morgan cuando se disponía a salir, pero eso no era cosa suya, y no quería darle a entender a Arthur las sospechas que tenía de él. Así que se apartó y vio a Morgan alejarse en la limusina del congresista, mientras se preguntaba qué diablos estaba ocurriendo y cuándo volvería a verla.

Intentó comunicarse con Monty por el móvil. Respondió el buzón de voz, lo cual significaba que todavía seguía aquella pista. «Maldita sea.»

Dejó un mensaje breve y colgó para seguir esperando.

Ya ansiaba recibir aquella llamada por su línea segura. Al final, la había hecho no sólo por la demanda de Monty, sino porque se había pasado todo el día pensando en ciertas posibilidades.

Era algo que Lenny había dicho durante su visita a Jonah. Algo acerca de Arthur. En sí mismo, era inocuo. Pero combinado con el resto del rompecabezas, podía ser una pieza maestra.

Agitado, no sacudido, solíamos decir de él, como los martinis de James Bond. Tú serás igual.

—*¿A ti te gusta James Bond?* —*le preguntó Jonah.*

—*De toda la vida. A los dos, a Arthur y a mí. Nunca nos perdimos sus películas, cuando era un chaval...*

Aquello había tocado una cuerda en la mente de Lane. Eran fragmentos de la conversación que ese día había oído al pasar por el local de Lenny. Monty le había preguntado a Arthur acerca de Hayek. Arthur había respondido diciendo que Hayek solía ir con él y Lenny en esas salidas de padre e hijo al cine.

Las salidas de padre e hijo al cine. Sin duda aquello incluía ver al preferido de los dos: «Bond. James Bond». Una de las cosas que todos los seguidores de James Bond sabían era que el arma preferida del agente 007 era la Walther PPK.

Desde el comienzo, a Monty le había intrigado el uso de una Walther PPK para matar a Jack y Lara Winter. Lane todavía recordaba que a su padre le preocupaba aquella curiosa elección del arma.

Al fin y al cabo, quizá no fuera tan curiosa.

—*George nunca olvidó los favores que le hizo mi padre* —había dicho Arthur—. *Tenía un profundo sentido de la lealtad.*

¿Cuán profundo? Ésa era la pregunta. ¿Lo bastante profundo para salvar el culo de Arthur cuando éste se había propasado? ¿Sobre todo cuando Arthur le había salvado el culo a él, que había sido acusado de traficar con armas?

Había una buena posibilidad de que la respuesta fuera sí.

Lane cogió el teléfono con la línea segura de su laboratorio de fotografía y marcó el número habitual.

—Sí. —Era el saludo de siempre.

—Escucha. Tenemos un problema —dijo Lane, sin más—. Ya sabes cómo es mi padre. Está muy pendiente de esta investigación sobre un asesinato. Y el nombre de Hayek aparece por todas partes. —De manera breve y sin emoción, repitió la diatriba de Monty—. Como puedes ver, no piensa dejarlo. Eso sólo puede acabar causándonos problemas a todos. Así que te sugiero algo. Ponte en contacto con Hayek. Hazle tres preguntas específicas. Y dame las respuestas. Si cuadran, mi padre se dará por satisfecho y no volverás a saber de mí a propósito de este caso.

Siguió un silencio, roto al cabo de un rato por la voz.

—Tu padre no hace más que fastidiar. No te prometo nada. Dime las preguntas.

—¿Dónde estaba Hayek el veinticuatro de diciembre de 1989, entre las siete y las nueve de la noche? Antes de esa fecha, ¿le entregó alguna vez a alguien una Walter PPK? ¿Y contrató a alguien para entrar en casa de Morgan Winter la noche del pasado miércoles y para atacar a mi padre en la autopista dos noches después?

—Hayek no confesará haber cometido un asesinato. Y nosotros no se lo pediremos.

—No creo que llegue a eso. Creo que tendrá una coartada. Y creo que la recordará. Si no la recuerda, el problema será nuestro. Y si resulta que es culpable de cualquier cosa que no sea asesinato, le daréis inmunidad. Es vuestro contacto. Vosotros lo necesitáis, mi padre no. Él sólo necesita la información que posee Hayek. Creedme, Monty sólo quiere al asesino. Ayudadme a atraparlo. Vosotros podéis quedaros lo que queríais y yo os deberé una.

Siguió otra larga pausa.

—Ya te diré algo.

Clic.

Aquello había sido hacía horas. Maldita sea, cómo deseaba tener esas respuestas.

Agobiado por la frustración de la espera, Lane decidió concentrarse en tareas más productivas.

Miró en su pantalla los negativos digitalizados de la fiesta de Navidad en casa de los Kellerman. Era el momento de centrarse en esas fotos; le daría a su mente un descanso de las de la escena del crimen esperando que un pequeño espacio le brindara una nueva perspectiva.

Ahora que sabía que Arthur había llevado dos camisas durante la noche, se concentró en observar ese detalle. Era fácil ver la diferencia entre las fotos de antes y después, ya que había un orden en la secuencia. En la mayoría de las imágenes en que Arthur estaba presente, llevaba puesta la segunda camisa. Aquello apoyaba su declaración de que el inoportuno cambio de camisa se había producido a horas tempranas de la noche.

Volvió a las primeras fotos, donde Arthur salía con la primera camisa, y se concentró en los Winter y los Kellerman juntos. Una vez más, le llamó la atención el nivel de tensión que transmitía su lenguaje corporal. Ahí ocurría algo, era muy visible, una especie de sentimiento de contrariedad entre «amigos».

Volvió su atención a la imagen siguiente, la primera en que aparecía Arthur después del cambio de camisa. Era una foto de Elyse y Arthur, de pie solos frente a las anchas ventanas, con sus copas de champán en alto y brindando. A juzgar por las copas llenas y su actitud entusiasmada, Lane podría creer que era el primer brindis de la noche. Tenía sentido, tanto secuencialmente como en contraste con la versión de Arthur. El momento del champán era tal como él lo había descrito. Camisa nueva. El brazo alrededor del hombro de su mujer. El político invitado de honor y su encantadora mujer. La mano de Arthur mostraba un color rojo invierno, una clara señal de que había estado en el exterior. Sus mejillas sonrosadas lo confirmaban, al igual que su pelo despeinado por el viento. Era evidente que acababa de volver de su misteriosa excursión.

Detrás de la feliz pareja, Lane advirtió lo que parecía ser un reflejo en la ventana, un objeto alto, estrecho, con textura de madera. Frunciendo el ceño, concentrado, sometió el objeto a un ligero retoque.

Era un reloj de pie.

Lane amplió rápidamente el reflejo del reloj. Luego invirtió la imagen y ajustó los tonos oscuros y los relieves hasta que vio con toda claridad hacia dónde apuntaban las manecillas.

Las ocho y cuarenta y cinco. Una hora y media después de que Arthur había supuestamente regresado a la fiesta.

Durante un rato largo, Lane permaneció reclinado en la silla, reflexionando sobre la importancia de lo que veía. No era una prueba irrefutable, pero sí un paso importante en esa dirección.

Esperaba que Monty llamara.

Más importante aún, esperaba que Morgan llamara, que le hiciera saber que estaba bien. La idea de que anduviera con Arthur Shore, aunque Jill y Elyse estuvieran presentes, lo iba poniendo cada vez más nervioso.

El teléfono lo sobresaltó con su timbre estridente. Pero no era su móvil sino su línea segura.

Lo cogió enseguida.

—Montgomery.

—Hayek estaba en Las Vegas la noche de Navidad de 1989, compartiendo los días de fiesta con una señorita amiga —le informó su contacto—. Estuvo ahí desde el veinte de diciembre hasta el día después de Año Nuevo. Nuestros registros de vigilancia lo han confirmado. Así que olvídate de los homicidios. No sólo no los cometió él, ni siquiera sabía de qué diablos hablaba.

—Vale.

—Sólo compró una Walther PPK, y eso fue hace unos treinta y tantos años. La compró para su jefe, para protegerlo de una serie de robos en el barrio. Además, no tiene manera de saber si alguien la tomó prestada o no. Y sí, tuvo que ocuparse de dar un par de sustos recientes, uno en la casa que mencionaste y el otro en la autopista de Taconic, pero sólo porque lo presionaron para que lo hiciera. Al parecer, le advirtieron que su estatus de activo en la CIA podía cambiar de la noche a la mañana y convertirse en pasivo. Supongo que es una amenaza fácil cuando eres congresista con amigos en las altas esferas. Amigos como el director de la CIA.

—Ya. —Lane había oído todo lo que se había dicho y lo no dicho—. ¿Puedo hacer uso de esta información?

—No. Es sólo para orientar a ese insoportable de tu padre en la dirección correcta. Dile que tiene sus respuestas. Dile que nos deje en paz y se dedique a buscar a su asesino.

—Se lo diré.

—Este asunto queda permanentemente cerrado a partir de ahora.

Monty llevó a Karly a casa pensando en prepararla para lo que podía ocurrir a partir de ese momento y para lidiar con la prensa cuando los reporteros entendieran de qué iba aquel asunto.

Ella bajó de su coche después de intercambiar con él la promesa de mantenerse informados el uno al otro en cuanto se enteraran de cualquier cosa. Tenía los ojos llenos de lágrimas cuando le dio las gracias. Luego cogió su bolso, bajó del coche y entró en el vestíbulo de su encantador apartamento en el Upper East Side.

Monty se alejó del edificio, se acercó a la próxima boca de incendios y detuvo el coche. Necesitaba un poco de tiempo a solas para pensar. Tenía la cabeza llena de cosas relacionadas con lo ocurrido durante el día. Quizá la crisis de Karly Fontaine estuviera a punto de resolverse, pero las ramificaciones de lo que Monty había sabido ese día había lanzado su investigación sobre los homicidios de los Winter por buen camino.

Arthur Shore era todo un caso. Había estado en su despacho en un noventa por ciento como político y en un diez por ciento como ser humano, mientras veía que su mundo se tambaleaba, y luchado para enmendarlo. El diez por ciento era aquella parte diminuta y redimible de Shore que se preocupaba por la familia, la parte que había criado a Morgan como su propia hija y ahora quería salvar la vida de un hijo de cuya existencia ni sospechaba. Desde luego, no estaba nada de mal pensar que aquellas acciones se convertirían en un resorte de su popularidad. Se mirara como se mirara, Shore iba a ganar mucho desempeñando el papel de héroe.

¿Y lo ocurrido hacía diecisiete años? En aquel entonces, lo habría tenido crudo, hiciera lo que hiciera. Nada bueno habría resultado del embarazo de Karly. Y con una familia joven y una carrera que empezaba a despegar hacia las estrellas, su vida se habría convertido en humo si Lara y Jack le hubieran dicho lo que pensaban.

Era todo un motivo para silenciarlos.

Monty se frotó la nuca, sin saber bien qué hacer a continuación. Estaba a sólo un kilómetro y medio de casa de Lane. Debería ir a verlo, hablar con él. Sabía que su hijo estaba en ascuas. No podía reprochárselo. Lane no tenía ni idea de lo que estaba ocurriendo. Él, al contrario, sí. Pero no tenía libertad para revelar los detalles. Era de esperar que Morgan solucionara ese problema por él, y que lo hiciera pronto.

Así que iba a dejar pasar el tiempo. Lo cual era un fastidio, no sólo para Lane, sino también para él. Estaba ansioso por seguir adelante con la investigación y hacer avanzar el proceso, armado con la información recién adquirida sobre Arthur. Pero no podía hacerlo, no sin antes darle a Lane una explicación que no estaba autorizado a dar.

Le gustara o no, tenía las manos atadas.

Sonó su teléfono móvil.

Se había acabado lo de dejar pasar el tiempo. Era Lane.

Encendió el móvil.

—Hola, recibí tu mensaje.

—Entonces, ¿por qué no respondiste? ¿O por qué no contestaste para empezar?

—Estaba en una reunión. Apagué el teléfono.

—Genial. Tengo que hablar contigo.

—Lo sé. —Monty carraspeó—. Basándome en lo que está ocurriendo por estos lados, no me sorprende que Arthur haya pasado a buscar a Morgan para una reunión familiar. No hay de qué preocuparse.

—¿Puedes ser un poco más concreto?

—No, pero seguro que Morgan sí que podrá. ¿Has sabido algo de ella?

—Por fin, sí. O'Hara la traerá aquí en diez minutos.

—Bien.

—No es la única razón por la que llamo. —No había que ser un genio para darse cuenta de que Lane estaba irritado con la críptica respuesta de su padre—. He hecho esa llamada que me pediste, y he ejercido un poco de presión. Tengo tus respuestas, y algo más. También he encontrado algo en una de las fotos de la fiesta que contradice la hora en que Arthur dice haber salido.

Monty ya había puesto el coche en marcha.

—Llegaré enseguida.

—No, no vengas. —Las palabras de Lane lo detuvieron en seco—. Necesito un momento a solas con Morgan. Ella y yo tenemos que hablar. Ya sé que no entra en tus planes, pero sí en los míos. Así es la vida. Tú me implicaste en esta investigación. Y ahora estoy implicado, y mucho más de lo que me esperaba. Así que esta vez lo haremos como yo digo. Necesito una hora, quizá dos. Entonces te llamaré y podrás venir.

Era imposible no comprenderlo. Todo estaba claro. También había una dosis de frustración.

—Te entiendo. Pero estoy a un kilómetro de tu casa y...

—Tengo una pista de la que puedes ocuparte durante ese rato. Llama a Lenny Shore. Tómate un café con él. Averigua dónde ha ido a parar el arma que él guardaba en la tienda, y hace cuánto tiempo que desapareció.

—¿Qué arma?

—Ése es el algo más del que te hablaba. ¿Recuerdas aquel individuo que querías que investigara más detenidamente? —Lane mantuvo la referencia deliberadamente vaga.

—Sí. —Monty captó el mensaje y la referencia a Hayek sin problemas.

—Al parecer, hace unos treinta años le hizo un regalo a su jefe. Un regalo destinado a mantener a salvo a un aficionado de 007. Una Walther PPK.

—Jooder —dijo Monty, tragando aire.

—Ya te daré toda la información más tarde, cara a cara. Entretanto, sería interesante saber si alguien tomó el arma «prestada». Y si así fue, ¿por qué Lenny no lo denunció?

—Piensa en quién se la regaló. Si el arma estaba quemada, es probable que Lenny no quisiera meter a su empleado en problemas.

—Tiene sentido —convino Lane—. Por cierto, sabes que no podemos usar esta información... no oficialmente.

—Ya me lo suponía. Sin embargo, nos conduce a otras cosas que sí podemos usar. Lo llamaré ahora. Puede que todavía esté en el restaurante, limpiando.

—Vale. Y, entre tanto, yo me ocuparé de mis cosas. —Lane hizo una pausa—. Monty, no pienses ni por un momento que yo no quiero dar con el verdadero asesino tanto como tú. Pero para mí esto ya no es sólo un caso. Ya no.

—Te entiendo. Quizá sea mejor de lo que te piensas —dijo Monty, apenas sonriendo. Lane era un digno hijo de su padre. Había luchado ferozmente por seguir soltero. Ahora sería una feroz pareja—. Haz lo tuyo, chico temerario. Buena suerte. Esperaré tu llamada. —Siguió una risa apagada—. Si acabo con Lenny antes de que tú me llames, aprovecharé para llamar a tu madre. Esta noticia le iluminará el día.

—Seguro. Hasta luego, Monty.

—Sí, hasta ahora. Y, ¿Lane? Buen trabajo.

Monty puso fin a la llamada, buscó entre las cosas de su coche hasta encontrar un viejo menú del local de Lenny, con el número de teléfono y los horarios de atención al cliente. Domingo por la noche, abierto hasta las ocho. Era un poco más tarde. Seguro que Lenny todavía estaría ahí.

Mientras miraba el menú, Monty se dio cuenta del giro inesperado. La Walther PPK nunca había tenido sentido. De pronto eso cambiaba. Y si Lane tenía razón, la balanza en contra de Arthur se inclinaba aún otro poco más.

Capítulo 33

Morgan tenía la cara pálida como una hoja de papel cuando subió a toda prisa las escaleras de la casa de Lane.

Éste, que la esperaba yendo de un lado a otro del salón, abrió la puerta antes de que ella llegara. Le hizo una seña a O'Hara para decirle que todo iba bien mientras la dejaba entrar, y luego cerró la puerta.

Morgan pasó deprisa a su lado, y todo en ella transmitía agobio e indignación, hasta que se detuvo en el salón, de espaldas a él.

—¿Morgan? —Lane se acercó, la cogió por los hombros y la hizo girarse para que lo mirara.

Con una mirada de dolor, ella lo escudriñó.

—¿Tú lo sabías?

—¿Sabía qué?

—¿Que Karly era Janice? ¿Que Arthur era su amante? ¿Y que su hijo es Jonah?

Lane la miró, sorprendido.

—¿Jonah es hijo de Arthur?

—Así es. —Su mirada se suavizó—. ¿De verdad no lo sabías?

—No tenía ni idea. —Lane empezó a pensar a toda prisa—. Pero ahora entiendo por qué Monty se mostraba tan reservado por teléfono. Debe saberlo. Y quería que me lo contaras tú.

—Ya lo creo que lo sabe. —Morgan le contó a Lane lo de la reunión celebrada en el despacho de Monty—. Según Arthur, Karly contrató a tu padre para asegurarse de que cumpliera con una obligación que habría cumplido de todas maneras si hubiera sabido que Jonah era su hijo.

—Suena muy conmovedor.

—Sí. —Morgan tenía los puños apretados—. ¿Sabes lo que he tenido que controlarme mientras escuchaba a Arthur pintándose como si él fuera la víctima de todo esto? ¿Recuerdas que leí las anotaciones en el diario de mi madre? Sé lo que de verdad ocurrió entre él y Janice… *Karly*. Sé la edad que tenía, cuánto deseaba tener el hijo y cuánto quería a su padre, y lo miserable que se sintió cuando el hombre que quería la chantajeó para que abortara y abandonara la ciudad. Toda la historia me pone enferma.

Lane llevó a Morgan hasta el sofá y la hizo sentarse mientras la tranquilizaba. Después, le sirvió una copa de vino y se la acercó.

—Toma, esto te hará bien —dijo, y le pasó la copa—. ¿Qué puedo hacer yo?

Morgan alzó la cabeza y lo miró.

—Lo estás haciendo —dijo —con lágrimas en los ojos—. Vi a Elyse derrumbarse ante mis ojos. Ha sido desgarrador. Pero ¿sabes una cosa? Creo que sabía de la existencia de Karly, como ha sabido, o sabe, lo de todas esas mujeres. Apenas si se inmutó durante esa parte de su gran confesión. Pero se derrumbó cuando anunció que tenía un hijo, y que era Jonah.

—¿Y qué pasó con Jill? ¿Cómo se lo ha tomado ella?

—Jill es asombrosa. Escuchó a su padre muy tranquila mientras hablaba. Reprimiendo las lágrimas. Sin embargo, los únicos que le importaban eran Elyse y Jonah. ¿Sabes que llegó a interrumpir la conversación para llamar al hospital y enterarse de cómo se encontraba Jonah? Es como si ya sintiera un vínculo y una responsabilidad con él. Es evidente que no ha salido al padre. —Había un dejo de amargura en el tono de Morgan, y guardó silencio un momento, haciendo un esfuerzo para hablar—. En cualquier caso, creo que se sentirá aliviada cuando se sepa toda la verdad. Entonces podrá realmente buscarlo, conocer a su hermanastro. Jill es así. Tiene el corazón más generoso que haya conocido. Y, ahora mismo, es un corazón que sufre por su madre.

—Eso lo entiendo.

—Y yo. —Morgan se llevó la copa a los labios con mano temblorosa—. Gracias por el vino —murmuró, y tomó un trago—. Cuánto necesitaba esto.

—Has tenido unas cuantas horas muy duras —dijo Lane, y se sentó junto a ella en el sofá. La rodeó con un brazo y le hizo apoyar la cabeza en su hombro, mientras le pasaba la mano por el pelo con lentas caricias.

—Decir duras se queda corto —murmuró Morgan—. Me siento como si estuviera en la dimensión desconocida. Y todavía es temprano. Tengo que llamar a Karly y pedirle que me llame en cuanto se sienta capaz de hacerlo. Y Jill está a la espera de saber los resultados de la prueba de compatibilidad y decírmelo en cuanto lo sepa.

—He llamado al hospital unos cinco minutos antes de que tú llegaras —le informó Lane—. Jonah aguanta. No está en gran forma, pero tampoco ha empeorado.

—Ya se han tomado medidas para remediar eso. La prueba de sangre de Arthur ya está en camino. Deberíamos saber algo pronto. —Morgan dejó la copa de vino, se quitó las botas y se acurrucó apoyando la mejilla en el jersey de Lane—. Me siento como si hubiera subido a una montaña rusa que no acabará nunca, y experimentara una caída tras otra.

—Sólo lo sientes así porque todavía está en marcha. Pero se detendrá. Tú te bajarás. Y las cosas volverán a su cauce.

—Puede que con el tiempo. Pero todavía no. —Morgan se giró y miró a Lane fijamente a los ojos—. Ha llegado la hora de la verdad. Tú estás enterado de casi todo lo que sabe Monty. Yo necesito respuestas. ¿Hay más pruebas que vinculen a Arthur con el asesinato de mis padres?

Era el momento que Lane había temido. Sabía que vendría. Y detestaba pensar en el efecto que tendrían sus respuestas en Morgan. Pero no le mentiría. Ya le habían mentido demasiado.

—Sí —respondió—. Las hay. Demasiadas, para mi gusto. En este momento, sé algunas cosas que Monty no sabe, y sospecho que al revés sucede lo mismo. Él vendrá más tarde, y reuniremos nuestra información. Pero aunque no combináramos los hechos que conocemos, para mí hay demasiado humo como para no pensar que hay fuego.

Morgan apretó las mandíbulas con un gesto de entereza.

—Cuéntamelo todo.

—La noche en que mataron a tus padres Arthur se ausentó durante un rato de la fiesta de los Kellerman —dijo Lane, con voz queda—. La mujer con que había estado, el nombre que Arthur le dio a Monty, lleva siete años muerta, así que no puede corroborar su historia. Y, para empeorar las cosas, las horas que dice haberse ausentado no coinciden con lo que he observado en las fotos ampliadas.

—¿Qué has observado?

Lane le explicó lo del reflejo en el reloj de pared y la contradicción que representaba.

—De modo que, si estás en lo cierto, Arthur no tiene una coartada para la hora de los asesinatos.

—A eso se reduce.

Morgan tragó con dificultad.

—¿Qué más? —inquirió.

Lane tenía que andarse con cuidado debido al carácter restringido de sus proyectos y sus fuentes.

—A lo largo de los años, he tenido oportunidad de llevar a cabo tareas fotográficas secretas. Esta noche he hecho una llamada estratégica a uno de mis clientes relacionado con esas tareas, y he obtenido algunas respuestas no oficiales.

—¿No oficiales? —preguntó Morgan, frunciendo el ceño—. ¿Qué significa eso?

—Significa que tengo fe en mis fuentes.

Ella se lo quedó mirando un momento, y luego asintió con la cabeza.

—De acuerdo. ¿Qué respuestas te ha dado tu fuente?

—Que Arthur tiró de los hilos para llevar a cabo la intrusión en tu casa y el asalto contra Monty en la autopista. Le pidió unos cuantos favores a alguien que podía encargarse de las dos cosas, y del atropello, que, intuyo, ha sido una maniobra de amedrentamiento que salió mal.

—Intentaba asustarme lo bastante como para que pusiera fin a la investigación.

—Exactamente.

—Arthur no ha dejado de decirme que lo deje estar. Desde luego, dice que es porque se preocupa por mi estado de ánimo. Pero, si tú estás en lo cierto, lo único que le preocupa es su propio culo —dijo Morgan, pasándose una mano por el pelo con gesto nervioso—. Dejémonos de rodeos. Tú no crees que Arthur está relacionado con los asesinatos sólo tangencialmente. ¿Crees que fue un participante activo?

—Creo que hay una información más que deberías saber. Hace treinta años, uno de los empleados de Lenny le regaló un arma para que se sintiera protegido en la tienda. Era una Walther PPK.

Morgan palideció.

—Es el tipo de arma que mató a mis padres.

—Sí.

—Dios mío. —Morgan se tapó la cara con ambas manos—. Esto se pone cada vez peor.

—El problema es que todo es circunstancial —dijo Lane, y guardó silencio—. Seguimos necesitando un motivo concreto. Faltan piezas. La pregunta es cuántas de esas piezas nos puede proporcionar Monty, y cuánto ha sabido, confidencialmente, de Barbara.

Antes de que Morgan pudiera replicar, sonó su móvil. Lo cogió enseguida.

—¿Hola?

—Morgan. Soy Karly. —Su voz sonaba lejos, y había un ruido de fondo de voces, mezclado con un ruido de megafonía más lejano—. Estoy en el hospital. Han hecho las pruebas y la sangre de Jonah y la de su padre son perfectamente compatibles. Le harán una transfusión antes de una hora. —Su voz sonaba apagada, aunque agradecida y aliviada; transmitía algo muy parecido a lo que sentía Morgan.

—Gracias a Dios —dijo ésta—. ¿Jonah se encuentra bien?

—Ahora se pondrá bien. —Karly vaciló—. He recibido tu mensaje. No quería que pensaras que te esquivaba. Pero los Vaughn han decidido que vea a Jonah después de la transfusión. Y yo no podía dejar pasar...

—Claro que no. Tienes que estar allí. Lo entiendo. —Morgan se inclinó hacia delante—. Karly, podemos hablar más tarde. Pero, dime una cosa. ¿Mi madre lo sabía... todo?

—Lo sabía todo y conocía a todos los que estaban implicados —confirmó Karly—. Yo misma no tenía ni idea de ello. Ella lo sabía. Tu padre lo sabía. Lo que hicieron... eso no lo sé. Habla con el detective Montgomery. Dile que tiene mi autorización para compartir contigo lo que sea necesario. Es de esperar que eso baste para darte respuestas. Después, cuando le hayan hecho un recuento de plaquetas a Jonah, y él y yo hayamos tenido una oportunidad para hablar, me sentaré contigo y te daré todos los detalles. Quizá si comparto contigo mi experiencia con Lara pueda aportarte un poco de paz, quizás incluso un poco de alegría —dijo, y siguió una pausa—. Tu madre era una persona excelente. Deberías estar orgullosa.

—Lo estoy. Gracias, Karly. Y espero que tengas una maravillosa primera conversación con tu hijo.

Morgan apagó el móvil y miró a Lane.

—Estamos un paso más cerca de encontrar un motivo —observó—. Mi madre conocía la identidad del hombre con quien estaba Karly —dijo, con un suspiro pesado—. La buena noticia es que Jonah tendrá una transfusión. La sangre de Arthur coincide. Ojalá que sea un gran primer paso hacia la recuperación total. Karly también ha dicho que deberíamos preguntarle a tu padre lo que consideremos necesario. Eso significa que Monty se reunió con ella en algún momento y que ella le ayudó a rellenar algunos vacíos. Así que quizá si todos pensamos juntos... —Morgan se interrumpió y sacudió la cabeza, incrédula—. Todavía no puedo creer lo que estoy diciendo. La idea de que Arthur matara a mis padres... Me siento desgarrada entre la negación y el asombro. Paralizada.

—Reunamos todas las pruebas. Eso te ayudará a aclararte con tus sentimientos. Y no tendrás que hacerlo sola —le aseguró Lane.

Ella asintió con un gesto de la cabeza.

—¿Cuándo vendrá Monty?

—De aquí a un rato. Está hablando con Lenny a propósito del arma. Además, le he pedido que no venga todavía. Tú y yo necesitamos un rato para hablar... a solas.

Morgan no fingió que no le entendía.

—Tienes razón. Lo necesitamos.

—No me refiero sólo al caso.

—Lo sé. —Morgan forzó una sonrisa, intentado suavizar la situación—. Quizá debería darte un formulario de clientes de Winshore para que lo rellenes con tu perfil. Así podremos ver si somos compatibles.

—No necesito comparar perfiles para eso.

—Ése es el problema, que probablemente no lo necesites... no para el tipo de relación al que estás acostumbrado...

—¿Qué te hace pensar que ése es el tipo de relación que quiero ahora?

—No estoy segura de nada... salvo que se necesita mucho más que la pasión y que una atracción inexplicable, por muy poderosa que sea, para construir algo sólido y real.

—Estoy de acuerdo.

Morgan tragó con dificultad.

—Han pasado menos de dos semanas.

—Algunas cosas ocurren muy rápidamente. Y son duras. Eso no las hace menos reales. Ni siquiera tu agencia de parejas puede explicar las emociones humanas.

—No me lo pones nada fácil.

—No es mi intención...

—Lane... —Morgan quería hablar de los obstáculos tangibles y reales que les esperaban—. Hay tantas cosas acerca de ti que no sé.

—Me parece justo. Mi color preferido solía ser el azul. Ahora es el verde. Nunca he visto nada tan asombroso como el color de tus ojos. Mi comida preferida es una hamburguesa gorda y jugosa, poco hecha, algo que me parece que ya has adivinado. Mi ciudad preferida es Nueva York. Cada vez que estoy lejos, la aprecio más. Mi fiesta preferida es Navidad. Me reúno con la familia y estar en la granja de caballos de mi cuñado es como estar en el cielo. Mis hermanas son mi punto débil. Mataría por ellas. Mi...

—Para. —Morgan lo detuvo con gesto silencioso—. No me refería a eso. Me refería a ti, al ser humano total por debajo de la atractiva apariencia.

—Atractivo está bien —dijo Lane, y le lanzó una mirada pícara, aunque en sus ojos había un fondo de seriedad—. ¿Tienes preguntas? Adelante.

—¿Por dónde comenzar? ¿Por tu independencia, tus ganas de experiencias emocionantes y de aventuras, tu pasión por los viajes?

—Ésos son rasgos de la personalidad, no son ningún secreto.

—Rasgos de la personalidad que influyen en tu visión de la vida, y en tu manera de vivirla.

—Tienes razón. Pero hay muchas maneras de lidiar con las emociones y la aventura.

—¿Qué te parece la independencia y la pasión por los viajes?

—Ésas surgen cuando hay razones para irse. Y se desvanecen cuando hay razones para quedarse.

Morgan hacía lo posible por llegar hasta el fondo y no derrumbarse antes.

—De acuerdo. Veamos esto de las muchas maneras de lidiar con la emoción y la aventura. Ya es bastante arriesgado saltar desde un avión, hacer reportajes que te llevan a países en guerra o al corazón de desastres naturales, además de que es probable que tengas la intención de subir al Everest en tiempo récord para ocupar un lugar en el Guinness de los Records. No he olvidado lo que has dicho antes. Clientes de alta seguridad, llamadas telefónicas estratégicas, misiones fotográficas de las que, por lo visto, no puedes hablar. ¿Para quién más trabajas, además de *Time*? ¿Para el FBI? ¿La CIA? ¿El Departamento de Seguridad Nacional?

Lane guardó silencio un momento.

—Dios mío. Es verdad que trabajas para ellos —dijo Morgan, mirándolo fijamente.

—Trabajaba —corrigió Lane—. Empezaba a perder su atractivo mucho antes de conocerte. Todo ello, la vida de trotamundos, el trabajo de campo siete días a la semana, sin parar, y, sí, darme cuenta de que la vida es breve y que yo no estaré para siempre. En cuanto al carácter de las tareas, baste decir que son información reservada. Es la mejor respuesta que puedo darte. Y no porque te oculte nada, sino porque, al igual que tú, respeto la confidencialidad de mis clientes.

—Vaya —dijo Morgan, con un suspiro brusco—. No paro de descubrir nuevas facetas en la vida del temerario Lane Montgomery. ¿Hay algún riesgo que no hayas corrido?

—En realidad... sí. Uno muy grande —dijo Lane. Se inclinó hacia delante y le cogió la cara con las dos manos—. No he reconocido que estoy enamorado de ti. Pues, lo estoy. Enamorado de pies a cabeza, un amor de los que sólo vemos en las películas, de los que uno se pregunta qué-diablos-hago-aquí-enamorado. Y, debido a la inquisición a la que me sometes, a tu propio pasado emocional y a mi falta total de experiencia con el sentimiento que experimento, estoy desorientado. Además, pensando en las ganas que tengo de todo esto, estoy aterrado. ¿Te parece lo bastante vulnerable?

—Sí... No. Yo... —Unas lágrimas brillaron en las pestañas de Morgan—. No eres tan vulnerable ni estás tan aterrado como yo. Yo siento que camino por la cuerda floja, sin red de seguridad, y es como si no pudiera detenerme. Siento que caigo.

—Yo te cogeré. —Lane le secó las lágrimas con el pulgar—. Sólo dime que me quieres.

—Te amo. Irracionalmente, pero indiscutiblemente. —Morgan cerró los ojos con fuerza—. Tengo que estar loca.

—Para dicha mía. —Lane se inclinó y la besó.

—Tenemos que hablar de tantas cosas.

—Y todo el tiempo del mundo para hacerlo. —Lane esperó hasta sentir su respuesta física, sus labios que se volvían suaves y se abrían al contacto con los suyos. Hasta que la sentó en sus rodillas y el beso se hizo más profundo.

—A la larga, quizá. —Morgan sonrió junto a su boca, mientras le echaba los brazos al cuello y lo apretaba—. Pero, en este momento, tenemos menos de una hora. Monty vendrá más tarde, ¿recuerdas?

—Demasiado bien. —Lane se echó hacia atrás, le levantó el mentón y las miradas se encontraron—. Esto lo trasladaremos a la habitación más tarde. Pero, por ahora, para que los dos sepamos dónde nos situamos, lo que tenemos es real. También es para siempre. No pienso dejarte ir.

—A mí me suena como una certeza —murmuró ella—. Creía que estábamos de acuerdo en que la vida es breve, y que la seguridad nunca está garantizada.

—Acabamos de cambiar de parecer.

Lenny abrió la puerta de la tienda y dejó entrar a Monty. Aún llevaba puesto el delantal y, por lo visto, no había acabado de ordenar el local.

Con un gesto, invitó a Monty a que se sentara a la barra. Con la fuerza de la costumbre, le sirvió un café y una porción de tarta de miel. Luego dio la vuelta por el otro lado, se sentó frente a él y, con un ademán, le indicó que comiera.

Monty obedeció, mientras observaba la actitud de Lenny, preguntándose si era posible que el viejo albergara la sospecha de que le había pedido que se vieran para luego venir armado de preguntas con que incriminar a su hijo. Desde luego, no era el de siempre. Estaba visiblemente irritado y serio, y con gesto nervioso no paraba de girarse el anillo en el dedo.

—Estoy preocupado por mi hijo, Monty —dijo—. Esta noche me ha contado cosas que me han dejado completamente sorprendido. Supongo que por eso querías verme.

De modo que eso explicaba la actitud nerviosa de Lenny. Al parecer, Arthur había encontrado tiempo para hablar con papá. Monty ignoraba por completo qué le habría explicado el congresista, pero en caso de que hubiera hecho alguna gran confesión a su padre, ésa no era la manera de contarlo. Si Lenny se lo contaba todo sin que estuviera presente un abogado, el abogado del propio Arthur encontraría una manera de que se descartara esa información, o fuera declarada testimonio de oídas.

—Lenny, no sé qué te habrá contado Arthur, pero no deberías contármelo, no si no estás adecuadamente representado. Quizá debieras llamar a un abogado.

Lenny parpadeó.

—¿Un abogado? ¿Para qué necesitaría un abogado? Se trata de algo personal. No pienso demandar a nadie. Además, si necesito un abogado, tengo a Arthur. Es licenciado por la Universiadad de Columbia, ¿recuerdas? Y antes, por Yale.

—Lo recuerdo —dijo Monty, con un gesto que delataba su confusión—. Vale, me he perdido. ¿Por qué crees que he venido?

—Por Jonah. —Lenny se quedó mirando la carnelia engastada en su anillo y, con el dedo, siguió la línea que trazaba la letra «L»—. Arthur me acaba de decir que Jonah es mi nieto. También me contó que tú estabas presente cuando él lo supo por esa mujer.

—Es verdad. Pero lo que ocurra a partir de ahora no es asunto mío. Desde luego, no es el motivo por el que quería verte. —Monty decidió beber el café, qué se le iba a hacer—. Además, Jonah ya tiene una pareja de padres excelentes. Una vez que se haya repuesto, las cosas volverán a ser como antes.

—Es más complicado. El chico en cuestión no es simplemente un rostro anónimo. Es Jonah. Yo lo conozco. Trabaja para mí. Acabo de visitarlo en el hospital. Yo... —Lenny se interrumpió, y Monty vio que tenía los ojos humedecidos por las lágrimas—. Pertenece a mi propia sangre.

—Estoy seguro de que ha sido un golpe muy fuerte. —Monty no podía dejar de sentir cierta simpatía—. ¿Cuándo has hablado con Arthur?

—Hace unos minutos. Acababa de contárselo a Elyse y a las chicas. Alguien fue al apartamento a extraerle a Arthur una muestra de sangre. Jill intentaba tranquilizar a su madre. Para Morgan también ha sido una experiencia dura. Arthur dijo que se había marchado a casa de Lane.

Monty añadió mentalmente media hora más antes de aparecer por casa de Lane, con quien tenía muchas cosas que hablar.

—Lo siento —dijo—. Supongo que habrá sido impactante para todas. Pero son mujeres fuertes. Sabrán resistir.

—No tendrán alternativa. Arthur es un hombre importante, un congresista poderoso a punto de presentar un proyecto de ley de gran calado. Esos indeseables de la prensa lo persiguen como locos para derribarlo. Te aseguro que esta noticia se sabrá. Por eso me ha llamado enseguida. Quería que me enterara directamente por él.

—Eso lo entiendo.

—Todavía estoy atontado por la noticia. Tengo que ir a casa y contárselo a Rhoda. No sé cómo nos lo tomaremos ninguno de los dos. Pero eso es problema nuestro. Haremos lo que sea necesario para apoyar a nuestro hijo. Es un gran hombre destinado a grandes cosas. Y ahora, además de la familia maravillosa que tiene, tendrá un hijo en su vida… —Lenny se aclaró la garganta—. En fin, no sé por qué querías verme. Pero me alegro de que hayas venido. Porque tengo que decirte unas cuantas cosas.

—De acuerdo. Adelante.

—Tú y yo nos conocemos desde hace tiempo, Monty. Hemos compartido muchas historias y fotos familiares, hitos importantes en la vida de nuestros hijos. Eres un buen padre y sé lo que tus hijos significan para ti. Verás, el mío significa exactamente lo mismo para mí. Así que, por favor, deja de hacerle esto.

Monty se lo quedó mirando. Era evidente que Arthur le había contado a Lenny un atado de mentiras que lo pintaban a él como el héroe y a Monty como el villano.

Tendría que irse con cuidado. Para Rhoda y Lenny, Arthur era el sol, la luna y las estrellas. Monty no podía empañar esa imagen si pretendía tener a Lenny a favor suyo y conseguir la información que había venido a buscar.

—Te respeto mucho, Lenny —dijo—. Como hombre y como padre. No pretendo causarte ningún tipo de malestar. Pero, francamente, no tengo ni idea de qué me hablas. ¿Qué crees que le estoy haciendo a Arthur?

—Estás poniendo en peligro todo aquello en lo que él cree. Su carrera, su familia. Estás creyendo más en la palabra de una desconocida que en la suya. Destrozándolo por dentro. Deberías haber oído su voz esta noche. Era como si se estuviera ahogando, te lo juro, Monty, nunca lo había escuchado expresar tanto dolor. No sé cómo te encontró esa mujer, Karly, qué te habrá dicho, ni por qué te has implicado, pero estás siendo demasiado duro con Arthur. Él ha asumido la responsabilidad por su hijo, un hijo que ignoraba tener. Ha hecho lo correcto. Ya ha dado una muestra de sangre, y ahora espera los resultados. Si es médicamente posible, donará sangre para una transfusión. Así que déjalo correr. Cualquiera que sea la presión que estás ejerciendo, para.

Así que ésa era la treta de Arthur. Decirle a su padre que nunca había sabido del embarazo de Karly, y que ella había desvelado todo el escándalo en un momento de crisis. Le había dicho que él, Monty, se había unido a la cruzada de Karly, y que por eso lo estaba poniendo en aprietos.

—Tú me conoces más que eso, Lenny. No me va lo de los escándalos sociales. Nunca amenazaría el futuro político de Arthur ni a su familia a causa de un hijo ilegítimo del que se acaba de enterar. —Monty pisaba con extrema precaución, decidido a impedir que Lenny se volviese en su contra y lo rechazara—. Respeto que haya asumido su responsabilidad por lo de Jonah. Fuera de eso, yo no salgo en la foto. Si Arthur siente que lo presiono, es porque le hice un montón de preguntas. Me he roto el culo intentando resolver el homicidio de los Winter. Y por eso estoy aquí esta noche. No para hablar de Jonah, sino de George Hayek.

—¿George Hayek? —Aquello había dejado completamente descolocado a Lenny—. Ya te he contado todo lo que sé acerca de él. ¿Por qué vuelve a salir su nombre ahora?

—Por la misma razón que salió la primera vez. Tengo pistas importantes que debo seguir. Estoy descartándolas todas, una por una —dijo Monty, y le dio un mordisco a la tarta de miel—. Por ejemplo, ¿Hayek alguna vez te regaló un arma?

Esta vez, Lenny se sobresaltó.

—¿Un… arma?

—Sí, ya sabes, una pistola, un revólver, lo que sea.

—Vale. —Lenny dejó de jugar con su anillo. Cogió un paño húmedo y empezó a limpiar la barra—. Ahora que lo dices, sí. Fue hace tanto tiempo que casi lo había olvidado. Pero es verdad que me regaló un arma. George quería echarme una mano. Había habido una serie de robos en el vecindario. Rhoda estaba hecha un atado de nervios, y yo mismo me quejaba y andaba de mala leche. George empezó a preocuparse, así que me pasó una pistola, por si acaso. Si ahora me preguntas si esa pistola estaba quemada, no tengo ni idea. George sólo…

—No me importa si era un arma quemada —interrumpió Monty—. Me importa qué tipo de arma era. ¿Lo recuerdas?

—Claro. Lenny tenía la mirada fija en la barra que seguía limpiando—. Era una Walther PPK. George sabía que yo era un gran admirador de James Bond. Por eso la eligió. Era un chico muy legal, Monty. No me lo imagino implicado en nada que se parezca a un asesinato…

—Esos asesinatos ocurrieron más de veinte años después de que George trabajara para ti. Es posible que ya no supieras de qué era capaz. Por cierto, ¿qué ocurrió con esa pistola?

—¿Qué?

—¿La Walther? ¿Qué ocurrió con ella?

—Yo… eh, me la robaron. No estoy seguro cuándo. El día que George me la dio, la metí en un cajón y me olvidé de ella. Un día la busqué y había desaparecido.

—¿Un cajón? ¿Qué cajón? ¿Estaba cerrado con llave? ¿Y quién más sabía que la guardabas ahí?

La batería de preguntas de Monty surtieron el efecto deseado. Era evidente que Lenny se había puesto nervioso. Ahora miraba de un lado a otro, buscando una respuesta.

—El cajón de debajo de la caja —dijo finalmente, haciendo un gesto en esa dirección—. La guardaba ahí con los billetes gordos, billetes de cien dólares. Normalmente, cerraba con llave. Supongo que alguna vez me habré olvidado. Cualquiera detrás del mostrador podría haberla visto.

—¿Y que hay de la familia? ¿Rhoda, Arthur? ¿Les contaste que tenías una pistola?

—Lo sabían. Y no les gustaba demasiado.

—No se lo reprocho. Las armas pueden ser peligrosas. Has dicho que un día el arma desapareció. ¿Qué más desapareció?

—El dinero que había en el cajón.

Monty lanzó un silbido.

—Tiene que haber sido mucho dinero en aquella época. ¿Denunciaste el robo a la policía?

—No. Temía que aquello metiera a George en problemas, puesto que él me la había pasado.

—Entonces, ¿George todavía trabajaba para ti cuando te robaron?

—Yo… supongo que sí.

—Hay una manera muy fácil de saberlo. Preguntémosle a Anya.

—¿Qué?

—Anya, tu camarera. Lleva veinte años trabajando para ti. Acabas de decir que cualquiera detrás del mostrador habría podido ver el arma. Y bien, Anya ve todo lo que ocurre aquí dentro. Nada escapa a su ojo de lince. Si había una pistola en ese cajón, ella lo debía saber. También sabrá si la pistola desapareció. Por otro lado, si sustrajeron la pistola cuando Hayek trabajaba aquí, eso habrá sido, pongamos, hace unos treinta y ocho, treinta y nueve años, mucho antes de que llegara Anya. En ese caso, no sabría nada. Así que llamémosla y le preguntamos. Resolverá el misterio y puede que nos ayude a afinar el factor tiempo.

—Supongo que sí. Pero es tarde. Y, la verdad, no quiero implicar a nadie más en esto. —Lenny dejó de pasar el paño por la barra y puso las palmas en la superficie. Se inclinó hacia adelante apoyándose en el mostrador—. Puede que no robaran el arma cuando George trabajaba aquí. Puede que desapareciera después. Mi memoria no es lo que solía ser. Pero sí recuerdo que nunca saqué una licencia de armas, y que no quería problemas con la policía.

—Tiene sentido. —Monty se acabó el café y la porción de tarta—. Entonces, lo dejaremos —dijo, y se incorporó—. Buena suerte con Jonah. Espero que las cosas vayan bien y puedas tener una buena relación con tu nieto.

—Monty —dijo Lenny, cuando éste se giró—. ¿De verdad crees que George tuvo algo que ver con el asesinato de los Winter? ¿Crees que volvió y cogió el arma?

—¿Quieres decir, aquel chico que nunca te robó un céntimo y que te tenía por un segundo padre? —Monty se encogió de hombros—. Si así sucedió, habrá hecho un giro de ciento ochenta grados. O eso o te engañó desde el comienzo. Hay personas que son así. Y son capaces de cualquier cosa.

Capítulo **34**

Monty estaba sentado en un bar, tomando un Michelob, cuando Lane llamó para darle luz verde.

En cinco minutos, había pagado la cuenta, subido al coche y ya volaba hacia la casa de Lane.

Cuando entró, sólo se detuvo el tiempo suficiente para mirar de cerca a Morgan, que estaba sentada en el sofá y bebía una copa de vino.

—¿Estás bien, cariño?

Ella sonrió levemente ante esas palabras inesperadas de afecto.

—No estoy segura. Vuelve a preguntármelo cuando se me haya ido el aturdimiento.

—Eso haré. Pero estarás bien. Fuiste una chica muy valiente. Y ahora eres una mujer más valiente aún. Y ya casi hemos llegado.

Monty se sentó al borde de una silla de cuero y volvió su atención hacia su hijo. Escuchó con atención lo que éste tenía que contarle: la coartada de Hayek, el chantaje del amigo congresista para que se encargara del allanamiento en casa de Morgan y el ataque contra Monty en la autopista, además de la historia de la Walther PPK, y de cómo se le había ocurrido a Lane seguir esa pista.

—Un gran trabajo de detective —dijo Monty—. Eres decididamente hijo mío —añadió a su elogio, y miró hacia el laboratorio fotográfico—. Enséñame la diferencia de tiempo que has observado.

—Siguió a Lane hasta el laboratorio y miró en la pantalla del ordenador mientras Lane le señalaba el reloj, la hora y la piel enrojecida de Arthur y el pelo revuelto por el viento.

—Eso nos da el factor oportunidad —sentenció Monty—. La Walther PPK, nos da el factor medio. En cuanto al motivo... —dijo, vacilante.

—He hablado con Karly —avisó Morgan, que se había acercado hasta la puerta—. Me ha dicho que mi madre sabía que el hombre que la había dejado embarazada era Arthur. Que tenía que autorizarte para que me lo contaras todo.

—De acuerdo. —Monty estaba serio, pero parecía aliviado. Le contó tranquilamente lo de su visita a Healthy Healing y lo que había averiguado, incluyendo lo que Barbara recordaba acerca del dilema que afligía a Lara, y de cómo ésta había respondido.

—Entonces, tanto mi padre como mi madre tenían un dilema moral —dijo Morgan con un murmullo—. Eso explica la tensión que había en casa y las ganas que tenían de sacarme de la fiesta de los Kellerman, en lugar de dejarme jugar un rato con Jill. Lo más probable es que ni siquiera soportaran ver a Arthur. Y, conociéndolos, nunca podrían haber vivido consigo mismos si hubieran guardado silencio. —Morgan alzó el mentón—. Así que ahí tenéis vuestro motivo.

—¿Y qué hay de la Walther PPK? —preguntó Lane—. ¿Lenny te confirmó que fue un regalo de George Hayek?

—Fue más que una confirmación. Se puso nervioso cuando le pregunté por ello. No sabía bien qué decir, y sus explicaciones se contradecían.

—Así que crees que él lo sabía. Y que no era a Hayek a quien protegía, sino a Arthur.

—Creo que Arthur Shore es un tipo sumamente encantador y carismático que tiene una mujer y unos padres que harían lo que fuera por él, incluso encubrir un asesinato. Por eso Elyse se inventó aquella historia de las llamadas por teléfono que no decían nada y lo de la furgoneta. Quería despistarme. También tengo la sospecha de que sabía que Karly, es decir, Carol Fenton, había vuelto a Nueva York. Recordad que Elyse ha tenido a una legión de investigadores privados siguiendo a Arthur durante años. Y me hizo muchas preguntas acerca de Karly cuando hablamos. Creo que le preocupaba que si le daba a Arthur suficientes detalles, éste sabría que su antigua amante estaba en la ciudad.

Morgan ahogó un grito de asombro.

—No creerás que Arthur sabía la verdad, ¿no? ¿Y que por eso el verdadero blanco del atropello era Karly?

—En este caso, no. A juzgar por la cara que puso cuando le dije que Karly era Carol, no creo que tuviera idea de que se encontraba en Nueva York. Creo que fue sólo una coincidencia. En mi opinión, esa táctica de amedrentamiento estaba destinada a ti. Tú habías llegado temprano, Rachel llegaba a la hora, y las descripciones de las dos coinciden. En cuanto a Karly, fue accidental que se encontrara allí. El hecho de que, además, fuera clienta tuya, resultó ser un factor añadido, sobre todo después de la chapuza que hizo el hombre mandado por Hayek. No sólo confundió a Rachel contigo, sino, que además, la atropelló. Dudo que eso fuera lo que Arthur se había propuesto.

—Y ahora ¿qué hacemos? —preguntó Morgan, cruzándose de brazos—. ¿Tenemos suficiente como para una detención?

—No —dijo Lane—. Todo lo que hay es circunstancial. El abogado de Arthur nos lo rebatiría.

—No si hubiera un testigo que situara a Arthur en la escena del crimen —dijo Monty—. Una testigo que lo oyó discutir con Jack y Lara en el sótano del centro de mujeres esa noche. Si tuviéramos eso, Arthur estaría acabado.

Lane se giró en su silla del ordenador.

—¿Dónde diablos has encontrado a ese testigo?

—No lo he encontrado. Pero eso Arthur no lo sabe —dijo Monty, y sacó su teléfono móvil.

—¿A quién llamas? —preguntó Morgan.

—A Karly Fontaine —dijo Monty, con una leve sonrisa—. La fiesta de Winshore es el martes por la noche, ¿no? ¿En el gimnasio de Elyse Shore?

Morgan asintió con la cabeza.

—Vale. —Monty tecleó el número de Karly—. Quiero que esté toda la familia Shore, incluidos a Lenny y Rhoda. Si Karly está de acuerdo en ayudarnos, será una ocasión memorable.

El martes por la noche el aire era frío pero estaba despejado.

La oscuridad había caído y la escarcha brillaba en los árboles cuando la fiesta de Winshore comenzó a la hora convenida.

El gimnasio de Elyse era un escenario brillante y maravilloso, lleno de adornos que Jill había hecho personalmente e insistido en colgar ella misma. Morgan no se había opuesto. Entendía que para su amiga, la creación de ese mundo fantástico tenía virtudes terapéuticas. Escuchar las exclamaciones de la gente y ver su emoción le procuraba a Jill tanta alegría como a ellos.

Todo el mundo estaba sensacional, muchos trajes Armani, primorosos vestidos negros de Nicole Miller y llamativas prendas de Vera Wang, entre las mujeres, y elegantes trajes de Joseph Abboud y de Brioni, entre los hombres. Se escuchaban las risas de los pequeños grupos y de las parejas que empezaban a conocerse, mientras el tintineo de la campana en la puerta anunciaba la llegada de más y más invitados. Los camareros iban y venían por la sala, despejada de todo el material de ejercicios, llevando bandejas de sabrosos canapés y vasos espumosos de ponche de huevo. En un rincón tocaba un cuarteto de cuerda, y con sus bellos temas típicos de la temporada acababan de dar un aire navideño a la fiesta.

Todo iba tal y como lo habían planeado Morgan y Jill.

Sólo que Morgan tenía ganas de vomitar.

Abriéndose paso por la sala, vestida con una pieza de terciopelo negro muy sexy, de Prada, comprada especialmente para la ocasión, se sentía irreal, como si estuviera fuera de sí misma y se observara actuar. Necesitaba hasta la última gota de fuerza que le quedaba para mantener las apariencias, mientras paseaba por la sala y daba la bienvenida a clientes e invitados, charlando de cuestiones intrascendentes y diciéndoles a todos que se divirtieran.

Jill también parecía algo tensa, aunque su natural jovialidad era superior a su tensión. Llevaba un vestido bordado de estilo retro de color azul cielo que giraba con cada uno de sus movimientos, y se paseaba por la sala conversando con todos los invitados y asegurándose de que se divertían.

Por otro lado, lo único que Jill sabía era lo que su padre le había contado unos días antes, y que Jonah había recibido la transfusión y se restablecía favorablemente. Jill suponía que la noticia de la paternidad de Arthur acabaría por salir a la luz pública, después de lo cual tenía la gran esperanza de conocer mejor a su hermanastro.

Elyse y Arthur eran, como de costumbre, la pareja política por excelencia. Con una gruesa capa de maquillaje, Elyse había conseguido ocultar la hinchazón provocada por el llanto y la falta de sueño. Llevaba un deslumbrante traje con falda corta de color marfil, de Valentino, y se paseaba del brazo de Arthur conociendo y saludando a los invitados, como si llevara activado el piloto automático. Lenny y Rhoda también estaban rebosantes de orgullo por los éxitos logrados por su familia. Su hijo era un congresista en ascenso, la empresa de la nieta y la nieta adoptiva celebraba su fiesta, y todos comentaban que el hígado salteado de Rhoda no tenía nada que envidiarle al paté de importación que también se servía esa noche. ¿Cómo superar tantos logros?

Monty todavía no había llegado. Tampoco había llegado Karly, que sabía que su llegada provocaría un aumento de la tensión en Arthur y, por desgracia, en Elyse. Por lo tanto, esperaba el momento preciso de la entrada, siguiendo las instrucciones de Monty.

Morgan se detuvo a coger una copa de ponche y barrió la sala con una mirada, deseando que Lane no tardara en llegar. Éste, que había prometido venir lo más pronto posible, estaba en ese momento ocupado con una de las fotos de la escena del crimen, y quería acabar esa tarea.

Morgan sospechaba que Lane pensaba que era preferible analizar las fotos más crudas cuando ella no estuviera. Quizá tuviera razón. Lo último que necesitaba en ese momento eran más imágenes horribles que exacerbaran sus pesadillas, que habían llegado a adquirir proporciones épicas.

Fuera lo que fuera que Lane analizaba en ese momento, Morgan deseaba que se diera prisa.

Lane estaba enfrascado en su laboratorio, analizando las mismas fotos que lo habían intrigado toda la semana. Eran las primeras ampliaciones hechas de los cuerpos de los Winter. Al principio, se había concentrado en el espacio alrededor de ellos, esperando encontrar detalles en las sombras. Aquello no había ocurrido. Al contrario, había reparado en el brillo de un destello en la ampliación de la sangre alrededor del cuerpo de Jack Winter. Al principio, creyó que el técnico del equipo forense no tenía suficiente experiencia o era simplemente descuidado. Sin embargo, el destello se repetía en diversas fotos. Los mismos lugares, la misma intensidad. Todas las demás fotos tenían una exposición adecuada, a pesar de las difíciles condiciones de iluminación. No tenía sentido.

Contrariado por aquella diferencia, Lane aplicó el filtro Photo-Flair a esas zonas específicas. El programa Photoshop, originalmente diseñado por la NASA, era asombroso. Qué interesante. No todas las manchas de sangre en las fotos tenían esa misma cualidad reflectante. Algunas parecían frescas, como si todavía estuvieran húmedas. Y estaban distribuidas al azar, no en una sola mancha alrededor del cuerpo.

Había algo raro.

Siguiendo una corazonada, Lane cogió el teléfono e hizo una llamada rápida. Acababa de dejar un mensaje cuando Monty entró en el laboratorio.

—Me voy —anunció, ajustándose la corbata de mala manera—. Karly debe de haber llegado a estas alturas. Con un poco de suerte, lo conseguiremos. ¿Vienes?

—Todavía no. Estoy esperando una llamada.

—Pues será mejor que llamen pronto. O te perderás toda la emoción. —Monty frunció el ceño mientras intentaba por tercera vez arreglarse el nudo de la corbata—. Maldita sea. ¿Alguna vez te he comentado cómo odio las corbatas?

—Unas siete u ocho veces. —Sonriendo, Lane se incorporó y se acercó. Con movimientos diestros, le arregló la corbata a su padre—. Es una pena que no prestaras atención cuando mamá me enseñó a hacerme el nudo.

—Sí. Eso —dijo Monty, y lanzó una mirada de curiosidad a la pantalla—. ¿En qué trabajas tan concentrado?

—Las primeras fotos de la escena del crimen. Parte de la sangre alrededor de Jack Winter parece más húmeda que el resto.

—Lo recuerdo —dijo Monty—. Había un par de manchas húmedas. Pero las dos víctimas se desangraron. El proceso de secado se produce al entrar la sangre en contacto con el aire. No es raro ver esas diferencias.

—Es el patrón de las diferencias lo que me molesta. Esa sangre húmeda está esparcida al azar. Y los lugares donde se encuentra... no acabo de entenderlo. Por eso he hecho esa llamada. Tengo un viejo amigo de la universidad que es hematólogo. Quiero que me dé su opinión.

—Vale, si tienes una intuición con esta pista, síguela —dijo Monty—. Pero no tardes demasiado. Morgan te necesitará. Además... —añadió, con un amago de sonrisa—, está despampanante con ese vestido negro, o lo poco que hay de él. No tiene espalda ni tirantes y un escote demasiado pronunciado como para dejarla sola en una sala llena de hombres cachondos.

Lane miró a su padre.

—Llegaré en media hora. Si alguien se acerca a ella antes, saca tu Glock y dispara a matar.

La fiesta estaba en su apogeo cuando Monty llegó.

Le entregó su abrigo al empleado de la entrada, aceptó una copa de ponche, y un plato con sus canapés preferidos de toda la vida: salchichas envueltas en hojaldre.

—Detective Montgomery. —Jill Shore estaba cerca de él cuando Monty apareció. Parecía sorprendida y un poco incómoda al verlo—. No sabía que vendría.

Él le lanzó su sonrisa magnética, la sonrisa que había heredado Lane.

—Morgan me invitó —explicó—. Creo que se ha apiadado de mí porque con todas las horas que le he puesto al trabajo no he visto a mi mujer en toda la semana. Además, aparte de las dos veces que he comido en el restaurante de su abuelo, no he tomado nada que no haya salido de una lata.

—Eso suena bastante triste —dijo Jill, con su buen ánimo habitual.

—Lo es. Estas salchichas al horno me parecen gastronomía de cinco estrellas. —Más serio, Monty bajó la voz—. Por favor, no se preocupe. Sé que las paredes oyen. Me portaré como es debido.

En el rostro de Jill asomó una expresión de gratitud.

—Gracias. Y felices fiestas.

—Igualmente. —Monty se detuvo, sintiéndose como un imbécil por hacerle pensar que sus motivos para estar ahí eran estrictamente festivos. Jill Shore era una mujer cálida y encantadora. No se merecía lo que estaba a punto de caerle encima. Con o sin justicia, todo aquel asunto era una mierda—. Lamento que su familia haya sufrido tantas conmociones —añadió, casi sin darse cuenta.

—Ya lo sé. —Jill le dio un pequeño apretón en el brazo—. Pero también sé que está ayudando a Morgan, que también es parte de mi familia. Así que disfrute de la contribución de Winshore a las fiestas. Coma, beba y sea feliz.

—No me lo diga dos veces. —Monty le devolvió un guiño paternal y luego se alejó hacia la izquierda. Había divisado que, en un rincón más tranquilo, Morgan charlaba con Karly. Por el color de sus mejillas, le pareció que ésta acababa de llegar o estaba muy nerviosa. Probablemente las dos cosas.

—Señoritas —dijo—. Las dos están estupendas.

—Hola, Monty. Tú también estás bastante guapo. —La mirada de Morgan se detuvo en él sólo un momento—. ¿Lane ha venido contigo?

—Tenía que ocuparse de un par de cosas. Llegará en una media hora.

—Hola, detective. —Karly alisó un pliegue de su vestido de noche, un Chanel de chifón negro—. Y gracias por el cumplido. Ésos nunca sobran.

Ahora que Monty veía a Karly de cerca, tuvo que rectificar su primera impresión. El color de su rostro se debía sin duda al frío del invierno. En lugar de nerviosa, parecía decidida, con un brillo deliberado en la mirada mientras se preparaba para enmendar un mal horrible perpetrado hacía diecisiete años.

—¿Cómo ha ido su visita en el hospital? —preguntó Monty en voz baja.

Aquello provocó en ella una sonrisa espontánea.

—Es un chico maravilloso. Inteligente, con talento, y con un gran futuro por delante. Cuando habla de su hijo, se refiere a él como si fuera un dios. Por lo visto, ha sido todo un maestro para Jonah.

—Lane lo aprecia mucho; su intuición como fotógrafo, su empuje, su energía. Entre nosotros, cree que será un fotógrafo de talla mundial. —Monty miró de reojo a Morgan, que se había quedado decididamente pálida—. Hola —dijo, para llamar su atención—. Se supone que debo vigilar si alguno de los hombres intenta abordarte. Tengo órdenes de Lane de disparar primero y preguntar después.

Morgan torció los labios.

—Siempre sabes cómo arrancarme una sonrisa.

—No bromeaba. Lane se ha vuelto muy posesivo últimamente. —Sin modificar su expresión ni alterar su compostura, Monty preguntó—: ¿Dónde está Arthur? ¿Ya me ha visto?

—Él y Elyse están a tu derecha en diagonal y hacia el centro de la sala —informó Morgan, y el humor se desvaneció de su voz—. Y creo que no. Hay un pequeño grupo de invitados que le impide ver.

—¿Cuántos invitados?

—Cinco —contó Morgan.

—¿Puedes ir hasta el grupo y desplazarlo un poco para que me pueda ver sin problemas?

—Puedo intentarlo.

—Vale. Hazlo. —Monty volvió a mirar a Karly—. ¿Usted lo ve bien?

—Sí —respondió ella, después de comprobarlo con una ojeada rápida.

—No lo mire directamente. Manténgalo en su visión periférica. Siga hablando de cualquier cosa hasta que Morgan haya hecho lo suyo. Una vez que Arthur nos haya visto, eche una mirada alrededor, como si quisiera hablarme en privado. Luego lléveme a un lado, pero sin que él deje de vernos. Actúe como si tuviera que discutir acerca de algo, como si tuviéramos una discusión muy acalorada. No debería durar mucho tiempo, unos cinco o diez minutos. Yo le daré las indicaciones. Cuando hayamos acabado la conversación, vaya a mezclarse con la gente. Diviértase pero mantenga vivo cierto nivel de tensión, en caso de que los Shore estén mirando. Recuerde, todos saben quién es usted y el papel que ha tenido en la vida de Arthur. El resto es cuestión mía. ¿Alguna pregunta?

—Creo que no. —Karly respiró hondo para conservar la calma—. Estoy lista.

—¿Morgan? —Monty arqueó las cejas—. ¿Lista?

—Más lista que nunca.

Ahora estaba más pálida, y en sus grandes ojos verdes asomaba la dolorosa conciencia de que había llegado el momento de la verdad. No costaba ver que estaba como colgando de un hilo, y que en cualquier momento ese hilo podía romperse.

Monty frunció el ceño.

—Podemos hacerlo sin usted.

—No —dijo ella, y sacudió enérgicamente la cabeza, pensando en su padre y en su madre, y encontrando la entereza necesaria para garantizar que se haría la justicia que se merecían, poniendo con eso el punto final que necesitaba poner—. Allá voy —dijo.

Lane siguió trabajando mientras esperaba la llamada de su amigo hematólogo.

Había un total de cuatro manchas de sangre más húmedas que las demás, todas cerca del cuerpo de Jack Winter. El detalle interesante era que había una mancha más de sangre, con la misma pátina brillante, en la cara de Jack.

Lane hizo un zoom. El rugoso suelo de cemento y las piedras habían dejado su huella en la cara, al igual que la pelea que había tenido lugar. Los cortes y magulladuras estaban en el lado derecho de la cara, lo cual sugería que se había golpeado contra el suelo por ese lado. El golpe del arma era en el lado izquierdo de la cabeza.

Lo raro era que había una mancha húmeda en el lado izquierdo de la cara, directamente por debajo del pómulo. Seguramente le habían asestado un golpe durante la pelea. Pero ¿por qué aquello había secado más lentamente que las heridas sufridas posteriormente, en el punto de impacto con el suelo? Si el asesino lo había tumbado y luego había cogido el arma, no habría esperado para volver a golpear a Jack. Sencillamente, le habría disparado antes de que se recuperara y le devolviera el golpe. La posición a la manera de una ejecución lo confirmaba.

¿A qué se debía la diferencia en la consistencia de la sangre?

Lane amplió aún más el cuadro y se centró en aquella mancha en la mejilla izquierda de Jack. Además de la mancha rara, había varias magulladuras visibles, y un hilillo de sangre seca que manaba de la nariz, todas señales de una pelea a puñetazos. Cuando Lane aplicó el filtro PhotoFlair, aparecieron varias salpicaduras de sangre y una marca en la que no había reparado. La marca no parecía una punzada, sino, más bien, un corte, dos líneas rectas y perpendiculares, una línea vertical más larga y una horizontal más corta en la base, más marcada hacia la izquierda. Lane se preguntó qué podría haber causado esa forma. ¿Un cuchillo? ¿Una hoja de afeitar? Tenía que ser un objeto concreto.

Volvió la mirada a las manchas de sangre que brillaban, justo por debajo del corte. Había algo raro. Tras examinarlo detalladamente, Lane vio que, en realidad, se trataba de una serie de cuatro pequeñas manchas, en hilera, que formaban un dibujo claro, a pesar de su apariencia azarosa. Eran cuatro formas ovaladas e irregulares, separadas una de la otra por unos dos centímetros.

Huellas dactilares.

No. Huellas de nudillos.

Capítulo 35

Monty detuvo al camarero que pasaba y se sirvió dos pequeñas costillas de cordero con jalea de menta para acompañar los tres miniquiches y otras cuatro salchichas recubiertas de hojaldre que ya tenía en su plato. Sólo procuraba ser práctico. La comida era excelente, él estaba muerto de hambre y necesitaba reponer energías para el encuentro que estaba a punto de tener.

Además, se estaba divirtiendo demasiado observando cómo sufría Arthur Shore mientras se precipitaban los acontecimientos.

Desde que el congresista había visto a Karly fingiendo que hablaba acaloradamente con Monty (ella con el cuerpo tenso de ansiedad, mientras él conservaba una expresión seria y concentrada, asediándola con preguntas breves y deliberadamente ininteligibles), se había puesto muy nervioso. Era evidente que se había dado cuenta de que se había intercambiado cierta información irrefutable. Monty se había asegurado de que Arthur se diera cuenta de que él era el objeto de esa información irrefutable. Para eso, le había dicho a Karly que lanzara unas cuantas miradas rápidas y furtivas en su dirección mientras hablaba.

Ahora era el juego de la espera, y Monty se estaba aprovechando al máximo de ello. Cuanto más esperaba, más irritable se volvía Arthur. Además, era mucho más divertido ser el ave de rapiña que la presa.

Al final, fue el contacto visual de Morgan con Monty lo que lo decidió a actuar. Morgan estaba sola a un lado, con aspecto de estar a punto de derrumbarse, a la vez que fingía vigilar a los camareros.

Monty se acercó, se inclinó para dejar su plato vacío y murmuró:

—Ha llegado el momento. Utilizaré una de las salas de yoga del fondo para tener privacidad. Tú, aguanta firme. Lane está a punto de llegar.

—Lo intentaré —le aseguró Morgan. Las manos le temblaban y no paraba de lanzar miradas hacia donde estaba Jill—. En cierto sentido, esto es una pesadilla más horrible que la original. Es más fácil vivir con un asesino anónimo que con alguien en quien una creía ver su segundo padre. En cuanto a Jill... no sé cómo superará todo esto. Elyse tampoco. Entiendo que lo ha protegido, pero la infidelidad es una cosa, y el asesinato es otra. Estoy segura de que no lo quiere reconocer. Me da pena. Y Jill... —dijo, sin acabar la frase.

—No están solas —señaló Monty, con voz neutra—. Tú sí lo estabas. Se tienen la una a la otra y a ti también. Tú no tenías a nadie. Ellas son personas adultas. Tú eras una niña. Lo que tú viviste fue el infierno. La muerte es eterna, la prisión, no.

—Tienes razón. No lo es. —Morgan se inclinó para coger dos botellas de agua fría. Le entregó una a Monty y abrió una para ella misma—. Gracias por la cachetada conceptual. Y buena suerte.

Lane estaba mirando las manchas en la pantalla del ordenador cuando sonó el teléfono.

En la pantalla, decía *privado*. Lane respondió a la primera.

—¿Lane? Soy Stu McGregor. —En el ruido de fondo se distinguía claramente el ajetreo del centro médico y las llamadas por megafonía propias de un hospital—. En mi departamento me han dicho que necesitabas una información urgente.

—Stu, gracias por devolverme la llamada tan rápido. Estoy luchando contra el tiempo en una investigación criminal, y un poco confundido con un problema relacionado con sangre. De verdad que el tiempo apremia, o si no, no te llamaría con tantas prisas.

—Debería haberme imaginado que estarías metido hasta el culo en una intriga —dijo McGregor, ahogando una risilla—. Dime, ¿qué es lo que tienes?

Lane describió lo que veía en las fotos de su pantalla lo más detalladamente posible.

—Lo que no me explico es esa consistencia brillante de las manchas. Las otras se secaron en el mismo ambiente, bajo las mismas circunstancias. ¿Qué podría pasar para que la sangre se secara más lentamente?

Se produjo un silencio mientras McGregor reflexionaba.

—Vale, esto es sólo especulación por mi parte, ya que es evidente que no tengo un conocimiento de primera mano de la persona en cuestión o de su historial médico. Pero ¿qué pasaría si estuvieras mirando las manchas de sangre de dos fuentes diferentes, la víctima y el asesino? Siguiendo esa lógica, diría que uno de los dos está tomando algún tipo de anticoagulante. Algunos pacientes los toman bajo ciertas condiciones médicas para reducir el riesgo de sufrir una embolia.

—¿Así que adelgazan la sangre, como la aspirina?

—Es diferente. La aspirina adelgaza la sangre y la mantiene fluyendo adecuadamente por las arterias. Warfarin, el anticoagulante al que me refiero, disminuye los coágulos en las zonas de menor presión, como las piernas, donde la sangre está estancada. No creo que la aspirina por sí sola pudiera explicar ese aspecto líquido del que hablas. Para que esa consistencia pegajosa se dé, yo diría que el paciente tomaba Warfarin. Se prescribe cuando un paciente tiene una válvula coronaria artificial, una trombosis venosa profunda de las venas, fibrilación atrial o, en algunos casos, infartos o ataques al corazón.

—Espera —interrumpió Lane. Sintió que lo recorría un temblor frío al caer en la cuenta de lo que decía Stu.

Tengo esta enfermedad. Era Lenny hablando en la habitación de hospital de Jonah. *Fibrilación atrial. Un gran nombre para un problema no tan grande. Tomo un medicamento... me adelgaza la sangre, impide que se coagule.*

—¿Has dicho fibrilación atrial? —preguntó Lane.

—Sí, en lenguaje normal, son latidos irregulares. En los casos crónicos, la sangre no fluye lo bastante rápido desde el corazón, lo cual aumenta la posibilidad de un coágulo. Si eso ocurre, y un coágulo es impulsado desde la arteria a otras partes del cuerpo, como los riñones o los intestinos, se pueden producir problemas mayores. Y, en el peor de los casos, si el coágulo llega a una arteria que conduce al cerebro, puede provocar un derrame cerebral.

—¿Y has dicho que el medicamento que se prescribe para eso es Warfarin? —Aquello no le decía nada. No era el nombre que había utilizado Lenny. Y antes de llegar a una conclusión tan insólita, tenía que estar seguro. ¿Es el único tipo de coagulante en el mercado o se lo conoce con otro nombre?

—El nombre comercial más conocido es Coumadin.

Era el nombre del medicamento que había mencionado Lenny.

Lane empezaba a sentirse cada vez peor.

—¿Cuánto hace que se comercializa el Coumadin?

—Veamos. Al presidente Eisenhower le administraron Coumadin después del infarto que sufrió en 1956. Desde entonces, se prescribe regularmente. ¿Eso contesta a tu pregunta?

—Por desgracia, sí. ¿El Coumadin se prescribe a largo plazo? ¿Es posible que alguien lo tome durante, pongamos, diecisiete años?

—A veces toda la vida. Pero debo advertirte una cosa, y es que los pacientes que toman Coumadin deben mirarse los niveles de sangre, al menos una vez al mes. La ventana terapéutica, es decir, la diferencia entre la dosis necesaria para ralentizar adecuadamente el proceso anticoagulante y la dosis que provocaría una hemorragia espontánea, es muy estrecha. Así que la dosis tiene que ser controlada y modificada cuidadosamente.

Aquello le trajo otro recuerdo. Lenny. En el restaurante, la semana anterior. Se había cortado mientras preparaba un pepinillo en vinagre y había sangrado demasiado, para tratarse de un simple corte. Y Arthur lo había regañado por no haberse hecho el análisis de sangre. Les explicó a él y a Monty que su padre tomaba un medicamento para el adelgazamiento de la sangre y que tenía que mirarse el nivel todos los meses, según órdenes de los médicos.

Mierda.

—Lane —dijo McGregor—. ¿Todavía estás ahí?

—Lo siento. Sí, estoy aquí. Gracias por haberme llamado tan rápido y por darme respuestas tan precisas.

—Es evidente que no eran las respuestas que querías.

—No, pero había que tenerlas. Te lo agradezco, Stu. Ah, y felices fiestas.

Lane colgó y se quedó sentado, intentando desentrañar las implicaciones de lo que acababa de descubrir.

La sangre húmeda en el suelo. Las marcas de sangre brillantes en la cara de Jack. En los dos casos, eran de Lenny.

Lenny. El Lenny acogedor y jovial. El tipo que daba la bienvenida a todos a su restaurante. El tipo que haría cualquier cosa por cualquiera.

El tipo que iría aún más lejos para proteger a su hijo.

Lane empujó la silla hacia atrás y se incorporó. Tenía que llegar al gimnasio de Elyse para impedir que Monty culpara a Arthur. Porque había trozos de aquel rompecabezas que sólo él podía hacer encajar.

Estaba a punto de apagar la pantalla cuando se fijó en la ampliación de la mejilla de Jack, las líneas horizontal y vertical, perfectamente perpendiculares, grabadas en la piel de Jack como la marca del Zorro.

Y de pronto aquello cobró sentido. Era una marca, aunque no fuera intencional, una marca como la del Zorro. Una inicial. Invertida, porque había quedado marcada en la cara de Jack por el puñetazo. Sin embargo, vista en el espejo, era la letra *L*.

La sala de yoga era oscura y estaba apartada de la parte principal del gimnasio. Era perfecta para lo que había pensado Monty.

Llevó a Arthur Shore por el pasillo, le abrió la puerta y estudió el semblante del congresista cuando éste pasó a su lado y entró en ella. Arthur estaba rígido, y la rabia le salía por todos los poros, la estampa misma del hombre que está a punto de ser acusado injustamente.

Se detuvo en el centro de la sala y esperó a que Monty encendiera las luces. Gracias a la iluminación, Monty vio que los ojos de Arthur lanzaban destellos y que toda su postura era de enfrentamiento. Pero por debajo de aquella demostración de bravura, Monty intuía el miedo, la preocupación. El congresista Shore estaba sudando la gota gorda, y nadie se lo merecía tanto como él.

Visiblemente irritado, Arthur miró a su alrededor. En la sala sólo había una alfombra lila, unos cuadros de bucólicos paisajes, unas velas con aroma de lavanda y una docena de esterillas de yoga de color púrpura.

—Escoja una bicicleta estática —dijo Monty, cerrando la puerta y señalando hacia unas bicicletas que habían sido alineadas contra la pared para despejar el espacio de la fiesta—. Por lo que me han dicho, los asientos son muy cómodos.

—Me quedaré de pie. —Arthur se cruzó de brazos—. Vale. Una vez más, me ha traído para alguna conversación secreta. ¿De qué se trata ahora? ¿De Jonah?

—No. —Monty también permaneció de pie, pero dejó su botella de agua sobre el sillín de una bicicleta y apoyó los codos en el manillar—. Comparado con esto, su violación de una adolescente es un asunto menor. Por eso elegí esta sala para hablar, aunque sea un poco incómoda. Quería el máximo de privacidad, no por respeto a usted sino a su familia.

—Ah. Otra desagradable sesión de insinuaciones.

—Nada de insinuaciones. Verdades. Hechos a propósito del doble homicidio de los Winter. Pero eso usted ya lo sabía. Por eso se ha disculpado y ha venido conmigo. También por eso está que se caga de miedo. Pues, debería estarlo. Me jugaría toda mi jubilación. En realidad, la donaría para su próxima campaña. Y dado que es muy improbable que lo haga, debería entender lo seguro que estoy de lo que estoy diciendo.

Monty apretó la mandíbula y se inclinó hacia adelante con las manos aferradas al manillar.

—Mientras usted me ha llevado a seguir pistas falsas, he recopilado información sobre algunos hechos. Por ejemplo, su habitual relación con George Hayek. Realmente lo había metido en un apuro. Se creyó aquella chorrada que usted le habrá contado de asustar a Morgan por su propio bien. Incluso llegó a amenazarlo con utilizar su influencia en las altas esferas para modificar su condición de amparado por el gobierno, sólo para asegurarse su cooperación. Hasta que la consiguió. Quizá fue demasiado. No pensó que Rachel Ogden sería la víctima del atropello, ¿no? De hecho, ni siquiera pensó en Rachel Ogden. Quería asustar a Morgan. Cuando eso no funcionó, hizo que Hayek ordenara a un pringado que entrara en su casa y dejara esa horrible amenaza en su cama. Por cierto, fue una movida inteligente arreglárselas para que las dos chicas estuvieran ausentes esa noche. Ordenarme que redoblara la seguridad y luego invitarlas a su casa mientras se perpetraba el asalto. Bonito plan. El toque final también estaba bien. Pedirle a Hayek que mandara a un par de matones a destrozarme el parabrisa y sacarme de la autopista de Taconic. A mí no me alteró, excepto por el daño que le hicieron a mi coche, pero sí alteró a Morgan.

La piel del cuello de Arthur cobró un tono rojizo.

—Está loco —dijo. Buscó en el bolsillo interior de la chaqueta y sacó el móvil—. Voy a llamar a mi abogado.

—No malgaste su tiempo —dijo Monty, desechando la idea con un gesto de la mano—. Espere hasta que el asunto tenga un aspecto más grave. Esto no es un interrogatorio. Recuerde que ahora soy investigador privado. No soy poli. Leerle sus derechos no significa una mierda para mí. Esto es algo personal. Cuando le entregue estas pruebas al fiscal del distrito, que daría cualquier cosa por condenar al verdadero asesino de Jack Winter, entonces llame a su abogado. Lo necesitará.

—¿Qué pruebas? —inquirió Arthur, dejando caer la mano.

—Ah, he captado su interés. Veamos. ¿Qué le parece un reloj de pared que contradice en una hora y media la hora en que usted dijo ausentarse de la fiesta de los Kellerman? ¿Qué le parece el hecho de que usted estaba desaparecido a la hora precisa en que Jack y Lara Winter estaban siendo asesinados? Ah, por cierto, ¿sabe esa coartada que me dio? Debería haber investigado con más detalle. Fue un bonito trabajo encontrar a alguien que encajaba con el perfil de uno de sus ángeles y que ahora está convenientemente muerta. Por desgracia, no investigó lo suficiente. Margo Adderly tenía una familia. Encontré a su hermana. Ha vivido veinticinco años en Manhattan. Todas las vísperas de Navidad, ella y Margo se reunían en su casa, incluyendo la noche en cuestión. Así que puede que Margo esté muerta, pero su hermana ha destrozado su coartada.

Un músculo le temblaba a Arthur en la sien.

—¿Ningún comentario? —preguntó Monty—. No importa. Yo puedo hablar por los dos. Hizo una pausa para tomar un trago de agua—. Volvamos a lo de George Hayek. Resulta fascinante que hace años le regalara a su padre una Walther PPK, y que ésta desapareciera en algún momento después de los asesinatos. Debo decirle una cosa, y es que Lenny estaba destrozado cuando lo interrogué. No me cabe duda de que se quebrará en el banquillo de los testigos y contará todo lo que sabe. Tendré que acordarme de mencionárselo al fiscal del distrito. En cuanto a Elyse, es una pena que no pueda ser obligada a declarar contra su marido. Ella también se quebraría. Ya sabe, todo el cuento inventado sobre las llamadas telefónicas, los seguimientos y la furgoneta. Se lanzaría a las vías del tren si usted se lo pidiera. Por eso aceptó todo el fiasco de Carol Fenton, hasta el embarazo. Desde luego, como usted, ella no sabía de la existencia de Jonah. Creía que Carol había abortado. Tampoco esperaba que usted fuera a matar para proteger su secreto.

Monty exhaló bruscamente y sacudió la cabeza con un gesto de simpatía.

—Tiene que haber sido la parte con que más le costaba vivir. Su mejor amiga de la universidad. Asesinada por usted. Hablando de la culpa. No puedo ni imaginarme los demonios contra los que habrá tenido que luchar su mujer todos estos años. Dígame, ¿criar a la hija de Lara y Jack lo hizo más leve? ¿Acaso lo hacía sentirse un poco menos culpable?

—Cállese —le espetó Arthur—. Elyse y yo amamos a Morgan. La hemos criado como si fuera nuestra hija.

—He acabado el alegato de mi caso.

—Usted no tiene ningún caso. —Los ojos de Arthur echaban chispas. Lo único que tiene es un montón de basura circunstancial. Con quién *no* estaba, dónde *no* estaba, eso no importa. Tiene que demostrar dónde *sí* estaba.

—Eso también puedo hacerlo —afirmó Monty, señalando hacia el gimnasio con el pulgar—. ¿Qué diría si le contara que acabo de descubrir que una de las invitadas de Lara a esa fatídica fiesta de Navidad llegó temprano? ¿Y si dijera que, cuando llegó, esa invitada oyó a Lara y a Jack discutiendo en el sótano con un hombre cuya voz reconoció en su intimidad? La suya.

En la frente de Arthur empezaban a asomar gotas de sudor.

—Miente. Si eso fuera verdad, esa persona ya se habría presentado antes.

—Si hubiera sabido lo que ocurrió, lo habría hecho. Pero no lo supo. Primero se aisló, luego tuvo su bebé y finalmente subió a un avión y abandonó Nueva York en cuanto pudo, cortando todo vínculo con su antigua existencia, obedeciendo sus órdenes. Ha vivido todos estos años en Los Ángeles, sin tener idea de que los Winter habían sido asesinados y de que el asesino andaba por ahí suelto. La destinaron a Nueva York hace varios meses. Y lo primero que supo de los asesinatos y del falso condenado fue cuando saltó la noticia. Leyó que Lara tenía una hija que se llamaba Morgan, sumó dos más dos y, cuando se produjo el atropello con fuga, vino a verme para contarme lo que sabía. Eso nos da motivo, medio y oportunidad —dijo Monty, y sus labios se cerraron en una línea fría y seria—. Juego, set y partido.

Lane llegó a toda prisa al gimnasio y ni siquiera se molestó en quitarse el abrigo. Pasó junto al empleado de la puerta y entró. Morgan y él se vieron al mismo tiempo, y cubrió la distancia que los separaba a grandes zancadas. La cogió por los hombros con fuerza.

—¿Dónde están Monty y Arthur?

—En la sala de yoga. —Morgan lo miró con grandes ojos y ademán de interrogación—. Están hablando. Llevan ahí dentro casi media hora.

Lane barrió la sala con una mirada hasta encontrar al hombre que buscaba.

—Morgan, quiero que pienses —dijo—. ¿Quién preparó la comida para la fiesta de Navidad del centro de acogida de tu madre aquella noche?

—No tengo que pensarlo. —Fue Lenny. O al menos lo habría hecho si... —dijo, y contuvo la respiración. Lane le cogió la mano y la condujo a través de la sala—. ¿Qué ha pasado? ¿Qué ocurre?

—Ya verás. —Se detuvo frente a Lenny y Rhoda, que conversaban animadamente con un par de invitados—. Lenny, ¿puedo hablar contigo un momento? Es importante.

Lenny arqueó las cejas, sorprendido.

—Por supuesto —dijo, con un dejo de aprensión—. ¿No será...? No le habrá ocurrido algo a...

—Jonah se encuentra bien —dijo Lane, en voz baja—. Están a punto de darlo de alta. Por favor, acompáñame. —Miró a Rhoda y a los demás, con una sonrisa forzada—. Disculpadnos. Tengo que llevarme a Lenny unos minutos.

Lane cogió firmemente a Lenny por el hombro y lo llevó hacia la sala de yoga, sin soltarle la mano a Morgan.

—¿Qué es lo que ocurre? —Lenny parecía totalmente confundido, y algo cauteloso—. ¿A dónde vamos?

—A reunirnos con Monty y Arthur, que están hablando.

Llegaron a la puerta. Lane hizo girar el pomo y abrió. Monty y Arthur se giraron bruscamente y se los quedaron mirando.

Lane hizo entrar a Lenny. Después, se quedó en la puerta un momento, se giró y le dijo a Morgan con voz suave:

—Lo siento, cariño —murmuró—. No tienes idea de cuánto lo siento.

Antes de que ella pudiera contestar, Lane la hizo entrar y cerró la puerta con gesto firme.

—Lane —empezó a decir Monty—, estamos en medio de...

—Ya sé en medio de qué estáis. Sólo he venido para asistir al final. —Le lanzó una dura mirada a Arthur, que bajó la vista—. Déjeme adivinar. Lo ha negado todo. A pesar de todas las pruebas que ha presentado Monty.

—Y vaya si tienes razón, claro que lo he negado —respondió Arthur, con una expresión de ira fugaz al ver a Morgan—. ¿Has traído a Morgan aquí? ¿Le habéis llenado la cabeza con esa basura? ¿Cómo podéis hacerle creer…?

—Deje el numerito, Arthur —interrumpió Lane—. Está metido en algo muy feo como para hacer el papel de padre adoptivo consternado. Así que, para nuestra información… y para Morgan, ¿habían planeado los asesinatos? ¿O sencillamente ocurrieron así? ¿Usted fue cómplice? ¿O sólo pertenecía al comité de limpieza? ¿Cuál de los dos llevó el arma, usted o su padre?

Arthur abrió la boca para hablar y enseguida la cerró.

—¿Su padre? —preguntó Morgan, con un hilo de voz.

Lane miró a Arthur con cara de asco.

—¿Acaso tiene una sensación enfermiza de poder al saber que su padre es tan incapaz de ver quién es usted verdaderamente que mataría para protegerlo? ¿Qué dos personas notables fueran asesinadas porque a usted se le antojó poseer a una adolescente y no fue capaz de enfrentarse a las consecuencias? ¿Qué Lenny se negara a dejarlo enfrentarse a las consecuencias, y que se negara incluso a escuchar a Lara y a Jack?

Todos miraban sorprendidos, incluso Monty.

Lenny cerró los ojos y emitió un sonido gutural y atormentado.

—Lane, por favor. No hagas esto. No aquí, con Morgan. No puedo soportar que ella escuche. Ella era pequeña… sólo una niña.

—Papá, cállate —ordenó Arthur—. No tienen nada. Están sólo probando suerte.

—Eso quisiera yo. —A Lane le dieron ganas de asestarle un puñetazo—. Tengo pruebas, Arthur. Pruebas físicas. —Sacó las fotos, una por una, se arrodilló y las dejó sobre las esterillas de yoga—. La marca del anillo de oro de Lenny en la cara de Jack Winter. Su sangre en el suelo después de la pelea y la huella de su nudillo sangrante en la cara de Jack. ¿Veis esa consistencia húmeda y pegajosa? Se debe a que la sangre de Lenny no coagula fácilmente ya que toma Coumadin para su fibrilación atrial. Las pruebas de ADN de hoy en día tienen una precisión absoluta. Demostrarán que la sangre es de Lenny. Y luego está este espacio perfectamente visible, una mancha redonda, de donde se quitó un cubo de cemento, aquí —dijo Lane, y señaló—. Ahí es donde Arthur tiró la camisa ensangrentada después de limpiarle a Lenny la cara y las manos. Borró sus huellas de todas partes y lo montó para que pareciera que los Winter fueron asesinados en el curso de un robo fortuito.

Lane oyó la respiración contenida de Morgan, sintió que temblaba a su lado. Pero no podía darlo por acabado, todavía no. No hasta obtener las dos confesiones que había venido a buscar. Lanzó una rápida mirada a Monty.

—Os daré otra prueba. Llamé a Anya mientras venía hacia aquí. Ella sabe, igual que nosotros, lo concienzudo que es Lenny. Tiene siempre el restaurante abierto, incluso el día de Navidad. Anya recuerda claramente sólo dos días en que Lenny haya llamado para avisar que estaba enfermo en veinte años que lleva en la tienda. ¿Qué días fueron esos? El día de Navidad y el siguiente, de 1989. Anya lo recuerda, porque fue justo después de que los amigos de Arthur fueran asesinados. Pero dijo que Lenny no tenía buen aspecto cuando volvió, porque tenía cortes y magulladuras en la cara. Él dijo que se había caído. Yo digo que recibió esos golpes durante la pelea con Jack Winter, que defendía la vida de su mujer y la suya propia.

Lenny había empezado a sollozar. Se cubrió la cara con las manos, como si no pudiera soportar la vergüenza y el dolor.

—No debería... Yo nunca quise...

—¡Papá! —volvió a ladrar Arthur.

Lane se giró hacia Arthur y sacudió la cabeza con gesto de profunda incredulidad.

—Ni siquiera siente remordimientos, ¿no? Es evidente que no los sintió en ese momento. Se limitó a quitarles a Jack y Lara los objetos valiosos, lanzó la Walther PPK al vertedero de Fountain Avenue y volvió a una puñetera fiesta de Navidad celebrada en su honor. Como si nada hubiera ocurrido, sin inmutarse.

—Sí que se inmutó —interrumpió Lenny, que defendería a su hijo hasta el final—. Deberías haberlo visto cuando ocurrió. Todo el rato que estuvo limpiando, intentando encubrirme, lloró como un bebé. Y luego, cuando llamaron a la policía, fue el primero en presentarse. Dios mío, Lane, ninguno de los dos sabía que Morgan estaba arriba. Nunca imaginamos que sería ella quien los encontraría. Y cuando nos dimos cuenta de que así había sido, cuando Arthur vio lo que le había hecho, se sintió destrozado por dentro. Yo también. A partir de ese momento, Morgan se convirtió en miembro de nuestra familia. Todavía lo es. En nuestros corazones, es la hija de Arthur y mi nieta. Nos juramos que nada volvería a hacerle daño. Y cumplimos nuestra promesa. Todos estos años hemos intentado compensar por lo que ocurrió, a pesar de que sabíamos que eso era imposible. Sin embargo, Elyse ha sido una madre maravillosa. Y Jill es una hermana en todo excepto en la sangre. Todos la quisimos, la acogimos, la amamos y…

—¡*Cállate*! ¡*Cierra la boca*! —Las palabras explotaron en boca de Morgan, desde el fondo de su corazón y su alma, mientras miraba a aquel hombre, a los dos hombres, que no conocía y que ya no podía seguir soportando.

—Morgan… —dijo Lenny, como queriendo acercarse—. Por favor, intenta…

—No. —Morgan se apartó como si fuera un monstruo detestable—. Basta de excusas —dijo, con voz ronca y temblorosa, nada característico en ella—. Basta de palabras de afecto. Basta de ruegos. Basta de remordimientos. La verdad. Lenny, ¿cuánto de esto era obra tuya? ¿Cuánto era de Arthur? ¿Cuál de los dos me mintió más? Maldita sea, quiero saber la verdad. Dime qué pasó esa noche. Al menos me debes eso.

—Morgan. —Esta vez era Lane el que intervino, y le cogió las manos frías entre las suyas—. ¿Estás segura de que quieres…?

—Sí, estoy segura.

—Déjala, Lane —dijo Monty—. Necesita algo para acabar de una vez por todas.

Lane asintió con un gesto de la cabeza, pero no le soltó las manos, decidido a demostrarle que no estaba sola.

—Voy a llamar a nuestro abogado —dijo Arthur, y sacó su teléfono móvil.

—Llama a quien quieras —replicó Lenny, con voz débil—. Le contaré a Morgan lo que quiere saber. Se ha acabado, Arthur. ¿Y sabes una cosa? Me alegro. No puedo seguir soportándolo. Ni siquiera por ti.

Lenny no hizo caso de las protestas de su hijo, y se volvió hacia Morgan sin intentar volver a tocarla.

—Yo nunca tuve intención de hacerles daño. Fui a dejar la comida. La pistola la llevaba sólo como protección. Era la víspera de Navidad, era de noche, y tenía que ir a un barrio peligroso de Brooklyn. Entré por la puerta del sótano. Arthur y tus padres estaban abajo, discutiendo. Tu madre acusaba a Arthur de ser un cobarde y de engañar a Elyse con una adolescente. Le dijo que lo había visto con sus propios ojos y que, sabiendo todo lo que sabía, no podía guardar silencio. Arthur le dijo que no se metiera, que dejara de intentar salvar al mundo y que se estuviera callada o la demandaría por difamación.

Al recordar, Lenny tuvo un estremecimiento.

—Aquello enfureció a tu padre. Llamó a Arthur cabrón enfermo y violador, y dijo que se aseguraría de que lo acusaran y condenaran por violación de una menor. Dijo que cuando acabara con él, su matrimonio estaría destruido y su carrera por los suelos.

Lenny se limpió la cara con una mano.

—Yo no podía creer que dijera esas cosas, que las dijera a propósito de mi chico. No pude quedarme callado. Le dije que se callara la boca y que dejara en paz a mi hijo y a su familia. Arthur lo negó todo, una y otra vez, pero ellos no le creían. Lara no paraba de llamarlo mentiroso y tramposo, y Jack insistía en que lo perseguiría legalmente.

—De pronto, sin más ni más, Jack dijo que cambiarían su testamento para que Arthur jamás pudiera ocuparse de Morgan. Dijo que la simpatía que tenían por Elyse había dejado de compensar el hecho de haber descubierto que Arthur no era más que un pedófilo. Arthur se puso como loco. Empezó a tirar cosas, jurando que era inocente, que ellos sólo pretendían arruinarlo. Aquello me rompió el corazón. No sabía qué hacer. Así que saqué la pistola y empecé a apuntar a todas partes. No estoy seguro de lo que pretendía conseguir, quizás asustar a Jack para que desmintiera lo dicho y abandonara sus planes de arruinar a Arthur. Lara tuvo que haber pensado que iba a usarla, porque lo siguiente que vi fue que estaba a punto de darme con un palo grueso. Nunca quise dispararle. Ni siquiera estoy seguro de si disparé la maldita arma o si se disparó sola. ¡Si ni siquiera sabía usarla! Pero ¿cuál sería la diferencia? De repente Lara me iba a dar con el palo en la cabeza y, al momento siguiente, estaba tendida en el suelo, y había sangre por todas partes.

Lenny tuvo que parar para controlar sus sollozos.

—Jack se me lanzó encima como un animal salvaje. Peleamos. Le di en la cabeza con la pistola, que salió volando hacia no sé donde. Pero seguimos peleando, y lo golpeé con fuerza en la cara. Lo único que atinaba a pensar era que tenía que detenerlo, impedir que le hiciera daño a Arthur. Pero yo era mucho mayor que él, y empecé a cansarme. Estaba de rodillas, intentando respirar, intentado superar el estado de *shock* por lo que acababa de hacer.

—¿Qué pasó con Arthur? —preguntó Monty—. ¿Qué hacía él entre tanto?

—Primero se fue hacia Lara. Le cogió el pulso para ver si seguía viva. Pero era demasiado tarde. Lara se había ido. Al principio, Arthur parecía perdido, como un niño que no sabe qué hacer. Y luego… —Lenny vaciló, muy consciente de que cualquier cosa que dijera a continuación no haría más que incriminar a Arthur.

—Luego entendió que la única manera de salvar el culo —y el tuyo también—, era acabar lo que tú habías empezado —dedujo Monty—. Así que encontró el arma en el suelo, la cogió y fue hasta donde Jack estaba tendido, bocabajo y aturdido. Tenía que moverse rápido, antes de que Jack volviera en sí y reaccionara. Así que te convenció de que la única manera de protegerte del crimen que acababas de cometer y, al mismo tiempo, de silenciar las mentiras de Jack, era matarlo también a él. Tú estabas tan desorientado que no sabías dónde te encontrabas. Pero Arthur sí lo sabía. Sabía perfectamente lo que hacía cuando apuntó con el arma y le disparó dos veces a Jack Winter en la cabeza. Después, fue todo más o menos como lo ha descrito Lane. Excepto que tu hijo tuvo que limpiar las huellas dactilares de cuatro manos, no de dos.

—Dios se apiade de mi alma —gimió Lenny, inclinando la cabeza.

—¿*Tú disparaste a mi padre a sangre fría?* —Morgan se soltó de las manos de Lane. Temblando de rabia, le propinó una cachetada a Arthur en la cara con toda la fuerza de que era capaz.

Arthur se sacudió con el golpe y, cuando volvió a girar la cabeza, todavía tenía marcada en la cara la mano furiosa de Morgan.

—Morgan…

—No pronuncies mi nombre. Ni siquiera me hables. Ahora no. Nunca. Lenny es patético. Pero tú…, tú eres un animal. Un ser inhumano, cobarde e hipócrita… —Morgan tragó una bocanada de aire, sin dejar de mirarlo—. ¿Quién más lo sabe? —preguntó con la misma voz endurecida—. ¿Elyse?

—No tengo una respuesta para eso —dijo Arthur, con voz apagada.

—No tiene respuestas para nada —interrumpió Monty—. Sólo mentiras perversas y un sentido aún más perverso del arrepentimiento.

—No quise decir eso —dijo Arthur, con la mandíbula tensa—. Quise decir que Elyse y yo nunca hemos hablado de ello. Era mejor así. Quizá lo adivinara. Estoy seguro de que sospechaba algo. Una cosa es segura, y es que no ha vuelto a ser la misma desde esa noche.

—¿Y Rhoda?

—Mi madre no sabe nada. Jill tampoco. No podrían haber vivido con ello.

—Jill —repitió Morgan, con voz temblorosa—. Esto la destrozará.

—Lo superará —le aseguró Monty, con voz queda—. Jill es fuerte. Y tú eres más fuerte todavía. Además, no está sola. Y esta vez tú tampoco lo estás. —Se quedó mirando cuando Lane se acercó a Morgan por detrás, le puso unas manos firmes en los hombros y dejó que apoyara la espalda en él. No había necesidad de decir nada.

Monty sacó su teléfono móvil.

—Voy a llamar a la policía —avisó—. Y, Arthur —añadió, lanzándole una mirada al congresista—, ahora sería un buen momento para llamar a su abogado.

Epílogo

Seis meses después...

Morgan miró por la ventana del pasajero del coche de Lane y vio el sol reflejándose en las aguas del East River cuando cruzaron el puente Williamsburg en dirección a Brooklyn.

Costaba creer que hubieran transcurrido seis meses desde que los cimientos de su vida se habían desmoronado y su mundo había vuelto —una vez más— a quedar del revés.

Se miró el anillo de compromiso, un diamante de corte cuadrado, sencillo pero elegante. Lane se lo había regalado el primer día de primavera. Era el día perfecto para un nuevo comienzo, había dicho.

No habían fijado fecha para la boda. Todavía no. Morgan no estaba del todo preparada. No cuando todavía había tantas cosas por resolver, tanto en el plano emocional como legal.

Los cargos contra Arthur todavía estaban en trámite. Monty insistía en calificarlo de asesinato en segundo grado, pero le quedaba mucho trabajo por hacer.

El equipo de abogados de la defensa que Arthur había contratado era el mejor. Siguiendo el consejo de esos abogados, Arthur guardó un silencio total mientras se sucedían las mociones que éstos presentaban. Mociones para anular el caso. Mociones para cambiar de jurisdicción. Mociones para lo que se les ocurriera; no paraban de enviar mociones al tribunal. Sería difícil procesarlo por cualquier otra cosa que no fuera encubrimiento de un crimen, ya que todas las pruebas físicas incriminaban a Lenny, al que se acusaba de homicidio involuntario en segundo grado. Debido a su edad, a su posición en la comunidad y a su petición de defenderse a sí mismo, los abogados de Arthur confiaban en que la condena de Lenny podía ser la mínima, sin pena de prisión. La versión que se habían inventado era que Lara había recibido un disparo accidental cuando Jack había atacado brutalmente a Lenny, después de lo cual éste, temiendo por su propia vida, había matado a Jack.

Una parte de verdad. Una parte de mentira. Juntas, eran verosímiles.

No importaba lo que dijera Arthur. Morgan sabía la verdad. El resto de la familia también. Y cada uno intentaba lidiar con ello a su manera. Sin embargo, Lenny era un hombre roto. Se mantenía entero gracias a Rhoda. Ella mantenía la tienda abierta y funcionando, para bien de Lenny, para el suyo propio y el de la clientela. Mantenía las manos ocupadas, la cabeza ocupada y a sus clientes satisfechos. Además, la jornada de Jonah ahora, en vacaciones, era más larga, y a Rhoda le hacía un bien enorme estar junto a su nieto.

Jonah también apreciaba la relación que se había establecido, sobre todo la que mantenía con su madre biológica. Sus padres lo apoyaban y hacían todo lo posible para que Karly se sintiera una figura bienvenida en la vida de Jonah.

A pesar de todo lo ocurrido, o quizá debido a ello, Winshore iba viento en popa dado que la publicidad no intencional de aquel escándalo no paraba de atraer nuevas oleadas de clientes. Trabajar duro era el mejor bálsamo que Morgan podía pedir. La mantenía concentrada y le daba un sentido a lo que hacía.

Lane también le daba un sentido.

Era el único que, a la postre, la había convencido de que, aunque el pasado siempre sería una parte de ella, no tenía el poder para controlarla, a menos que ella lo permitiera. La vida, tal como Lane le había enseñado, era como el arte. Rara vez era en blanco y negro, la mayoría de las veces dominaban los matices del gris.

—Estás muy callada —observó Lane en ese momento. Aceleró levemente y enfiló por Atlantic Avenue.

—Me pregunto de qué irá esta reunión. —Morgan le lanzó una mirada de interrogación—. ¿Estás seguro de que Barbara no dijo por qué quería vernos?

—Seguro —dijo Lane, con la vista fija en la calle—. Al parecer, tenía prisa. Cuando le dije que estabas en la ducha, me preguntó si podíamos venir rápido, en una media hora. Sabía que dirías que sí, así que contesté en tu nombre.

—Pero les dijimos a tus padres que estaríamos en la granja para comer.

—Llegaremos. Además, yo que tú no me preocuparía de que nos echen en falta. Devon y Blake ya han llegado. Mis padres estarán dedicados a cuidar de Devon, asegurándose de que coma, que descanse y todo lo demás. Es probable que Monty tenga el todoterreno a mano en caso de que el bebé decida llegar tres semanas antes de lo previsto. Créeme, estarán muy ocupados.

Morgan sonrió.

—Estás a punto de convertirte en tío. Es muy emocionante.

—Así es. Espero el momento con ansias. —Lane ralentizó, giró a la derecha y siguió por Williams Avenue.

—Éste no es el camino a Healthy Healing —observó Morgan, con voz neutra.

—Ya lo sé. —Lane continuó en dirección al edificio que Morgan más temía volver a ver, y que había evitado durante todos esos años.

—Lane,... —alcanzó a decir.

—Tranquila —dijo él, y le apretó la mano—. Confía en mí.

Morgan iba a abrir la boca para contestar cuando Lane se detuvo frente al punto de destino. Morgan cerró la boca de golpe y miró con los ojos desmesuradamente abiertos.

El edificio de tres plantas había sido totalmente restaurado, con sus luminosas ventanas blancas, su doble barandilla flanqueando una entrada y escalera de piedra caliza azul, y una reja que delimitaba un pequeño terreno de juego en el patio trasero. La puerta de entrada era de cerezo macizo y, por encima, había una placa de latón con una inscripción: CENTRO DE MUJERES LARA WINTER.

Morgan se quedó mirando.

—No lo entiendo.

—Ya lo entenderás —dijo Lane, y le puso una llave en la mano—. Es un regalo que te hago a ti.

Ella miró la llave, y luego a Lane, y empezó a entender.

—¿Has comprado el edificio?

—Has acertado —dijo Lane, con una sonrisa torcida—. Todo ha funcionado bien. La tienda de segunda mano se ha mudado a unas manzanas de aquí, y al dueño le ha gustado lo bastante mi oferta como para acelerar el traspaso de los títulos. Yo contraté a los trabajadores, y Barbara al personal del centro. Abre sus puertas en una semana. Sólo necesitamos tu acuerdo final. Por eso estamos aquí, para obtenerlo. —Lane bajó del coche y lo rodeó para ofrecerle su mano—. Venga, vamos a echar una mirada.

Ella hizo lo que él le pidió, le cogió la mano y llegó hasta la escalera de la entrada. Tuvo que intentarlo tres veces antes de abrir la puerta porque las manos le temblaban demasiado.

Al entrar, aguantó la respiración al ver el suelo de parqué y las paredes de un bello color aqua. Había tres espacios bien diferenciados: un semicírculo de sillas que era, sin duda, el centro de encuentro de las mujeres, una pequeña habitación llena de juguetes y libros sobre el cuidado del niño, y una mesa de juego con frascos de Snickers y Milky Ways en el centro.

En la pared, frente a la entrada, había una foto que Morgan conocía como la palma de su mano, la foto tan amada, la última foto de ella y sus padres, fechada el 16 de noviembre de 1989, con las palabras *Jack, Lara y Morgan*, escritas del puño y letra de su madre.

Era igual a la original. Sólo que mejor. Había sido tratada, ampliada y enmarcada con absoluta precisión. Era como si sus padres estuvieran en la sala con ella, y con todas las mujeres que entrarían por esa puerta en busca de apoyo y solidaridad.

Unas lágrimas le humedecieron las pestañas.

—No... no sé qué decir.

—No digas nada —sugirió Lane—. Quédate unos minutos a solas con tus padres. Yo esperaré afuera. —Se giró para salir.

—Lane. —La voz de Morgan era lacrimosa—. Te amo.

—Lo sé. Yo también te amo. —Con un «clic» ligero, la puerta se cerró a sus espaldas.

Morgan se quedó quieta un momento, mirando la foto y dejando que le llegara en toda su dimensión. En el fondo, era la misma foto que había mirado noche tras noche, empapada por el sudor de sus pesadillas.

Esta experiencia era diferente. Colgada ahí, en aquel centro dedicado a su madre; la foto ya no era un preludio a la muerte. Era un testimonio vivo. Una celebración de sus padres, la realización de sus sueños.

Una manera de perdurar en el tiempo.

Aquel edificio había dejado de ser la encarnación de una pesadilla.

Ahora era la encarnación de una esperanza, de una promesa para el futuro, de todo aquello que Lara quería y por lo cual había trabajado.

Con la garganta apretada por la emoción, Morgan pasó la mano por el marco de madera y por el cristal que protegía la foto. Un santuario, pensó siguiendo las líneas de los rostros de sus padres. Aquel centro era un santuario. No sólo para las mujeres que necesitaban desesperadamente un refugio, sino para ella. Era un lugar que entrañaba un sentido, donde ella podía venir y estar. Para visitar, para ayudar y sentir esa maravillosa conexión con sus padres.

Ellos no estaban perdidos para ella. Gracias al regalo de Lane, nunca lo estarían.

Morgan se giró y caminó por la sala, sintiendo la presencia de sus padres a cada paso, dejando que los recuerdos volvieran en tropel. Pasó la mano por la mesa de juego, sonrió mirando las chocolatinas que servirían de ganancias y tuvo una sensación de aquella paz interior que hasta ese momento se había mostrado tan esquiva.

Eso era lo que Lane había traído a su vida, pensó. Le había enseñado a aceptar y a dar amor nuevamente, no a medias, sino plenamente y sin reservas. Lane le había enseñado a confiar. Y le había enseñado que el amor implicaba asumir riesgos. A veces, significaba dolor. Sin embargo, una vida sin riesgos, o lo que es peor aún, una vida sin amor... no era vida.

Por fin, y por primera vez, podía dejar el pasado descansar en paz. Sus padres no se habían ido, estaban junto a ella... siempre. Y su legado seguiría vivo en el Centro de Mujeres Lara Winter.

Con ese pensamiento, Morgan volvió sobre sus pasos hasta la puerta. Se detuvo para mirar la foto una vez más, entregándose en silencio a sus sentimientos. Dijo adiós, sabiendo que no sería nunca un adiós definitivo.

Y luego, con una sonrisa tranquila, salió y cerró la puerta a sus espaldas.

www.titania.org

Visite nuestro sitio web y descubra cómo ganar
premios leyendo fabulosas historias.

Además, sin salir de su casa, podrá conocer
las últimas novedades de
Susan King, Jo Beverley o Mary Jo Putney,
entre otras excelentes escritoras.

Escoja, sin compromiso y con tranquilidad,
la historia que más le seduzca
leyendo el primer capítulo de cualquier libro
de Titania.

Vote por su libro preferido y envíe su opinión
para informar a otros lectores.

Y mucho más...